運行管理者旅客　法改正

令和 6 年度試験で出題が予想される改正の内容や覚えておきたい法令等を紹介します。

●改善基準告示の見直し

改善基準告示の改正は令和 6 年 4 月 1 日施行であるが、**令和 6 年度第 1 回試験より**出題範囲となることが試験センターより公表されている。ここでは、これまでに頻出の貸切バス、旅客自動車運送事業（隔日勤務に就く運転者及びハイヤーに乗務する運転者を除く）について説明する。

「1 ヵ月及び 1 年の拘束時間」

貸切バス：**1 ヵ月について 281 時間、最大 294 時間**（改正前：281 時間／ 309 時間）

1 年について 3,300 時間、最大 3,400 時間（改正前：3,380 時間／ 3,484 時間）

旅客自動車運送事業：**1 ヵ月について 288 時間、最大 300 時間**（改正前：299 時間／ 320 時間）

最大の場合はいずれも労使協定によるものとする。

「1 日の拘束時間」

拘束時間が 13 時間以内であることは変わりないが、延長する場合の拘束時間が 16 時間だったものが **15 時間**に改正された。またこれまで 1 日の拘束時間が 15 時間を超える回数は 1 週間について 2 回以内とされていたところ、1 日の拘束時間が **14 時間を超える回数をできるだけ少なく**（週 3 回までが目安）するよう努めることとされた。

「休息期間」

休息期間については、勤務終了後「継続 8 時間以上」とされていたところ、改正により「継続 11 時間以上」の休息期間を与えるよう**努める**ことを基本とし、「継続 9 時間」を**下回らない**ものとすることとされた。

●書類の保存期間の延長

運輸規則の改正により、運行記録計や点呼記録等の**書類の保存期間**が 1 年から **3 年**に変更された。**令和 6 年度第 2 回試験より**出題範囲となる。

本書の特色

●過去問題の攻略が合格への近道！

運行管理者試験（旅客）の出題範囲は、道路運送法、道路運送車両法、道路交通法などの道路運送にかかわる法律のみではなく、労働基準法や実務上の知識及び能力といったものまで広範囲にわたるため、過去に出題された問題の傾向をしっかりとつかむことが大切です。また、**過去の問題に類似する出題が多く見られる試験**でもあります。よく出題されるということは、それが運行管理者として実務についた場合にも必要になる知識だからです。過去に出題された問題の傾向をしっかりとつかむことが大切です。

●反復学習でつかむ正解のコツ

運行管理者試験（旅客）の過去の問題を令和6年6月1日時点で公表されている最新のものから順に8回分収録しています。運行管理者試験は過去に出題された問題が、その後にも内容を若干変えただけで出題されることがよくあります。そのような問題は出題頻度の高い問題であり、それを**反復して解くことにより、知識がより確実**なものとなります。

●役立つマークシート解答用紙と正答一覧

問題編の最後にマークシート解答用紙を用意しましたので、コピーして使ってください。正しいものを選ぶ問題、誤っているものを選ぶ問題など、**問題文の指示をしっかりと読んで**、選択肢を読み始めましょう。その上で適当な選択肢の番号を塗りつぶしてください。**現在の運行管理者試験は CBT 方式ですが、選択肢を選ぶという解答方法に変わりはありません。**マークするのに手間取ることなく、問題だけに集中できるようになれば安心です。

正答・解説は別冊になっており、しかも正答一覧も同様のマークシートになっていますので、答え合わせはスムーズにできます。間違えてしまった場合には解説部分をしっかり読みましょう。

本書は令和6年度第1回試験の出題法令基準日である令和6年2月2日現在で施行されている法令等に基づいて作成しております。ただし、令和6年4月1日施行の**改善基準告示の改正**については、令和6年度第1回の出題範囲に含まれることから、改正を反映して**改題**しています。
令和6年度第2回試験の出題法令基準日（試験期間初日の6か月前予定）までの法改正等については、問題編の最終ページに記載してある本書専用ブログアドレスから閲覧してください。

目　次

正答・解説編（別冊）

【本書利用上の注意点】

①法令等改正により、選択肢の内容の正誤が変わるもの、正答となる肢がなくなるなどして問題として成立しないもの → 問題編の問題番号に★をつけ、正解は出題当時のものを掲載し、解説は出題当時の法令等に基づいた解説をしたのち、※以下に、現在の法令等に照らした解説を加えました。

②法令等改正により、選択肢の文言の一部が変更、追加、削除されたもの→ 問題編の問題番号に▼をつけ、問題文に「（一部改題）」と記しました。解説は改題（改正後）の内容に沿って説明しています。

試験案内

1. 試験は年2回

8月頃及び3月頃それぞれ1ヶ月程度の期間で実施
（試験会場等の予約の際に希望する日時を選択：試験時間90分）

2. 受験資格概要と受験申請に必要な添付書類

受験資格	受験申請に必要な書類・情報
(1)**実務経験1年以上** 　試験日の前日において、自動車運送事業（貨物軽自動車運送事業を除く。）の用に供する事業用自動車または特定第二種貨物利用運送事業者の事業用自動車（緑色のナンバーの車）の運行の管理に関し、1年以上の実務の経験を有する者	①実務経験者に関する証明 ②本人確認用書類（住民票、運転免許証、マイナンバーカードのいずれか1つ（写し）） ③顔写真
(2)**基礎講習修了** 　国土交通大臣が認定する講習実施機関において、平成7年4月1日以降の試験の種類に応じた「基礎講習」を修了した者	①基礎講習修了証書（写し）または運行管理者講習手帳（写し） ②本人確認用書類（住民票、運転免許証、マイナンバーカードのいずれか1つ（写し）） ③顔写真
(3)**基礎講習修了予定** 　国土交通大臣が認定する講習実施機関において、試験の種類に応じた「基礎講習」を受講予定の者（試験前の定められた期日までに基礎講習を修了予定の者）	①基礎講習修了証書または運行管理者講習手帳（写し） 　基礎講習を修了後、基礎講習修了証（写し）または運行管理者講習手帳（写し）を「新規申請サイト」にアップロードが必要。提出後、提出書類の審査が完了するまでは、CBT試験の試験会場等の予約ができない。 ②本人確認用書類（住民票、運転免許証、マイナンバーカードのいずれか1つ（写し）） ③顔写真

3．受験手数料等

・受験手数料：6,000円（非課税）

この他、以下のいずれかが必要となります。

 ① 新規受験申請：660円（税込）（システム利用料）

 ② 再受験申請：860円（税込）（システム利用料、事務手数料）

また、試験結果レポートを希望する方は、試験結果レポート手数料として、別途140円（税込）が必要です。

4．受験から免許取得まで

準 備

令和3年度第1回運行管理者試験より、受験申請の方法は、新規受験、再受験ともにインターネット申請に限られることになりました。

大まかな流れとしては、①受験申請サイトで受験申込をする、②試験センターで書類の審査が行われる、③書類審査完了のメールが届く、④CBT試験専用サイトへアクセスする、⑤試験会場と日時の選択・受験料の支払いをする、⑥CBT試験専用サイトから、試験会場の案内等が記載された受験確認書メールが届く、⑦受験、という流れになります。

【インターネット申請】

（新規）

（公財）運行管理者試験センターのホームページ（https://www.unkan.or.jp）にアクセスして、申込手順に従って必要事項を入力する。申込みには、受験者本人の「電子メールアドレス（パソコンまたはスマートフォンのメールアドレス）」が必要になるので注意すること。

（再受験申請）

試験センターホームページから申請者サイトにアクセスし、申込手順に従って必要事項を入力する。受験資格を証明する書面及び受験者を証明する書面の添付は不要。

試 験 当 日

受験確認書メールに記載された日時に、顔写真付き身分証明書（運転免許証等）及び受験確認書（スマートフォンに表示も可）を持参のうえ、予約した試験会場へ来場し、受験してください。（受験確認書メールを持参しなくても受験は可能です。試験会場、試験日時、注意事項等についてご確認ください。）

受　験 ・試験科目と時間

試験方法も CBT 試験のみとなっています。

※筆記試験は実施しません。

※CBT 試験とは、問題用紙やマークシートなどの紙を使用せず、パソコンの画面に表示される問題に対しマウス等を用いて解答する試験です。受験者は、提出書類審査完了後に複数の試験実施日時や試験会場の中から、受験する会場と日時を選択することができます。（試験センターホームページに CBT 試験の詳細説明を掲載しています。）

出題分野	問題数
(1)道路運送法関係	8 問
(2)道路運送車両法関係	4 問
(3)道路交通法関係	5 問
(4)労働基準法関係	6 問
(5)その他運行管理者の業務に関し、必要な実務上の知識及び能力	7 問
合　　計	30 問

※法令等の改正があった場合は、改正された法令等の施行後 6 か月間は改正前と改正後で解答が異なることとなる問題は出題しません。

試験時間は 90 分間です。

・合格基準

原則として、正解数が 30 問中 18 問以上、かつ、各分野 1 問（実務上の知識及び能力は 2 問）以上で合格。

合　格 ・合格発表日

試験後の定められた日に、郵送とインターネットで発表。

注意）この情報は、令和 6 年度第 1 回のものであり変更される場合があります。受験される方は、事前に必ずご自身で、（公財）運行管理者試験センターの発表する最新情報を確認してください。

公益財団法人 運行管理者 試験事務センター
　　TEL 03-6635-9400（平日 9 時〜 17 時はオペレータ対応）
※オペレータ対応時間外は自動音声案内のみの対応
ホームページ　https://www.unkan.or.jp

出題傾向と合格への効率的な勉強法

攻略ポイント1
過去問を押さえることが、合格への最短ルート！

　運行管理者試験に合格するためには、30問中18問以上の正解と、各分野から1問以上ずつ（「実務上の知識及び能力」は2問以上）の正解が必要です。もちろん全問正解できるほどの力を身に付けられれば、何も言うことはありませんが、現実的には難しいものがあります。

　では、合格するためには、何から手を付ければよいのでしょうか。

　運行管理者試験では、**過去に出題された内容が多数出題**されます。本書に掲載されている過去問題をすべて正解できるようになれば、合格は目の前ともいえます。試験範囲が広い運行管理者試験ですが、**まずは過去問題で問われた知識を完ペキにする**ことが、最も効率的な勉強法といえるのです。

　さらに、次ページから、その中でもよく出題される項目を分野ごとにまとめましたので、この項目は確実に得点できるようにしてください！

攻略ポイント2
「実務上の知識及び能力」が勝負を分けるかも !?

　多肢選択式問題がおよそ半数ほどを占めるため、不安を感じる受験生も多いと思います。多肢選択式問題は選択肢の1つでも間違うと正解できないので、その点で難易度が上がるように感じるでしょう。

　また、「実務上の知識及び能力」の分野から2問以上の正解が必要となっています。

　例年この分野からは7問の出題しかなく、また、少なくとも1問は計算問題が出題されます。

　せっかく全体で18問以上の問題を正解できても、もしこの分野で1問しか取れなければ合格できません。その点を意識して確実に2問は取れるよう、**この分野は従来よりも学習量を増やし、しっかりと対策を立てておくこと**が望まれます。特に毎年のように出題される運行計画に関する問題は、過去問を繰り返し解き、落とすことのないようしっかり学習してください。

確実に押さえたい！　分野別　頻出項目チェック・シート!!

過去の出題傾向から、特に出題される項目を分野別にまとめました。下記の項目は、頻出の項目なので、確実に得点できるように学習しておきましょう。
※　出題履歴の「R2-2-1」は、令和2年度－第2回－問1を、「R2-CBT-1」は、令和2年度－CBT試験出題例－問1を意味します。

1．道路運送法関係（運送法）

項目／要チェックポイント	出題履歴
●運送法の目的と定義 運送法1条の目的や定義が穴埋め問題として出題されることが多い。	R3-CBT-2　R2-CBT-1 R1-1-1
●事業の許可等 ・誰の許可が必要か（国土交通大臣）。 　→問題文中、「許可」が「認可」となっていないか注意。 ・申請書と添付書類の内容。 ・許可の取消しの要件（穴埋め問題での出題が多い）。	R4-CBT-1　R3-CBT-1 R2-1-1　R1-1-1 H30-2-1
●事業計画 ・業務を行うには、事業計画に従う。 ・変更がある場合、いつ、誰に届け出る必要があるか。	R2-2-1　R1-1-1 H30-1-1
●輸送の安全 ・過労運転防止のための事業者の義務内容。 　→運行管理者の業務との混同を誘う問題に注意。 ・国土交通大臣の行う措置、処分内容。	R4-CBT-2　R4-CBT-6 R3-CBT-6　R2-CBT-2 R2-CBT-6　R2-2-3 R2-1-3　R2-1-6 R1-1-3　R1-1-6 H30-2-2　H30-2-6 H30-1-6
●運行管理者 ・選任すべき人数の計算方法（具体例を計算できるように）。 ・業務と権限の内容。 ・運行管理者への指導、監督、研修、講習について。 ・運行管理者資格者証の交付要件、訂正、返納について。	R4-CBT-3　R3-CBT-3 R2-CBT-3　R2-CBT-8 R2-2-2　R2-1-2 R1-1-2　R1-1-8 H30-2-3　H30-1-2 H30-1-3
●自動車事故報告規則 ・報告を要する事故内容。 ・報告書の提出（いつ、誰に、何通）と速報について。 　┗━→穴埋めの出題が多いのでキーワードをチェック。	R4-CBT-5　R3-CBT-5 R2-CBT-5　R2-2-5 R2-1-5　R1-1-5 H30-2-5　H30-1-5
●点呼 ・業務前の点呼（いつ、誰に、どのように行うか）。 ・業務後の点呼（いつ、誰に、どのように行うか）。 ・対面で行えない場合の点呼。 ・点呼の記録の保存期間。	R4-CBT-4　R3-CBT-4 R2-CBT-4　R2-2-4 R2-1-4　R1-1-4 H30-2-4　H30-1-4

項目／要チェックポイント	出題履歴
●運行指示書 作成すべき場合、変更、保存。 └→点呼と関連する内容なので、一緒に押さえること。	R3-CBT-8　R2-2-6 H30-1-8
●業務等の記録、運行記録計 ・業務等の記録の記載事項、保存期間。 ・運行記録計による記録が必要な車両、保存期間など。	R2-2-6　R2-1-8 H30-1-8
●乗務員等台帳 乗務員等台帳の記載事項、保存期間（3年間）。	R2-2-6　H30-1-8
●従業員への指導と監督 ・指導及び監督の原則。 ・特別な指導及び適性診断の対象となる者。 プラスα　対象者ごとに、各指導内容、時期、実施時間を押さえる！	R4-CBT-7　R3-CBT-7 R2-CBT-7　R2-2-8 R2-1-7　R1-1-7 H30-2-7
●運転者の遵守事項 運輸規則50条からの出題が多いので、条文に目を通しておくと良い。	R4-CBT-8　R2-2-7 H30-2-8　H30-1-7

２．道路運送車両法関係（車両法）

項目／要チェックポイント	出題履歴
●車両法の目的、自動車の種別 ・しばしば車両法1条の目的が穴埋め問題として出題されるので同条文のキーワードはチェックしておく。 ・車両法上の自動車の種別。	H30-1-9
●自動車の登録 ・登録の種類と登録事由。 ・登録の申請者（所有者）、申請先、必要書類、時期。 ・自動車登録番号標の表示、廃棄等。 ・臨時運行の許可（有効期間、許可証の返納、番号標の表示）。	R4-CBT-9　R3-CBT-9 R2-CBT-9　R2-2-9 R2-1-9　R1-1-9 H30-2-9　H30-1-9
●自動車の検査等 ・自動車検査証の表示（保安基準適合標章による代替）。 ・自動車検査証の有効期間、記録事項の変更、再交付。	R4-CBT-10　R3-CBT-10 R2-CBT-10　R2-2-10 R2-1-10　R2-1-11 R1-1-10　H30-2-10 H30-1-10
●自動車の日常点検・整備 ・誰が、いつ、何回、どのような方法で行うか（穴埋め問題での出題も多い）。 ・定期点検（同上）。 ・整備管理者の選任、解任命令、整備命令について。	R4-CBT-11　R3-CBT-11 R2-CBT-11　R2-2-11 R1-1-11　H30-2-11 H30-1-11

（車両法チェック・シートは、次ページへ続く）

項目／要チェックポイント	出題履歴
●保安基準（細目告示） ・保安基準の原則の内容。 ・自動車の長さ、幅、高さの制限。 ・速度抑制装置を備えるべき自動車。 ・窓ガラスに貼り付けるものの基準。 ・各種灯火の種類と設置自動車の関係、認識距離、色の規制。 ・後部反射器、大型後部反射器を備えるべき自動車。 ・備えるべき後写鏡の位置、構造。 ・非常信号用具の認識距離、色の規制。 ・運行記録計を備えるべき自動車。 ・停止表示器材、方向指示器の基準。	R4-CBT-12　R3-CBT-12 R2-CBT-12　R2-2-12 R2-1-12　R1-1-12 H30-2-12　H30-1-12

３．道路交通法関係（道交法）

項目／要チェックポイント	出題履歴
●用語の定義 歩道、車道、車両通行帯、路側帯、車両、駐車、進行妨害、追越しなど、道交法の用語の定義は頻繁に問われる。	R4-CBT-13　R3-CBT-13 R1-1-13
●最高速度（違反） 最高速度違反行為時の公安委員会による使用者への指示について、穴埋めで問われることが多い。	R2-2-15　H30-2-16
●通行方法 ・歩道や路側帯を通行（横断）する方法。 ・横断歩道などを通過する方法。 ・交差点内の通行方法。 ・追越しの方法、追越禁止場所。 ・車両通行帯の通行方法。	R4-CBT-14　R4-CBT-16 R3-CBT-14　R3-CBT-15 R3-CBT-16　R2-CBT-13 R2-1-13　R2-1-14 R2-1-16　R1-1-13 R1-1-16　H30-1-13 H30-1-14
●駐車禁止 ・停車または駐車が禁止される場所。 ・放置車両確認標章の破損等の禁止。	R2-CBT-14　R2-2-14 R1-1-14　H30-2-14 H30-1-15
●合図等 合図を行う時期を押さえる。	R4-CBT-14　R2-CBT-13 R2-2-13　H30-2-13
●運転者の遵守事項 道交法71条に掲げられている各遵守事項をしっかり押さえる。	R4-CBT-17　R3-CBT-17 R2-CBT-17　R2-2-16 R2-2-17　R1-1-17 H30-2-17　H30-1-16
●酒気帯び運転の禁止等 酒気帯び運転等の禁止等に関しての条文が穴埋めで問われることがある。	R4-CBT-15　R2-1-15
●交通事故時の措置 負傷者の救護や、警察官への報告についての条文が穴埋めで問われることがある。	R2-CBT-15　H30-2-15
●道路標識	R2-CBT-16

4．労働基準法関係（労基法）

項目／要チェックポイント	出題履歴
●用語の定義 労働者、使用者、賃金、平均賃金などの定義。	R2-2-18
●労働条件 ・労働条件の原則と、その決定方法。 ・均等待遇(差別的取扱いの禁止)と男女同一賃金の原則。	R2-2-18　H30-1-18
●労働契約 ・労働条件の明示。　　　・賠償予定の禁止。 ・労働契約の期間。	R4-CBT-18　R3-CBT-18 R2-CBT-18　R2-1-18 R1-1-18　H30-2-18 H30-1-18
●賃金 ・賃金支払の原則。　　　・非常時払い、休業手当。 ・時間外、休日、深夜の割増賃金。	R2-2-19
●休憩、休日、年次有給休暇 休憩時間、休暇、年次有給休暇の与え方。	R4-CBT-19　R3-CBT-19 R2-CBT-19　R2-2-19 R2-1-18　R1-1-19 H30-2-19
●就業規則 ・作成と届出の義務(作成すべき場合、誰に届け出るか)。 ・記載事項と作成の手続き（誰の意見を聴くべきか）。 ・変更命令（誰が、いかなる場合に行えるか）。	H30-1-19
●健康診断 ・健康診断の実施方法。 ・健康診断個人票の作成と保存。	R2-1-19
●２日を平均した運転時間 ２日を平均した１日当たりの運転時間が基準に違反していないかを判断できるようにする。	R4-CBT-22　R2-CBT-23 R2-2-23　R2-1-23 H30-1-23
●連続運転時間の計算 連続運転時間の基準に違反していないかを判断できるようにする。	R4-CBT-22　R3-CBT-22 H30-2-22
●拘束時間 １ヵ月、１日についての拘束時間の基準に違反していないかを判断できるようにする。	R4-CBT-20　R4-CBT-21 R3-CBT-20　R3-CBT-21 R2-CBT-20　R2-CBT-21 R2-CBT-22　R2-CBT-23 R2-2-20　R2-2-21 R2-2-22　R2-1-21 R2-1-22　R1-1-20 R1-1-21　R1-1-22 H30-2-21　H30-2-23 H30-1-20　H30-1-21 H30-1-22　H30-1-23
●改善基準の目的 改善基準１条の条文が穴埋めで問われることがある。	R2-1-20　H30-2-20

項目／要チェックポイント	出題履歴
●4週間を平均した1週間当たりの運転時間 4週間を平均した1週間当たりの運転時間が基準に違反していないかを判断できるようにする。	R4-CBT-23　R3-CBT-23 R2-CBT-23　R2-1-23 R1-1-23　H30-2-21 H30-1-23

5．実務上の知識及び能力

項目／要チェックポイント	出題履歴
●運行管理の業務、運行管理者の役割 運行管理者の役割、業務内容などが問われる。運送法分野の「運行管理者」を押さえていれば対応できる。	R4-CBT-24　R2-CBT-24 R2-1-24　H30-2-24 H30-1-24
●点呼の意義、実施等 ・意義（行う目的など）。 ・実施についての正しい業務上の措置内容。	R3-CBT-24　R2-2-24 R1-1-24
●事業者が運転者に対して行う指導・監督 ・業務前の体調管理や交通事故の発生等に関する事前の指導など。	R4-CBT-25　R3-CBT-25 R2-CBT-25　R2-2-25 R2-1-25　R1-1-25 H30-2-25　H30-1-25
●交通事故の防止 ・交通事故の際の運転者のとるべき措置。 ・ヒヤリ・ハットの意味。 ・運転者の健康管理（脳卒中や心臓病、アルコール依存症、睡眠時無呼吸症候群、かぜ薬等の扱いなど）。	R4-CBT-26　R4-CBT-27 R3-CBT-26　R3-CBT-27 R2-CBT-26　R2-CBT-28 R2-2-26　R2-2-27 R2-1-26　R1-1-26 R1-1-27　R1-1-28 H30-2-26　H30-1-26 H30-1-28
●視界、悪条件下の運転等 ・視界（スピードと視野の関係、明順応と暗順応など）。 ・車間距離の感覚。 ・眩惑（ヘッドライトなどで目がくらむこと）。	R4-CBT-28　R2-CBT-27 R2-1-27　H30-1-27
●運行の計画 高速道路での速度と走行時間の関係、免許の種類、連続運転時間など。	R4-CBT-29　R3-CBT-29 R2-CBT-29　R2-2-29 R2-2-30　R2-1-29 R1-1-29　H30-2-29 H30-1-29
●事故再発防止策 事故の再発防止策として適切なものを選ぶ。	R4-CBT-30　R3-CBT-30 H30-2-30　H30-1-30
●自動車の走行時に生じる諸現象とその主な対策 自動車の走行時に生じる諸現象（例：ベーパー・ロック現象とフェード現象の違い）とその主な対策を押さえておく。	R3-CBT-28　H30-2-27
●映像記録型ドライブレコーダー、デジタル式運行記録計等 映像記録型ドライブレコーダー、デジタル式運行記録計、衝突被害軽減ブレーキ等の特徴を押さえておく。	R2-1-28　H30-2-28
●危険予知訓練 予想される危険と、その対応についての判断が求められる。	R2-CBT-30　R1-1-30

令和４年度 CBT 試験出題例
（2023 年 11 月 27 日公表）

運行管理者試験問題
〈旅客〉

【注意事項】（令和３年度 CBT 試験出題例のものを掲載）
(1) 試験時間は 90 分となります。試験開始後、残り時間が画面右上に表示されます。
(2) 試験が早く終了された方は、「試験終了」ボタンを押した後、いつでも退室できます。
　　万一、試験の途中で間違って「試験終了」ボタンを押した場合は試験の再開はできません。
(3) 「文字サイズ」を変更する場合は、画面右上の「文字サイズ」のボタンで変更できます。
(4) 画面右側の「後で確認する」にチェックを選択すると、後から見直しが容易にできます。
(5) 試験問題の内容に関する質問は受け付けません。
(6) 試験中の離席は原則的に認められておりませんが、次の場合は、手を挙げて試験監督官にお知らせください。
　　・気分が悪くなった場合
　　・部屋の空調に調整が必要な場合
　　・試験画面の表示や動作に不具合がある場合
(7) 試験監督者が次の行為等を発見し不正行為とみなした場合には、試験が無効となり退席していただきます。
　　・許可されているもの以外の物を試験室に持ち込む行為
　　・試験終了後、配布されたメモ用紙とペンを持ち帰る行為
　　・試験問題や解答内容を試験室から持ち出す行為
　　・試験問題等を第三者と共有、又は開示（漏洩）する行為
　　・申請者と異なる者に受験させる行為
　　・試験中に私語・喫煙・騒ぐ等、他の受験者の迷惑となる行為
　　・試験中に他の受験者の解答画面を見たり、他の受験者と話したりする行為
　　・その他、明らかに不正と認められる行為

● P. 288 の解答用紙をコピーしてお使いください。
　　答え合わせに便利な正答一覧は別冊 P.124

	受験者数（人）	合格者数（人）	合格率（％）
令和４年度　第２回	4,675	1,651	35.3
令和４年度　第１回	5,403	2,167	40.1

1. 道路運送法関係

問1　一般旅客自動車運送事業に関する次の記述のうち、【正しいものを2つ】選びなさい。なお、解答にあたっては、各選択肢に記載されている事項以外は考慮しないものとする。

1. 一般旅客自動車運送事業を経営しようとする者は、一般乗合旅客自動車運送事業、一般貸切旅客自動車運送事業、一般乗用旅客自動車運送事業の種別ごとに国土交通大臣の許可を受けなければならない。

2. 一般旅客自動車運送事業者は、「自動車車庫の位置及び収容能力」に係る事業計画の変更をしようとするときは、国土交通大臣の認可を受けなければならない。

3. 一般貸切旅客自動車運送事業者は、「営業区域」に係る事業計画の変更をしようとするときは、あらかじめ、その旨を国土交通大臣に届け出なければならない。

4. 一般乗合旅客自動車運送事業者は、「停留所又は乗降地点の名称及び位置並びに停留所間又は乗降地点間のキロ程」に係る事業計画の変更をしようとするときは、あらかじめ、その旨を国土交通大臣に届け出なければならない。

問2　道路運送法等に規定する旅客自動車運送事業者（以下「事業者」という。）の安全管理規程等及び輸送の安全に係る情報の公表についての次の文中、A、B、C に入るべき字句として【いずれか正しいものを1つ】選びなさい。

1．道路運送法（以下「法」という。）第22条の2（安全管理規程等）第1項の規定により一般乗用旅客自動車運送事業の用に供する事業用自動車の数が　A　以上である事業者は、安全管理規程を定め国土交通大臣に届け出なければならない。

2．上記1．の事業者は、安全統括管理者を選任したときは、国土交通省令で定めるところにより、　B　、その旨を国土交通大臣に届け出なければならない。

3．事業者は、毎事業年度の経過後　C　以内に、輸送の安全に関する基本的な方針その他の輸送の安全にかかわる情報であって国土交通大臣が告示で定める事項について、インターネットの利用その他の適切な方法により公表しなければならない。

A：① 200両　　　　　② 100両

B：① 30日以内に　　②遅滞なく

C：① 200日　　　　　② 100日

▼

問3　次の記述のうち、旅客自動車運送事業の運行管理者が行わなければならない業務として【正しいものを2つ】選びなさい。なお、解答にあたっては、各選択肢に記載されている事項以外は考慮しないものとする。（一部改題）

1．事業用自動車の運転者に対し、法令で定めるところにより、主として運行する路線又は営業区域の状態及びこれに対処することができる運転技術並びに法令に定める自動車の運転に関する事項について適切な指導監督をしなければならない。この場合においては、その日時、場所及び内容並びに指導監督を行った者及び受けた者を記録し、かつ、その記録を営業所において3年間保存しなければならない。

2．法令に規定する運行管理者資格者証を有する者又は国土交通大臣が告示で定める運行の管理に関する講習であって国土交通大臣の認定を受けたもの（基礎講習）を修了した者のうちから、運行管理者の業務を補助させるための者（補助者）を選任すること並びにその者に対する指導及び監督を行うこと。

3．事業用自動車に係る事故が発生した場合には、事故の発生日時等所定の事項を記録し、その記録を当該事業用自動車の運行を管理する営業所において1年間保存すること。

4．一般乗合旅客自動車運送事業の運行管理者にあっては、「踏切、橋、トンネル、交差点、待避所及び運行に際して注意を要する箇所の位置」等の所定の事項を記載した運行基準図を作成して営業所に備え、かつ、これにより事業用自動車の運転者等に対し、適切な指導をすること。

問4　旅客自動車運送事業の事業用自動車の運転者等に対する点呼についての法令等の定めに関する次の記述のうち、【正しいものをすべて】選びなさい。なお、解答にあたっては、各選択肢に記載されている事項以外は考慮しないものとする。（一部改題）

1．業務終了後の点呼は、対面により、又は対面による点呼と同等の効果を有するものとして国土交通大臣が定める方法（運行上やむを得ない場合は電話その他の方法）により行い、当該業務に係る事業用自動車、道路及び運行の状況について報告を求め、かつ、運転者に対しては酒気帯びの有無について確認を行わなければならない。この場合において、当該運転者等が他の運転者等と交替した場合にあっては、当該運転者等が交替した運転者等に対して行った法令の規定による通告についても報告を求めなければならない。

2．次のいずれにも該当する一般旅客自動車運送事業者の営業所にあっては、当該営業所と当該営業所の車庫間で点呼を行う場合は、対面による点呼と同等の効果を有するものとして国土交通大臣が定めた機器による点呼（旅客IT点呼）を行うことができる。

　①開設されてから2年を経過していること。

　②過去3年間所属する旅客自動車運送事業の用に供する事業用自動車の運転者が自らの責に帰する自動車事故報告規則第2条に規定する事故を発生させていないこと。

　③過去1年間自動車その他の輸送施設の使用の停止処分、事業の停止処分又は警告を受けていないこと。

3．一般貸切旅客自動車運送事業の運行管理者にあっては、夜間において長距離の運行を行う事業用自動車の運行の業務に従事する運転者等に対して、当該業務の途中において少なくとも1回電話その他の方法により点呼を行わなければならない。

4．旅客自動車運送事業運輸規則第24条第4項に規定する「アルコール検知器を営業所ごとに備え」とは、営業所若しくは営業所の車庫に設置さ

れているアルコール検知器をいい、携帯型アルコール検知器は、これに
あたらない。

問5 次の自動車事故に関する記述のうち、一般旅客自動車運送事業者が自動車事故報告規則に基づき運輸支局長等に【速報を要するものを2つ】選びなさい。なお、解答にあたっては、各選択肢に記載されている事項以外は考慮しないものとする。

1. 貸切バスの運転者がハンドル操作を誤り、当該貸切バスが車道と歩道の区別がない道路を逸脱し、当該道路との落差が0.3メートル下の畑に転落した。この事故による負傷者は生じなかった。

2. 乗合バスが、交差点で信号待ちで停車していた乗用車の発見が遅れ、ブレーキをかける間もなく追突した。この事故で、当該乗合バスの乗客3人が30日間の通院による医師の治療を要する傷害を受けた。

3. 高速乗合バスが高速自動車国道法に規定する高速自動車国道を走行中、前方に渋滞により乗用車が停車していることに気づくのが遅れ、追突事故を引き起こした。この事故で、当該高速乗合バスの乗客2人が重傷（自動車事故報告規則で定める傷害のものをいう。）を負い、乗用車に乗車していた2人が軽傷を負った。

4. 乗合バスに乗車してきた旅客が着席する前に当該乗合バスが発車したことから、当該旅客のうち1人がバランスを崩して床に倒れ大腿骨を骨折する傷害を負った。

▼

問6　旅客自動車運送事業者（以下「事業者」という。）の過労運転の防止等についての法令の定めに関する次の記述のうち、【誤っているものを1つ】選びなさい。なお、解答にあたっては、各選択肢に記載されている事項以外は考慮しないものとする。（一部改題）

1．貸切バスの交替運転者の配置基準に定める夜間ワンマン運行（1人乗務）の実車運行区間においては、連続運転時間は、運行指示書上、4時間までとする。

2．貸切バスの交替運転者の配置基準に定める夜間ワンマン運行（1人乗務）の実車運行区間において、1運行の実車距離が400キロメートルを超える場合にあっては、運行指示書上、実車運行区間における運転時間概ね2時間毎に連続20分以上の休憩を確保しなければならない。

3．事業者は、過労の防止を十分考慮して、国土交通大臣が告示で定める基準に従って、事業用自動車の運転者の勤務時間及び乗務時間を定め、当該運転者にこれらを遵守させなければならない。

4．事業者は、乗務員等が有効に利用することができるように、営業所、自動車車庫等に、休憩に必要な施設を整備し、及び乗務員等に睡眠を与える必要がある場合は睡眠に必要な施設を整備しなければならない。ただし、乗務員等が実際に睡眠を必要とする場所に設けられていない施設は、有効に利用することができる施設には該当しない。

問7　一般旅客自動車運送事業者（以下「事業者」という。）の事業用自動車の運行の安全を確保するために、国土交通省告示等に基づき運転者に対して行わなければならない指導監督及び特定の運転者に対して行わなければならない特別な指導に関する次の記述のうち、【誤っているものを1つ】選びなさい。なお、解答にあたっては、各選択肢に記載されている事項以外は考慮しないものとする。

1．一般貸切旅客自動車運送事業者は、初任運転者に対して、実際に事業用自動車を運転させ、安全運転の実技に関し、10時間以上指導すること。

2．事業者は、事故惹起運転者に対する特別な指導については、当該交通事故を引き起こした後、再度事業用自動車に乗務する前に実施する。なお、外部の専門的機関における指導講習を受講する予定である場合は、この限りでない。

3．事業者は、乗降口の扉を開閉する装置の不適切な操作により旅客が扉にはさまれた等の交通事故の事例を説明すること等により、旅客が乗降するときには旅客の状況に注意して当該装置を適切に操作することの必要性を理解させること。また、このほか、周囲の道路及び交通の状況に注意して安全な位置に停車させること及び旅客の状況に注意して発車させること等旅客が乗降するときの安全を確保するために留意すべき事項を指導すること。

4．事業者（個人タクシー事業者を除く。）は、適齢診断（高齢運転者のための適性診断として国土交通大臣が認定したもの。）を運転者が65才に達した日以後1年以内に1回、その後75才に達するまでは3年以内ごとに1回、75才に達した日以後1年以内に1回、その後1年以内ごとに1回受診させること。

▼

問8　旅客自動車運送事業者の事業用自動車の運転者が遵守しなければならない事項及び旅客が事業用自動車内でしてはならない行為（事故の場合その他やむを得ない場合を除く。）等に関する次の記述のうち、【正しいものを2つ】選びなさい。なお、解答にあたっては、各選択肢に記載されている事項以外は考慮しないものとする。（一部改題）

1．事業用自動車の運転者は、乗務を終了したときは、交替する運転者に対し、乗務中の事業用自動車、道路及び運行状況について通告すること。この場合において、乗務する運転者は、当該事業用自動車の制動装置、走行装置その他の重要な部分の機能について、必要に応じて、点検をすること。

2．一般乗合旅客自動車運送事業者の事業用自動車の運転者は、旅客が事業用自動車内において法令の規定又は公の秩序若しくは善良の風俗に反する行為をするときは、これを制止し、又は必要な事項を旅客に指示する等の措置を講ずることにより、輸送の安全を確保し、及び事業用自動車内の秩序を維持するように努めること。

3．一般乗用旅客自動車運送事業の運行管理者にあっては、事業用自動車の運転者が乗務する場合には、タクシー業務適正化特別措置法の規定により運転者証を表示するときを除き、旅客自動車運送事業運輸規則に定める乗務員証を携行させなければならず、また、その者が乗務を終了した場合には、当該乗務員証を提示させること。

4．一般乗用旅客自動車運送事業者の事業用自動車の運転者は、食事若しくは休憩のため運送の引受けをすることができない場合又は乗務の終了等のため車庫若しくは営業所に回送しようとする場合には、回送板を掲出しなければならない。

2. 道路運送車両法関係

問9 自動車の登録等についての次の記述のうち、【正しいものを2つ】選びなさい。なお、解答にあたっては、各選択肢に記載されている事項以外は考慮しないものとする。

1. 登録自動車の所有者は、自動車の用途を廃止したときは、その事由があった日から15日以内に、永久抹消登録の申請をしなければならない。

2. 臨時運行の許可を受けた者は、臨時運行許可証の有効期間が満了したときは、その日から15日以内に、許可に係る行政庁に臨時運行許可証及び臨時運行許可番号標を返納しなければならない。

3. 登録自動車の所有者は、当該自動車の使用者が道路運送車両法の規定により自動車の使用の停止を命ぜられ、同法の規定により自動車検査証を返納したときは、その事由があった日から30日以内に、当該自動車登録番号標及び封印を取りはずし、自動車登録番号標について国土交通大臣に届け出なければならない。

4. 自動車の所有者は、当該自動車の使用の本拠の位置に変更があったときは、道路運送車両法で定める場合を除き、その事由があった日から15日以内に、国土交通大臣の行う変更登録の申請をしなければならない。

▼

問 10　自動車の検査等についての次の記述のうち、【誤っているものを1つ】選びなさい。なお、解答にあたっては、各選択肢に記載されている事項以外は考慮しないものとする。（一部改題）

1．自動車は、自動車検査証又は当該自動車検査証の写しを備え付け、かつ、検査標章を表示しなければ、運行の用に供してはならない。

2．自動車の使用者は、継続検査を申請する場合において、道路運送車両法第67条（自動車検査証記録事項の変更及び構造等変更検査）の規定による自動車検査証の変更記録の申請をすべき事由があるときは、あらかじめ、その申請をしなければならない。

3．登録を受けていない自動車を運行の用に供しようとするときは、当該自動車の使用者は、当該自動車を提示して、国土交通大臣の行う新規検査を受けなければならない。

4．乗車定員5人の旅客を運送する自動車運送事業の用に供する自動車については、初めて自動車検査証の交付を受ける際の当該自動車検査証の有効期間は1年である。

問11 道路運送車両法に定める自動車の点検整備等に関する次の文中、A、B、C、Dに入るべき字句として【いずれか正しいものを1つ】選びなさい。

1. 自動車運送事業の用に供する自動車の使用者又は当該自動車を運行する者は、1日1回、その運行の　A　において、国土交通省令で定める技術上の基準により、灯火装置の点灯、　B　の作動その他の日常的に点検すべき事項について、目視等により自動車を点検しなければならない。

2. 自動車運送事業の用に供する自動車の使用者は、点検の結果、当該自動車が保安基準に適合しなくなるおそれがある状態又は適合しない状態にあるときは、保安基準に適合しなくなるおそれをなくするため、又は保安基準に適合させるために当該自動車について必要な　C　をしなければならない。

3. 自動車運送事業の用に供する自動車の使用者は、国土交通省令で定める技術上の基準により、当該事業用自動車を　D　に点検しなければならない。

A：①開始前　　　　②終了後
B：①動力伝達装置　②制動装置
C：①検査　　　　　②整備
D：①3ヵ月毎　　　②6ヵ月毎

問12　道路運送車両の保安基準及びその細目を定める告示についての次の記述のうち、【誤っているものを1つ】選びなさい。なお、解答にあたっては、各選択肢に記載されている事項以外は考慮しないものとする。

1．自動車に備える停止表示器材は、夜間200メートルの距離から走行用前照灯で照射した場合にその反射光を照射位置から確認できるものであることなど告示で定める基準に適合するものでなければならない。

2．自動車（被けん引自動車を除く。）には、警音器の警報音発生装置の音が、連続するものであり、かつ、音の大きさ及び音色が一定なものである警音器を備えなければならない。

3．自動車の空気入ゴムタイヤの接地部は滑り止めを施したものであり、滑り止めの溝は、空気入ゴムタイヤの接地部の全幅にわたり滑り止めのために施されている凹部（サイピング、プラットフォーム及びウエア・インジケータの部分を除く。）のいずれの部分においても0.8ミリメートル（二輪自動車及び側車付二輪自動車に備えるものにあっては、0.6ミリメートル）以上の深さを有すること。

4．電力により作動する原動機を有する自動車（二輪自動車、側車付二輪自動車、三輪自動車、カタピラ及びそりを有する軽自動車、大型特殊自動車、小型特殊自動車並びに被けん引自動車を除く。）には、当該自動車の接近を歩行者等に通報するものとして、機能、性能等に関し告示で定める基準に適合する車両接近通報装置を備えなければならない。ただし、走行中に内燃機関が常に作動する自動車にあっては、この限りでない。

3. 道路交通法関係

▼

問13 道路交通法に定める用語の定義等についての次の記述のうち、【誤っているものを1つ】選びなさい。なお、解答にあたっては、各選択肢に記載されている事項以外は考慮しないものとする。（一部改題）

1. 路側帯とは、歩行者の通行の用に供し、又は車道の効用を保つため、歩道の設けられていない道路又は道路の歩道の設けられていない側の路端寄りに設けられた帯状の道路の部分で、道路標示によって区画されたものをいう。

2. 安全地帯とは、車両が道路の定められた部分を通行すべきことが道路標示により示されている場合における当該道路標示により示されている道路の部分をいう。

3. 車両とは、自動車、原動機付自転車、軽車両及びトロリーバスをいう。

4. 自動車とは、原動機を用い、かつ、レール又は架線によらないで運転し、又は特定自動運行を行う車であって、原動機付自転車、軽車両、移動用小型車、身体障害者用の車及び遠隔操作型小型車並びに歩行補助車、乳母車その他の歩きながら用いる小型の車で政令で定めるもの以外のものをいう。

問 14　道路交通法に定める灯火及び合図等についての次の記述のうち、【正しいものを２つ】選びなさい。なお、解答にあたっては、各選択肢に記載されている事項以外は考慮しないものとする。

１．車両等は、夜間（日没時から日出時までの時間をいう。）、道路にあるときは、道路交通法施行令等で定めるところにより、前照灯、車幅灯、尾灯その他の灯火をつけなければならない。ただし、高速自動車国道及び自動車専用道路においては前方200メートル、その他の道路においては前方50メートルまで明りょうに見える程度に照明が行われているトンネルを通行する場合は、この限りではない。

２．停留所において乗客の乗降のため停車していた乗合自動車が発進するため進路を変更しようとして手又は方向指示器により合図をした場合においては、その後方にある車両は、その速度を急に変更しなければならないこととなる場合にあっても、当該合図をした乗合自動車の進路の変更を妨げてはならない。

３．車両等の運転者は、山地部の道路その他曲折が多い道路について道路標識等により指定された区間以外であっても、見とおしのきかない道路のまがりかど又は見とおしのきかない上り坂の頂上を通行しようとするときは、必ず警音器を鳴らさなければならない。

４．車両の運転者が同一方向に進行しながら進路を左方又は右方に変えるときの合図を行う時期は、その行為をしようとする時の３秒前のときである。

問 15　道路交通法及び道路交通法施行令に定める酒気帯び運転等の禁止等に関する次の文中、A、B、Cに入るべき字句として【いずれか正しいものを1つ】選びなさい。

(1) 何人も、酒気を帯びて車両等を運転してはならない。

(2) 何人も、酒気を帯びている者で、(1)の規定に違反して車両等を運転することとなるおそれがあるものに対し、 A してはならない。

(3) 何人も、(1)の規定に違反して車両等を運転することとなるおそれがある者に対し、酒類を提供し、又は飲酒をすすめてはならない。

(4) 何人も、車両（トロリーバス及び旅客自動車運送事業の用に供する自動車で当該業務に従事中のものその他の政令で定める自動車を除く。）の運転者が酒気を帯びていることを知りながら、当該運転者に対し、当該車両を運転して自己を運送することを要求し、又は依頼して、当該運転者が(1)の規定に違反して運転する B してはならない。

(5) (1)の規定に違反して車両等（軽車両を除く。）を運転した者で、その運転をした場合において身体に血液1ミリリットルにつき0.3ミリグラム又は呼気1リットルにつき C ミリグラム以上にアルコールを保有する状態にあったものは、3年以下の懲役又は50万円以下の罰金に処する。

A：①運転を指示　　②車両等を提供

B：①車両に同乗　　②機会を提供

C：① 0.15　　　　②0.25

問 16　道路交通法に定める高速自動車国道等における自動車の交通方法等についての次の記述のうち、【誤っているものを 1 つ】選びなさい。なお、解答にあたっては、各選択肢に記載されている事項以外は考慮しないものとする。

1．自動車は、高速自動車国道の本線車道（往復の方向にする通行が行われている本線車道で、本線車線が道路の構造上往復の方向別に分離されていないものを除く。）においては、道路標識等により自動車の最低速度が指定されている区間にあってはその最低速度に、その他の区間にあっては、50 キロメートル毎時の最低速度に達しない速度で進行してはならない。

2．自動車は、高速自動車国道においては、法令の規定若しくは警察官の命令により、又は危険を防止するため一時停止する場合のほか、停車し、又は駐車してはならない。ただし、故障その他の理由により停車し、又は駐車することがやむを得ない場合において、停車又は駐車のため十分な幅員がある路肩又は路側帯に停車し、又は駐車する場合においてはこの限りでない。

3．自動車（緊急自動車を除く。）は、本線車道に入ろうとする場合（本線車道から他の本線車道に入ろうとする場合にあっては、道路標識等により指定された本線車道に入ろうとする場合に限る。）において、当該本線車道を通行する自動車があるときは、当該自動車の進行妨害をしてはならない。ただし、当該交差点において、交通整理が行なわれているときは、この限りでない。

4．自動車は、その通行している本線車道から出ようとする場合においては、あらかじめその前から出口に接続する車両通行帯を通行しなければならない。ただし、当該本線車道において後方から進行してくる自動車がないときは、この限りではない。

問 17 道路交通法等に定める運転者の遵守事項等についての次の記述のうち、【誤っているものを 1 つ】選びなさい。なお、解答にあたっては、各選択肢に記載されている事項以外は考慮しないものとする。

1．車両等の運転者は、監護者が付き添わない児童若しくは幼児が歩行しているときのほか、高齢の歩行者、身体の障害のある歩行者その他の歩行者でその通行に支障のあるものが通行しているときは、一時停止し、又は徐行して、その通行又は歩行を妨げないようにしなければならない。

2．車両等の運転者は、自動車を運転する場合において、道路交通法に規定する初心運転者の標識を付けた者が普通自動車（以下「表示自動車」という。）を運転しているときは、危険防止のためやむを得ない場合を除き、当該自動車が進路を変更した場合にその変更した後の進路と同一の進路を後方から進行してくる表示自動車が当該自動車との間に同法に規定する必要な距離を保つことができないこととなるときは進路を変更してはならない。

3．道路運送法に規定する一般旅客自動車運送事業の用に供される自動車の運転者が当該事業に係る旅客である幼児を乗車させるときは、幼児用補助装置を使用して乗車させなければならない。

4．負傷若しくは障害のため又は妊娠中であることにより座席ベルトを装着することが療養上又は健康保持上適当でない者が自動車を運転するときは、自動車の運転者は座席ベルトを装着しないで自動車を運転することができる。

4. 労働基準法関係

問18 労働基準法（以下「法」という。）に定める労働契約等についての次の記述のうち、【正しいものを2つ】選びなさい。なお、解答にあたっては、各選択肢に記載されている事項以外は考慮しないものとする。

1．使用者は、労働者の同意が得られた場合においては、労働契約の不履行について違約金を定め、又は損害賠償額を予定する契約をすることができる。

2．使用者は、労働者が出産、疾病、災害その他厚生労働省令で定める非常の場合の費用に充てるために請求する場合においては、支払期日前であっても、既往の労働に対する賃金を支払わなければならない。

3．使用者は、労働者の国籍、信条又は社会的身分を理由として、賃金、労働時間その他の労働条件について、差別的取扱をしてはならない。

4．法第20条（解雇の予告）の規定は、法に定める期間を超えない限りにおいて、「日日雇い入れられる者」、「3ヵ月以内の期間を定めて使用される者」、「季節的業務に6ヵ月以内の期間を定めて使用される者」又は「試の使用期間中の者」のいずれかに該当する労働者については適用しない。

問 19 労働基準法（以下「法」という。）に定める労働時間及び休日等に関する次の記述のうち、【誤っているものを 1 つ】選びなさい。なお、解答にあたっては、各選択肢に記載されている事項以外は考慮しないものとする。

1．使用者は、災害その他避けることのできない事由によって、臨時の必要がある場合においては、行政官庁の許可を受けて、その必要の限度において法に定める労働時間を延長し、又は休日に労働させることができる。ただし、事態急迫のために行政官庁の許可を受ける暇がない場合においては、事後に遅滞なく届け出なければならない。

2．使用者は、労働時間が 6 時間を超える場合においては少くとも 35 分、8 時間を超える場合においては少くとも 45 分の休憩時間を労働時間の途中に与えなければならない。

3．使用者は、労働者に対して、毎週少くとも 1 回の休日を与えなければならない。ただし、この規定は、4 週間を通じ 4 日以上の休日を与える使用者については適用しない。

4．使用者は、当該事業場に、労働者の過半数で組織する労働組合がある場合においてはその労働組合、労働者の過半数で組織する労働組合がない場合においては労働者の過半数を代表する者との書面による協定をし、これを行政官庁に届け出た場合においては、法定労働時間又は法定休日に関する規定にかかわらず、その協定で定めるところによって労働時間を延長し、又は休日に労働させることができる。

▼

問 20 「自動車運転者の労働時間等の改善のための基準」に定める一般乗
　　　用旅客自動車運送事業以外の旅客自動車運送事業に従事する自動車運
　　　転者の拘束時間等に関する次の文中、A、B、C、D に入るべき字句
　　　として【いずれか正しいものを 1 つ】選びなさい。ただし、1 人乗務で、
　　　隔日勤務に就く場合には該当しないものとする。（一部改題）

　業務の必要上、勤務の終了後継続 9 時間以上の　A　を与えることが
困難な場合、当分の間、一定期間（1 ヵ月を限度とする。）における全勤
務回数の　B　を限度に、休息期間を拘束時間の途中及び拘束時間の経
過直後の 2 回に分割して与えることができるものとする。この場合におい
て、分割された休息期間は、1 日において 1 回当たり継続　C　以上、合
計　D　以上でなければならないものとする。

A：①休憩時間　　②休息期間
B：①2 分の 1　　②4 分の 1
C：①4 時間　　②5 時間
D：①10 時間　　②11 時間

問21 「自動車運転者の労働時間等の改善のための基準」(以下「改善基準告示」という。)において定める一般乗用旅客自動車運送事業以外の旅客自動車運送事業に従事する自動車運転者(以下「バス運転者等」という。)の拘束時間等の規定に関する次の記述のうち、【正しいものを2つ】選びなさい。なお、解答にあたっては、各選択肢に記載されている事項以外は考慮しないものとする。(一部改題)

1. 使用者は、バス運転者等の休息期間については、当該バス運転者等の住所地における休息期間がそれ以外の場所における休息期間より長くなるように努めるものとする。

2. 使用者は、業務の必要上やむを得ない場合には、当分の間、2暦日における拘束時間は22時間を超えず、かつ、勤務終了後、継続20時間以上の休息時間を与える場合に限り、バス運転者等を隔日勤務に就かせることができる。

3. 労使当事者は、時間外労働協定においてバス運転者等に係る一定期間についての延長時間について協定するに当たっては、当該一定期間は、2週間及び1ヵ月以上6ヵ月以内の一定の期間とするものとする。

4. バス運転者等がフェリーに乗船している時間は、原則として休息期間とし、通達の規定により与えるべき休息期間から当該時間を除くことができる。ただし、当該時間を除いた後の休息期間については、通達所定の場合を除き、フェリーを下船した時刻から終業の時刻までの時間の2分の1を下回ってはならない。

▼

問22　下表の1〜4は、旅客自動車運送事業（一般乗用旅客自動車運送事業を除く。）に従事する自動車運転者の4日間の運転時間及び休憩等の勤務状況の例を示したものである。「自動車運転者の労働時間等の改善のための基準」（以下「改善基準告示」という。）に定める連続運転の中断方法及び2日（始業時刻から起算して48時間をいう。以下同じ。）を平均して1日当たりの運転時間に関する次の記述のうち、【正しいものを2つ】選びなさい。（一部改題）

前日：休日

1

営業所													営業所
1日目	業務開始	運転	休憩	運転	休憩	運転	休憩	運転	休憩	運転	休憩	運転	業務終了	1日の運転時間の合計
		1時間50分	30分	2時間	10分	1時間	1時間	1時間30分	10分	1時間40分	15分	1時間		9時間

2

営業所													営業所
2日目	業務開始	運転	休憩	運転	休憩	運転	休憩	運転	休憩	運転	休憩	運転	業務終了	1日の運転時間の合計
		40分	15分	1時間20分	10分	2時間	1時間	2時間10分	10分	1時間50分	40分	2時間		10時間

3

営業所													営業所
3日目	業務開始	運転	休憩	運転	休憩	運転	休憩	運転	休憩	運転	休憩	運転	業務終了	1日の運転時間の合計
		1時間	20分	1時間20分	10分	1時間50分	1時間	2時間20分	10分	1時間40分	30分	50分		9時間

4

営業所													営業所
4日目	業務開始	運転	休憩	運転	休憩	運転	休憩	運転	休憩	運転	休憩	運転	業務終了	1日の運転時間の合計
		1時間30分	30分	2時間20分	10分	1時間30分	1時間	1時間20分	10分	1時間	15分	2時間20分		10時間

翌日：休日

（注）2日を平均した1日当たりの運転時間は、当該4日間のすべての日を特定日とする。

（選択肢は次ページ）

1．連続運転の中断方法が改善基準告示に違反している勤務日は、2日目及び4日目であり、1日目及び3日目は違反していない。

2．連続運転の中断方法が改善基準告示に違反している勤務日は、1日目及び4日目であり、2日目及び3日目は違反していない。

3．2日を平均し1日当たりの運転時間は、改善基準告示に違反していない。

4．2日を平均し1日当たりの運転時間は、改善基準告示に違反している。

令和4年度CBT

▼

問23　下表の1～3は、貸切バスの運転者の52週間における各4週間を平均し1週間当たりの拘束時間の例を示したものである。下表の空欄A、B、Cについて、次の選択肢ア～ウの拘束時間の組み合わせをあてはめた場合、「自動車運転者の労働時間等の改善のための基準」に【適合するものを選択肢ア～ウの中から1つ】選びなさい。なお、解答にあたっては「4週間を平均し1週間当たりの拘束時間の延長に関する労使協定」及び「52週間についての拘束時間の延長に関する協定」があるものとし、下表に示された内容及び各選択肢に記載されている事項以外は考慮しないものとする。（一部改題）

1.

	1週～4週	5週～8週	9週～12週	13週～16週	17週～20週	21週～24週	25週～28週	29週～32週	33週～36週	37週～40週	41週～44週	45週～48週	49週～52週	Aを除く52週までの合計
拘束時間（時間）	67	68	61	66	65	59	67	54	67	63	A	57	66	3,040

2.

	1週～4週	5週～8週	9週～12週	13週～16週	17週～20週	21週～24週	25週～28週	29週～32週	33週～36週	37週～40週	41週～44週	45週～48週	49週～52週	Bを除く52週までの合計
拘束時間（時間）	65	67	56	68	59	B	65	62	67	59	54	66	68	3,024

3.

	1週～4週	5週～8週	9週～12週	13週～16週	17週～20週	21週～24週	25週～28週	29週～32週	33週～36週	37週～40週	41週～44週	45週～48週	49週～52週	Cを除く52週までの合計
拘束時間（時間）	66	61	C	63	64	56	66	68	62	67	58	67	59	3,028

選択肢		A（時間）	B（時間）	C（時間）
	ア	66	66	56
	イ	64	65	61
	ウ	63	59	69

5. 実務上の知識及び能力

▼
**問24 運行管理者の日常業務の記録等に関する次の記述のうち、【適切な
ものをすべて】選びなさい。なお、解答にあたっては、各選択肢に記
載されている事項以外は考慮しないものとする。（一部改題）**

1. 運行管理者は、事業用自動車の運転者が他の営業所に転出し当該営業所
の運転者でなくなったときは、直ちに、乗務員等台帳に運転者でなくなっ
た年月日及び理由を記載して1年間保存している。

2. 運行管理者は、貸切バスに装着された運行記録計により記録される「瞬
間速度」、「運行距離」及び「運行時間」等により運転者の運行の実態や
車両の運行の実態を分析し、運転者の日常の業務を把握し、過労運転の
防止及び運行の適正化を図る資料として活用しており、この運行記録計
の記録を1年間保存している。

3. 運行管理者は、事業用自動車の運転者に対し、事業用自動車の構造上の
特性、乗車中の旅客の安全を確保するために留意すべき事項など事業用
自動車の運行の安全及び旅客の安全を確保するために必要な運転に関す
る技能及び知識等について、適切に指導を行うとともに、その内容等に
ついて記録し、かつ、その記録を営業所において3年間保存している。

4. 運行管理者は、事業者が定めた勤務時間及び乗務時間の範囲内で、運転
者が過労とならないよう十分考慮しながら、天候や道路状況などを勘案
しつつ、乗務割を作成している。なお、乗務については、早めに運転者
に知らせるため、事前に予定を示すことにしている。

▼

問25　旅客自動車運送事業者が事業用自動車の運転者等に対して行う指導・監督に関する次の記述のうち、【適切なものをすべて】選びなさい。なお、解答にあたっては、各選択肢に記載されている事項以外は考慮しないものとする。（一部改題）

1．時速36キロメートルで走行中の自動車を例に取り、運転者が前車との追突の危険を認知しブレーキ操作を行い、ブレーキが効きはじめるまでに要する空走時間を1秒間とし、ブレーキが効きはじめてから停止するまでに走る制動距離を8メートルとすると、当該自動車の停止距離は約13メートルとなるなど、危険が発生した場合でも安全に止まれるような速度と車間距離を保って運転するよう指導している。

2．危険ドラッグ等の薬物を使用して運転した場合には、重大な事故を引き起こす危険性が高まり、その結果取り返しのつかない被害を生じることもあることから、運行管理者は、常日頃からこれらの薬物を使用しないよう、運転者等に対し強く指導している。

3．運転者が交通事故を起こした場合、乗客に対する被害状況を確認し、負傷者がいるときは、まず最初に運行管理者に連絡した後、負傷者の救護、道路における危険の防止、乗客の安全確保、警察への報告などの必要な措置を講じるよう運転者に対し指導している。

4．実際の事故事例やヒヤリハット事例のドライブレコーダー映像を活用して、事故前にどのような危険が潜んでいるか、それを回避するにはどのような運転をすべきかなどを運転者に考えさせる等、実事例に基づいた危険予知訓練を実施している。

問26　一般旅客自動車運送事業者（以下「事業者」という。）が行う事業
　　　用自動車の運転者の健康管理に関する次の記述のうち、【適切なもの
　　　をすべて】選びなさい。なお、解答にあたっては、各選択肢に記載さ
　　　れている事項以外は考慮しないものとする。

1．事業者は、業務に従事する運転者に対し法令で定める健康診断を受診さ
　せ、その結果に基づいて健康診断個人票を作成して5年間保存している。
　また、運転者が自ら受けた健康診断の結果を提出したものについても同
　様に保存している。

2．事業者は、日頃から運転者の健康状態を把握し、点呼において、意識の
　異常、眼の異常、めまい、頭痛、言葉の異常、手足の異常等の申告又は
　その症状が見られたら、脳血管疾患の初期症状とも考えられるためすぐ
　に専門医療機関で受診させるよう対応している。

3．バス運転者は、単独で判断する、とっさの対応が必要、同じ姿勢で何時
　間も過ごすなどから、心身の状態が運行に及ぼす影響は大きく、健康な
　状態を保持することが必要不可欠である。このため、事業者は、運転者
　が運転中に体調の異常を感じたときには、運行継続の可否を自らの判断
　で行うよう指導している。

4．睡眠時無呼吸症候群（SAS）は、大きないびきや昼間の強い眠気などの
　症状があるが、必ずしも眠気を感じることがない場合もある。そのため、
　SASスクリーニング検査を実施する場合に、本人の自覚症状による問診
　だけで検査対象者を絞ってしまうと、重症のSAS患者を見過ごしてしま
　うリスクがある。

問27　交通事故防止対策に関する次の記述のうち、【適切なものをすべて】選びなさい。なお、解答にあたっては、各選択肢に記載されている事項以外は考慮しないものとする。

1．交通事故は、そのほとんどが運転者等のヒューマンエラーにより発生するものである。したがって、事故惹起運転者の社内処分及び再教育に特化した対策を講ずることが、交通事故の再発を未然に防止するには最も有効である。そのためには、発生した事故の要因の調査・分析を行うことなく、事故惹起運転者及び運行管理者に対する特別講習を確実に受講させる等、ヒューマンエラーの再発防止を中心とした対策に努めるべきである。

2．アンチロック・ブレーキシステム（ABS）は、急ブレーキをかけた時などにタイヤがロック（回転が止まること）するのを防ぐことにより、車両の進行方向の安定性を保ち、また、ハンドル操作で障害物を回避できる可能性を高める装置である。ABSを効果的に作動させるためには、運転者はポンピングブレーキ操作（ブレーキペダルを踏み込んだり緩めたりを繰り返す操作）を行うことが必要であり、この点を運転者に指導する必要がある。

3．指差呼称は、運転者の錯覚、誤判断、誤操作等を防止するための手段であり、道路の信号や標識などを指で差し、その対象が持つ名称や状態を声に出して確認することをいい、安全確認に重要な運転者の意識レベルを高めるなど交通事故防止対策に有効な手段の一つとして活用されている。

4．適性診断は、運転者の運転能力、運転態度及び性格等を客観的に把握し、運転の適性を判定することにより、運転に適さない者を運転者として選任しないようにするためのものであり、ヒューマンエラーによる交通事故の発生を未然に防止するための有効な手段となっている。

問28 自動車の運転等に関する次の記述のうち、【適切なものを2つ】選びなさい。なお、解答にあたっては、各選択肢に記載されている事項以外は考慮しないものとする。

1. 自動車の夜間の走行時において、自車のライトと対向車のライトで、お互いの光が重なり合い、その間にいる歩行者や自転車が見えなくなることをクリープ現象という。

2. 自動車の乗員が自分の両手両足で支えられる力は、自分の体重のせいぜい2〜3倍が限度といわれている。これは、自動車が時速7キロメートル程度で衝突したときの力に相当することになる。このため、危険から自身を守るためにシートベルトを着用することが必要である。

3. 自動車がカーブを走行するとき、自動車の重量及びカーブの半径が同一の場合に、速度を2分の1に落として走行すると遠心力の大きさは2分の1になる。

4. 自動車が衝突するときの衝撃力は、速度が2倍になると4倍になる。

▼

問29 旅行業者から貸切バス事業者に対し、ツアー客の運送依頼があった。これを受けて運行管理者は、下の図に示す運行計画を立てた。この運行に関する次の1〜3の記述について、解答しなさい。なお、解答にあたっては、＜運行計画＞及び各選択肢に記載されている事項以外は考慮しないものとする。（一部改題）

＜運行計画＞

　A地点にてハイキングツアー客を乗車させ、D目的地まで運送した後、指定された宿泊所にて休息する。その後、D目的地にてハイキングツアー客を乗車させ、A地点で降車させる行程とする。当該運行は、デジタル式運行記録計を装着した乗車定員45名の貸切バスを使用し、運転者は1人乗務とする。

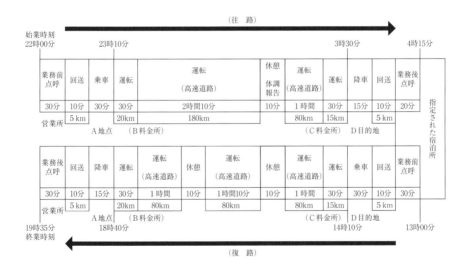

1．当該運行の1日における実車距離の設定は、「高速乗合バス及び貸切バスの交替運転者の配置基準について」（以下「配置基準」という。）に照らし違反しているか否かについて、【正しいものを1つ】選びなさい。

　　①違反していない　　②違反している

2．当該夜間ワンマン運行における実車運行区間の途中における休憩の確保は、「配置基準」に照らし違反しているか否かについて、【正しいものを1つ】選びなさい。

①違反していない　　②違反している

3．当該運行の連続運転時間の中断方法について、「自動車運転者の労働時間等の改善のための基準」に照らし、違反しているか否かについて、【正しいものを1つ】選びなさい。

①違反していない　　②違反している

問 30　運行管理者が次の貸切バスの事故報告に基づき、事故の要因分析を行ったうえで、同種事故の再発を防止するための対策として、【最も直接的に有効と考えられるものを＜事故の再発防止対策＞の中から3つ】選びなさい。なお、解答にあたっては、＜事故の概要＞及び＜事故関連情報＞に記載されている事項以外は考慮しないものとする。（一部改題）

＜事故の概要＞

当該貸切バスは、17時頃、霧で見通しの悪い高速道路を走行中、居眠り運転により渋滞車列の最後尾にいた乗用車に追突し、4台がからむ多重衝突事故が発生した。

当時、霧のため当該道路の最高速度は時速50キロメートルに制限されていたが、当該貸切バスは追突直前には時速80キロメートルで走行していた。

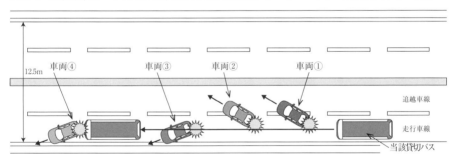

車両①〜④と当該貸切バスはカラーで出題されます。

＜事故関連情報＞

○　当該運転者（35歳）は、事故日前日、運行先に積雪があり、帰庫時間が5時間程度遅くなって業務を早朝5時に終了した。その後、事故当日の正午に業務前点呼を受け出庫した。

○　当該運転者は、事故日前1ヵ月間の勤務において、拘束時間及び休息期間について複数回の「自動車運転者の労働時間等の改善のための基準」（以下「改善基準告示」という。）違反があった。

○ 月1回ミーティングを実施していたが、交通事故を惹起した場合の社会的影響の大きさや疲労などによる交通事故の危険性などについての指導・教育が不足していた。

○ 当該運転者は、事業者が行う定期健康診断において、特に指摘はなかった。

＜事故の再発防止対策＞

① 運行管理者は、運転者に対して、交通事故を惹起した場合の社会的影響の大きさや過労が運転に及ぼす危険性を認識させ、疲労や眠気を感じた場合は直ちに運転を中止し、休憩するよう指導を徹底する。

② 事業者は、運転者に対して、疾病が交通事故の要因となるおそれがあることを理解させ、健康診断結果に基づき、生活習慣の改善を図るなど、適切な心身の健康管理を行うことを理解させる。

③ 運行管理者は、「改善基準告示」に違反しないよう、適切な乗務割を作成するとともに、点呼の際適切な運行指示を行う。

④ 運行管理者は、法令等に定められた適齢診断を運転者に確実に受診させるとともに、その結果を活用し、個々の運転者の特性に応じた指導を行う。

⑤ 運行管理者は、点呼を実施する際、運転者の体調や疲労の蓄積などをきちんと確認し、疲労等により安全な運転を継続することができないおそれがあるときは、当該運転者を交替させる措置をとる。

⑥ 法令で定められた日常点検及び定期点検整備を確実に実施する。その際、速度抑制装置の正常な作動についても、警告灯により確認する。

令和3年度 CBT試験出題例
（2022年11月30日公表）

運行管理者試験問題
〈旅客〉

【注意事項】

(1) 試験時間は90分となります。試験開始後、残り時間が画面右上に表示されます。

(2) 試験が早く終了された方は、「試験終了」ボタンを押した後、いつでも退室できます。
万一、試験の途中で間違って「試験終了」ボタンを押した場合は試験の再開はできません。

(3) 「文字サイズ」を変更する場合は、画面右上の「文字サイズ」のボタンで変更できます。

(4) 画面右側の「後で確認する」にチェックを選択すると、後から見直しが容易にできます。

(5) 試験問題の内容に関する質問は受け付けません。

(6) 試験中の離席は原則的に認められておりませんが、次の場合は、手を挙げて試験監督官にお知らせください。
　　・気分が悪くなった場合
　　・部屋の空調に調整が必要な場合
　　・試験画面の表示や動作に不具合がある場合

(7) 試験監督者が次の行為等を発見し不正行為とみなした場合には、試験が無効となり退席していただきます。
　　・許可されているもの以外の物を試験室に持ち込む行為
　　・試験終了後、配布されたメモ用紙とペンを持ち帰る行為
　　・試験問題や解答内容を試験室から持ち出す行為
　　・試験問題等を第三者と共有、又は開示（漏洩）する行為
　　・申請者と異なる者に受験させる行為
　　・試験中に私語・喫煙・騒ぐ等、他の受験者の迷惑となる行為
　　・試験中に他の受験者の解答画面を見たり、他の受験者と話したりする行為
　　・その他、明らかに不正と認められる行為

●P.289の解答用紙をコピーしてお使いください。
答え合わせに便利な正答一覧は別冊P.125

	受験者数(人)	合格者数(人)	合格率(%)
令和3年度　第2回	5,787	1,999	34.5
令和3年度　第1回	6,740	2,196	32.6

1．道路運送法関係

問1　一般旅客自動車運送事業に関する次の記述のうち、【正しいものを2つ】選びなさい。なお、解答にあたっては、各選択肢に記載されている事項以外は考慮しないものとする。

1．一般旅客自動車運送事業を経営しようとする者は、一般乗合旅客自動車運送事業、一般貸切旅客自動車運送事業、一般乗用旅客自動車運送事業の種別ごとに国土交通大臣の認可を受けなければならない。

2．一般旅客自動車運送事業者は、「自動車車庫の位置及び収容能力」の事業計画の変更をしようとするときは、国土交通大臣の認可を受けなければならない。

3．一般旅客自動車運送事業者は、「営業所ごとに配置する事業用自動車の数」の事業計画の変更をしたときは、遅滞なく、その旨を国土交通大臣に届け出なければならない。

4．一般旅客自動車運送事業者は、運送約款を定め、国土交通大臣の認可を受けなければならない。これを変更しようとするときも同様とする。

問2　次の記述のうち、道路運送法における定義等として【誤っているもの
　　　を1つ】選びなさい。なお、解答にあたっては、各選択肢に記載され
　　　ている事項以外は考慮しないものとする。

1．道路運送事業とは、旅客自動車運送事業、貨物自動車運送事業及び自動
　　車道事業をいう。

2．旅客自動車運送事業とは、他人の需要に応じ、有償で、自動車を使用し
　　て旅客を運送する事業であって、一般旅客自動車運送事業及び特定旅客
　　自動車運送事業をいう。

3．一般貸切旅客自動車運送事業とは、一個の契約により乗車定員11人以
　　上の自動車を貸し切って旅客を運送する一般旅客自動車運送事業をいう。

4．一般旅客自動車運送事業の種別は、一般乗合旅客自動車運送事業、一般
　　貸切旅客自動車運送事業、一般乗用旅客自動車運送事業及び特定旅客自
　　動車運送事業である。

問3 次の記述のうち、旅客自動車運送事業者の運行管理者が行わなければならない業務として、【正しいものを2つ】選びなさい。なお、解答にあたっては、各選択肢に記載されている事項以外は考慮しないものとする。

1. 死者又は負傷者（法令に掲げる傷害を受けた者）が生じた事故を引き起こした者等特定の運転者に対し、国土交通大臣が告示で定める適性診断であって国土交通大臣の認定を受けたものを受けさせること。

2. 法令に規定する運行管理者資格者証を有する者又は国土交通大臣が告示で定める運行の管理に関する講習であって国土交通大臣の認定を受けたもの（基礎講習）を修了した者のうちから、運行管理者の業務を補助させるための者（補助者）を選任すること並びにその者に対する指導及び監督を行うこと。

3. 従業員に対し、効果的かつ適切に指導監督を行うため、輸送の安全に関する基本的な方針を策定し、これに基づき指導及び監督を行うこと。

4. 事業用自動車に係る事故が発生した場合には、法令の規定により「事故の発生日時」等の所定の事項を記録し、及びその記録を保存すること。

▼

問4　旅客自動車運送事業の事業用自動車の運転者等に対する点呼についての法令等の定めに関する次の記述のうち、【正しいものをすべて】選びなさい。なお、解答にあたっては、各選択肢に記載されている事項以外は考慮しないものとする。（一部改題）

1．点呼は、運行管理者と運転者が対面により、又は対面による点呼と同等の効果を有するものとして国土交通大臣が定める方法（運行上やむを得ない場合は電話その他の方法。）により行うこととされているが、運行上やむを得ない場合は電話その他の方法によることも認められている。一般貸切旅客自動車運送事業において、営業所と離れた場所にある当該営業所の車庫から業務を開始する運転者については、運行上やむを得ない場合に該当しないことから、電話による点呼を行うことはできない。

2．業務終了後の点呼は、対面により、又は対面による点呼と同等の効果を有するものとして国土交通大臣が定める方法により行い、当該業務に係る事業用自動車、道路及び運行の状況について報告を求め、かつ、運転者に対しては酒気帯びの有無について確認を行わなければならない。この場合において、当該運転者等が他の運転者等と交替した場合にあっては、当該運転者等が交替した運転者等に対して行った法令の規定による通告についても報告を求めなければならない。

3．次のいずれにも該当する一般旅客自動車運送事業者の営業所にあっては、当該営業所と当該営業所の車庫間で点呼を行う場合は、対面による点呼と同等の効果を有するものとして国土交通大臣が定めた機器による点呼（旅客IT点呼）を行うことができる。

①開設されてから3年を経過していること。

②過去1年間所属する旅客自動車運送事業の用に供する事業用自動車の運転者が自らの責に帰する自動車事故報告規則第2条に規定する事故を発生させていないこと。

③過去1年間自動車その他の輸送施設の使用の停止処分、事業の停止処分又は警告を受けていないこと。　　　　　　　　（選択肢4は次ページ）

4．旅客自動車運送事業運輸規則第24条第4項（点呼等）に規定する「アルコール検知器を営業所ごとに備え」とは、営業所又は営業所の車庫に設置されているアルコール検知器をいい、携帯型アルコール検知器は、これにあたらない。

問5　次の自動車事故に関する記述のうち、一般旅客自動車運送事業者が自動車事故報告規則に基づき運輸支局長等に【速報を要するものを2つ】選びなさい。なお、解答にあたっては、各選択肢に記載されている事項以外は考慮しないものとする。

1．貸切バスが信号機のない交差点において乗用車と接触する事故を起こした。双方の運転者は負傷しなかったが、当該バスの運転者が事故を警察官に報告した際、その運転者が道路交通法に規定する酒気帯び運転をしていたことが発覚した。

2．乗合バスが、交差点で信号待ちにより停車していたトラックの発見が遅れ、ブレーキをかける間もなく追突した。この事故で、当該乗合バスの乗客8人が10日間医師の治療を要する傷害を受けた。

3．高速乗合バスが高速自動車国道を走行中、前方に事故で停車していた乗用車の発見が遅れ、当該乗用車に追突した。この事故により、当該バスの運転者と乗客3人が軽傷を負い、当該高速自動車国道が2時間にわたり自動車の通行が禁止となった。

4．タクシーが右折の際、対向車線を走行してきた大型自動二輪車と衝突し、この事故により当該大型自動二輪車の運転者1人が死亡した。

▼

問6　旅客自動車運送事業者（以下「事業者」という。）の過労運転の防止等についての法令の定めに関する次の記述のうち、【誤っているものを1つ】選びなさい。なお、解答にあたっては、各選択肢に記載されている事項以外は考慮しないものとする。（一部改題）

1．一般貸切旅客自動車運送事業者は、運転者が長距離運転又は夜間の運転に従事する場合であって、疲労等により安全な運転を継続することができないおそれがあるときは、あらかじめ、交替するための運転者を配置しておかなければならない。

2．事業者は、乗務員等が事業用自動車の運行中に疾病、疲労、睡眠不足その他の理由により安全な運行の業務を継続し、又はその補助を継続することができないおそれがあるときは、当該乗務員等に対する必要な指示その他輸送の安全のための措置を講じなければならない。

3．貸切バスの交替運転者の配置基準に定める夜間ワンマン運行（1人乗務）の1運行の運転時間は、運行指示書上、10時間を超えないものとする。

4．事業者は、事業計画（路線定期運行を行う一般乗合旅客自動車運送事業者にあっては、事業計画及び運行計画）の遂行に十分な数の事業用自動車の運転者を常時選任しておかなければならない。この場合、事業者（個人タクシー事業者を除く。）は、日日雇い入れられる者、2ヵ月以内の期間を定めて使用される者及び試みの使用期間中の者（14日を超えて引き続き使用されるに至った者を除く。）を当該運転者等として選任してはならない。

問7 旅客自動車運送事業の事業用自動車の運行の安全を確保するために、事業者が行う国土交通省告示で定める特定の運転者に対する特別な指導の指針に関する次の文中、A、B、C、D に入るべき字句として【いずれか正しいものを 1 つ】選びなさい。

1. 軽傷者（法令で定める傷害を受けた者）を生じた交通事故を引き起こし、かつ、当該事故前の　A　間に交通事故を引き起こしたことがある運転者に対し、国土交通大臣が告示で定める適性診断であって国土交通大臣の認定を受けたものを受診させなければならない。

2. 貸切バス以外の一般旅客自動車の運転者として新たに雇い入れた者又は選任した者にあっては、雇入れの日又は選任される日前　B　間に他の旅客自動車運送事業者において当該旅客自動車運送事業者と同一の種類の事業の事業用自動車の運転者として選任されたことがない者に対して、特別な指導を行わなければならない。

3. 一般貸切旅客自動車運送事業者は、初任運転者以外の者であって、直近　C　間に当該事業者において運転の経験（実技の指導を受けた経験を含む。）のある貸切バスより大型の車種区分の貸切バスに乗務しようとする運転者（準初任運転者）に対して、特別な指導を行わなければならない。

4. 適齢診断（高齢運転者のための適性診断として国土交通大臣が認定したものをいう。）を　D　才に達した日以後 1 年以内に 1 回受診させ、その後 75 才に達するまでは 3 年以内ごとに 1 回受診させ、75 才に達した日以後 1 年以内に 1 回受診させ、その後 1 年以内ごとに 1 回受診させる。

A：① 1 年　　② 3 年
B：① 1 年　　② 3 年
C：① 1 年　　② 3 年
D：① 65　　② 70

▼

問8　旅客自動車運送事業者の運行基準図等及び運行指示書による指示等に関する次の記述のうち、【正しいものを2つ】選びなさい。なお、解答にあたっては、各選択肢に記載されている事項以外は考慮しないものとする。（一部改題）

1. 一般乗合旅客自動車運送事業者は、「踏切、橋、トンネル、交差点、待避所及び運行に際して注意を要する箇所の位置」等の所定の事項を記載した運行基準図を作成して営業所に備え、かつ、これにより事業用自動車の運転者等に対し、適切な指導をしなければならない。

2. 一般貸切旅客自動車運送事業者の事業用自動車の運転者は、運行中、所定の事項を記載した運行指示書が当該事業用自動車の運行を管理する営業所に備えられ、電話等により必要な指示が行われる場合にあっては、当該運行指示書を携行しなくてもよい。

3. 一般貸切旅客自動車運送事業者は、法令の規定により運行の主な経路における道路及び交通の状況を事前に調査し、かつ、当該経路の状態に適すると認められる自動車を使用しなければならない。

4. 一般貸切旅客自動車運送事業者は、法令の規定により作成した運行指示書を、運行を計画した日から1年間保存しなければならない。

2. 道路運送車両法関係

問9　自動車の登録等についての次の記述のうち、【正しいものを2つ】選びなさい。なお、解答にあたっては、各選択肢に記載されている事項以外は考慮しないものとする。

1．一時抹消登録を受けた自動車（国土交通省令で定めるものを除く。）の所有者は、自動車の用途を廃止したときには、その事由があった日から15日以内に、国土交通省令で定めるところにより、その旨を国土交通大臣に届け出なければならない。

2．登録自動車の使用者は、当該自動車が滅失し、解体し（整備又は改造のために解体する場合を除く。）、又は自動車の用途を廃止したときは、その事由があった日（使用済自動車の解体である場合には解体報告記録がなされたことを知った日）から30日以内に、当該自動車検査証を国土交通大臣に返納しなければならない。

3．自動車登録番号標及びこれに記載された自動車登録番号の表示は、国土交通省令で定めるところにより、自動車登録番号標を自動車の前面及び後面の任意の位置に確実に取り付けることによって行うものとする。

4．登録を受けた自動車（自動車抵当法第2条ただし書きに規定する大型特殊自動車を除く。）の所有権の得喪は、登録を受けなければ、第三者に対抗することができない。

▼

問10　自動車の検査等についての次の記述のうち、【誤っているものを1つ】選びなさい。なお、解答にあたっては、各選択肢に記載されている事項以外は考慮しないものとする。（一部改題）

1．自動車は、指定自動車整備事業者が継続検査の際に交付した有効な保安基準適合標章を表示しているときは、自動車検査証を備え付けていなくても、運行の用に供することができる。

2．自動車検査証の有効期間の起算日は、自動車検査証の有効期間が満了する日の1ヵ月前（離島に使用の本拠の位置を有する自動車を除く。）から当該期間が満了する日までの間に継続検査を行い、当該自動車検査証に有効期間を記録する場合は、当該自動車検査証の有効期間が満了する日の翌日とする。

3．自動車の使用者は、自動車の長さ、幅又は高さを変更したときは、道路運送車両法で定める場合を除き、その事由があった日から15日以内に、当該変更について、国土交通大臣が行う自動車検査証の変更記録を受けなければならない。

4．自動車運送事業の用に供する自動車は、自動車検査証を当該自動車又は当該自動車の所属する営業所に備え付けなければ、運行の用に供してはならない。

問 11　道路運送車両法に定める自動車の点検整備等に関する次の文中、A、B、C、D に入るべき字句として【いずれか正しいものを 1 つ】選びなさい。

1．乗車定員 5 人の旅客を運送する自動車運送事業の用に供する自動車については、初めて自動車検査証の交付を受ける際の当該自動車検査証の有効期間は　A　である。

2．車両総重量 8 トン以上又は乗車定員　B　以上の自動車は、日常点検において「ディスク・ホイールの取付状態が不良でないこと。」について点検しなければならない。

3．自動車運送事業の用に供する自動車の日常点検の結果に基づく運行可否の決定は、自動車の使用者より与えられた権限に基づき、　C　が行わなければならない。

4．事業用自動車の使用者は、点検の結果、当該自動車が保安基準に適合しなくなるおそれがある状態又は適合しない状態にあるときは、保安基準に適合しなくなるおそれをなくするため、又は保安基準に適合させるために当該自動車について必要な　D　をしなければならない。

A：①1 年　　　　　②2 年
B：①11 人　　　　②30 人
C：①運行管理者　　②整備管理者
D：①検査　　　　　②整備

問 12　道路運送車両の保安基準及びその細目を定める告示についての次の記述のうち、【誤っているものを 1 つ】選びなさい。なお、解答にあたっては、各選択肢に記載されている事項以外は考慮しないものとする。

1．自動車の乗車装置は、乗車人員が動揺、衝撃等により転落又は転倒することなく安全な乗車を確保できるものとして、構造に関し告示で定める基準に適合するものでなければならない。

2．自動車に備えなければならない後写鏡は、取付部付近の自動車の最外側より突出している部分の最下部が地上 1.8 メートル以下のものは、当該部分が歩行者等に接触した場合に衝撃を緩衝できる構造でなければならない。

3．旅客自動車運送事業の用に供する乗車定員 30 人以上の自動車（すべての座席が乗降口から直接着席できる自動車を除く。）の非常口は、客室の左側面の後部又は後面に設けられていなければならない。

4．非常点滅表示灯は、盗難、車内における事故その他の緊急事態が発生していることを表示するための灯火として作動する場合には、点滅回数の基準に適合しない構造とすることができる。

3. 道路交通法関係

問13　道路交通法に定める自動車の種類についての次の記述のうち、【誤っているものを1つ】選びなさい。なお、解答にあたっては、各選択肢に記載されている事項以外は考慮しないものとする。

1．乗車定員が55人、車両総重量が11,580キログラムの自動車の種類は、大型自動車である。

2．乗車定員が29人、車両総重量が7,510キログラムの自動車の種類は、中型自動車である。

3．乗車定員が15人、車両総重量が4,000キログラムの自動車の種類は、準中型自動車である。

4．乗車定員が10人、車両総重量が3,400キログラムの自動車の種類は、普通自動車である。

問 14　道路交通法に定める車両の交通方法等について次の記述のうち、【正しいものを 2 つ】選びなさい。なお、解答にあたっては、各選択肢に記載されている事項以外は考慮しないものとする。

1．車両は、道路標識等によりその通行を禁止されている道路又はその部分を通行してはならない。ただし、政令に基づき警察署長が認めて許可をしたときは、道路標識等によりその通行を禁止されている道路又はその部分を通行することができる。その際、警察署長から許可証の交付を受けた車両の運転者は、当該許可に係る通行中、当該許可証の写しを携帯していなければならない。

2．車両は、道路の中央から左の部分の幅員が 6 メートルに満たない道路において、他の車両を追い越そうとするとき（道路の中央から右の部分を見とおすことができ、かつ、反対の方向からの交通を妨げるおそれがない場合に限るものとし、道路標識等により追越しのため道路の中央から右の部分にはみ出して通行することが禁止されている場合を除く。）は、道路の中央から右の部分にその全部又は一部をはみ出して通行することができる。

3．車両は、道路外の施設又は場所に出入するためやむを得ない場合において歩道又は路側帯（以下「歩道等」という。）を横断するとき、又は法令の規定により歩道等で停車し、若しくは駐車するため必要な限度において歩道等を通行するときは、徐行しなければならない。

4．車両は、車両通行帯の設けられた道路においては、道路の左側端から数えて 1 番目の車両通行帯を通行しなければならない。ただし、自動車（小型特殊自動車及び道路標識等によって指定された自動車を除く。）は、当該道路の左側部分（当該道路が一方通行となっているときは、当該道路）に 3 以上の車両通行帯が設けられているときは、政令で定めるところにより、その速度に応じ、その最も右側の車両通行帯以外の車両通行帯を通行することができる。

▼

問 15　道路交通法（以下「法」という。）に定める横断歩行者等の保護のための通行方法についての次の文中、A、B、C、D に入るべき字句として【いずれか正しいものを 1 つ】選びなさい。（一部改題）

1．車両等は、横断歩道に接近する場合には、当該横断歩道を通過する際に当該横断歩道によりその進路の前方を横断しようとする歩行者がないことが明らかな場合を除き、当該横断歩道の直前で　A　しなければならない。この場合において、横断歩道によりその進路の前方を横断し、又は横断しようとする歩行者があるときは、当該横断歩道の直前で　B　、かつ、その通行を妨げないようにしなければならない。

2．車両等は、横断歩道（当該車両等が通過する際に信号機の表示する信号又は警察官等の手信号等により当該横断歩道による歩行者等の横断が禁止されているものを除く。）又はその手前の直前で停止している車両等がある場合において、当該停止している車両等の側方を通過してその前方に出ようとするときは、　C　しなければならない。

3．車両等は、横断歩道及びその手前の側端から前に　D　以内の道路の部分においては、法第 30 条（追越しを禁止する場所）第 3 号の規定に該当する場合のほか、その前方を進行している他の車両等（特定小型原動機付自転車等を除く。）の側方を通過してその前方に出てはならない。

A：①停止することができるような速度で進行　②徐行又は一時停止を
B：①徐行し　　　　　　　　　②一時停止し
C：①安全な速度で進行　　　　②その前方に出る前に一時停止
D：① 10 メートル　　　　　　② 30 メートル

問 16　道路交通法に定める高速自動車国道等における自動車の交通方法等についての次の記述のうち、【正しいものを 2 つ】選びなさい。なお、解答にあたっては、各選択肢に記載されている事項以外は考慮しないものとする。

1．自動車（緊急自動車を除く。）は、本線車道に入ろうとする場合（本線車道から他の本線車道に入ろうとする場合にあっては、道路標識等により指定された本線車道に入ろうとする場合に限る。）において、当該本線車道を通行する自動車があるときは、当該自動車の進行妨害をしてはならない。ただし、当該交差点において、交通整理が行なわれているときは、この限りでない。

2．自動車は、高速自動車国道の往復の方向にする通行が行われている本線車道で、道路の構造上往復の方向別に分離されていない本線車道においては、道路標識等により自動車の最低速度が指定されている区間にあってはその最低速度に、その他の区間にあっては、毎時 50 キロメートルの最低速度に達しない速度で進行してはならない。

3．自動車は、本線車道に入ろうとする場合において、加速車線が設けられているときは、その加速車線を通行しなければならない。ただし、当該本線車道において後方から進行してくる自動車がないときは、この限りではない。

4．自動車は、高速自動車国道においては、法令の規定若しくは警察官の命令により、又は危険を防止するため一時停止する場合のほか、停車し、又は駐車してはならない。ただし、故障その他の理由により停車し、又は駐車することがやむを得ない場合において、停車又は駐車のため十分な幅員がある路肩又は路側帯に停車し、又は駐車する場合においてはこの限りでない。

問 17 道路交通法に定める運転者の遵守事項等についての次の記述のうち、【誤っているものを 1 つ】選びなさい。なお、解答にあたっては、各選択肢に記載されている事項以外は考慮しないものとする。

1. 車両等の運転者は、児童、幼児等の乗降のため、道路運送車両の保安基準に関する規定に定める非常点滅表示灯をつけて停車している通学通園バス（専ら小学校、幼稚園等に通う児童、幼児等を運送するために使用する自動車で政令で定めるものをいう。）の側方を通過するときは、徐行して安全を確認しなければならない。

2. 車両等の運転者は、道路の左側部分に設けられた安全地帯の側方を通過する場合において、当該安全地帯に歩行者がいるときは、徐行しなければならない。

3. 自動車の運転者は、自動車を後退させるため当該自動車を運転するときであっても座席ベルトを装着しなければならない。

4. 免許証の更新を受けようとする者で更新期間が満了する日における年齢が 70 歳以上のもの（当該講習を受ける必要がないものとして法令で定める者を除く。）は、更新期間が満了する日前 6 ヵ月以内にその者の住所地を管轄する公安委員会が行った「高齢者講習」を受けていなければならない。

4. 労働基準法関係

問 18　労働基準法（以下「法」という。）に定める労働契約等についての次の記述のうち、【正しいものを２つ】選びなさい。なお、解答にあたっては、各選択肢に記載されている事項以外は考慮しないものとする。

1. 使用者は、労働者を解雇しようとする場合においては、少くとも 30 日前にその予告をしなければならない。30 日前に予告をしない使用者は、30 日分以上の平均賃金を支払わなければならない。

2. 労働契約は、期間の定めのないものを除き、一定の事業の完了に必要な期間を定めるもののほかは、3 年（法第 14 条（契約期間等）第 1 項各号のいずれかに該当する労働契約にあっては、5 年）を超える期間について締結してはならない。

3. 労働者は、労働契約の締結に際し使用者から明示された賃金、労働時間その他の労働条件が事実と相違する場合であっても、少なくとも 30 日前に予告しなければ、当該労働契約を解除することができない。

4. 使用者は、労働者の死亡又は退職の場合において、権利者の請求があった場合においては、30 日以内に賃金を支払い、積立金、保証金、貯蓄金その他名称の如何を問わず、労働者の権利に属する金品を返還しなければならない。

問 19 労働基準法（以下「法」という。）に定める労働時間及び休日等に関する次の記述のうち、【誤っているものを 1 つ】選びなさい。なお、解答にあたっては、各選択肢に記載されている事項以外は考慮しないものとする。

1．使用者は、その雇入れの日から起算して 3 ヵ月間継続勤務し全労働日の 8 割以上出勤した労働者に対して、継続し、又は分割した 10 労働日の有給休暇を与えなければならない。

2．使用者は、労働者に、休憩時間を除き 1 週間について 40 時間を超えて、労働させてはならない。また、1 週間の各日については、労働者に、休憩時間を除き 1 日について 8 時間を超えて、労働させてはならない。

3．使用者が、法の規定により労働時間を延長し、又は休日に労働させた場合においては、その時間又はその日の労働については、通常の労働時間又は労働日の賃金の計算額の 2 割 5 分以上 5 割以下の範囲内でそれぞれ政令で定める率以上の率で計算した割増賃金を支払わなければならない。

4．使用者は、満 16 歳以上の男性を交替制によって使用する場合その他法令で定める場合を除き、満 18 歳に満たない者を午後 10 時から午前 5 時までの間において使用してはならない。

▼★

問20 「自動車運転者の労働時間等の改善のための基準」（以下「改善基準告示」という。）に定める一般乗用旅客自動車運送事業以外の旅客自動車運送事業に従事する自動車運転者（以下「バス運転者」という。）の拘束時間等についての次の文中、A、B、C、Dに入るべき字句として【いずれか正しいものを1つ】選びなさい。（一部改題）

1. 使用者は、バス運転者に休日に労働させる場合は、当該労働させる休日は　A　について1回を超えないものとし、当該休日の労働によって改善基準告示第5条第1項に定める拘束時間及び　B　を超えないものとする。

2. 労使当事者は、労働基準法第36条第1項の協定（時間外労働協定（労働時間の延長に係るものに限る。））においてバス運転者に係る一定期間についての延長時間について協定するに当たっては、当該一定期間は、　C　及び　D　以内の一定の期間とするものとする。

A：①2週間　　　　　　②4週間
B：①連続運転時間　　　②最大拘束時間
C：①2週間　　　　　　②4週間
D：①1ヵ月以上3ヵ月　②3ヵ月以上6ヵ月

▼

問21 「自動車運転者の労働時間等の改善のための基準」において定める バス運転者等の拘束時間等の規定に関する次の記述のうち、【正しい ものを2つ】選びなさい。なお、解答にあたっては、各選択肢に記 載されている事項以外は考慮しないものとする。（一部改題）

1．使用者は、バス運転者等の連続運転時間（1回が連続5分以上で、かつ、 合計が30分以上の運転の中断をすることなく連続して運転する時間をい う。）は、原則として、4時間を超えないものとすること。

2．使用者は、バス運転者等（隔日勤務に就く運転者以外のもの。）の1日 （始業時刻から起算して24時間をいう。以下同じ。）についての拘束時間 は、13時間を超えないものとし、当該拘束時間を延長する場合であっても、 最大拘束時間は、15時間とすること。この場合において、1日について の拘束時間が14時間を超える回数をできるだけ少なくするよう努めるも のとする。

3．使用者は、業務の必要上、バス運転者等に勤務の終了後継続9時間以上 の休息期間を与えることが困難な場合、当分の間、一定期間（1ヵ月を限 度とする。）における全勤務回数の2分の1を限度に、休息期間を拘束時 間の途中及び拘束時間の経過直後の2回に分割して与えることができる ものとする。この場合において、分割された休息期間は、1日において1 回当たり継続4時間以上、合計11時間以上でなければならないものとす る。

4．使用者は、バス運転者等の運転時間は、2日を平均し1日当たり9時間、 4週間を平均し1週間当たり44時間を超えないものとすること。ただし、 貸切バス等乗務者については、労使協定により、52週間についての運転 時間が2,080時間を超えない範囲において、52週間のうち16週間までは、 4週間を平均し1週間当たり48時間まで延長することができる。

▼

問 22　下図は、バス運転者等の運転時間及び休憩時間の例を示したものであるが、このうち、連続運転の中断方法として「自動車運転者の労働時間等の改善のための基準」に【適合しているものを2つ】選びなさい。ただし、問題文に記載されていない事項は考慮しないものとする。（一部改題）

1.

業務開始	運転	休憩	運転	休憩	運転	休憩	運転	休憩	運転	休憩	運転	休憩	運転	業務終了
	30分	10分	2時間	15分	30分	10分	1時間30分	1時間	2時間	15分	1時間30分	10分	1時間	

2.

業務開始	運転	休憩	運転	休憩	運転	休憩	運転	休憩	運転	休憩	運転	休憩	運転	業務終了
	1時間	15分	2時間	10分	1時間	15分	1時間	1時間	1時間30分	10分	1時間	5分	30分	

3.

業務開始	運転	休憩	運転	休憩	運転	休憩	運転	休憩	運転	休憩	運転	休憩	運転	業務終了
	2時間	10分	1時間30分	10分	30分	10分	1時間	1時間	1時間	10分	1時間	10分	2時間	

4.

業務開始	運転	休憩	運転	休憩	運転	休憩	運転	休憩	運転	休憩	運転	休憩	運転	業務終了
	1時間	10分	1時間30分	15分	30分	5分	1時間30分	1時間	2時間	10分	1時間30分	10分	30分	

▼

問23　下表は、貸切バスの運転者の4週間を平均した1週間当たりの拘束時間の例を示したものであるが、このうち、「自動車運転者の労働時間等の改善のための基準」に【適合しているものを1つ】選びなさい。なお、隔日勤務に就く場合には該当しないものとする。また、「4週間を平均した1週間当たりの拘束時間の延長に関する労使協定」及び「52週間の拘束時間の延長に関する労使協定」があるものとする。（一部改題）

1.

	1週～4週	5週～8週	9週～12週	13週～16週	17週～20週	21週～24週	25週～28週	29週～32週	33週～36週	37週～40週	41週～44週	45週～48週	49週～52週	52週までの合計
4週間を平均した1週間当たりの拘束時間	60	68	63	62	65	66	58	62	66	67	64	63	70	3,330

2.

	1週～4週	5週～8週	9週～12週	13週～16週	17週～20週	21週～24週	25週～28週	29週～32週	33週～36週	37週～40週	41週～44週	45週～48週	49週～52週	52週までの合計
4週間を平均した1週間当たりの拘束時間	64	66	64	67	65	63	60	59	67	72	62	64	61	3,336

3.

	1週～4週	5週～8週	9週～12週	13週～16週	17週～20週	21週～24週	25週～28週	29週～32週	33週～36週	37週～40週	41週～44週	45週～48週	49週～52週	52週までの合計
4週間を平均した1週間当たりの拘束時間	61	64	60	67	65	64	63	60	62	67	64	68	67	3,328

4.

	1週～4週	5週～8週	9週～12週	13週～16週	17週～20週	21週～24週	25週～28週	29週～32週	33週～36週	37週～40週	41週～44週	45週～48週	49週～52週	52週までの合計
4週間を平均した1週間当たりの拘束時間	64	68	65	68	65	64	65	64	67	68	65	63	65	3,404

5．実務上の知識及び能力

▼

問24　下表は、一般貸切旅客自動車運送事業者が、法令の規定により運転者ごとに行う点呼の記録表の一例を示したものである。この記録表に関し、A、B、C に入る【最もふさわしい事項を下の選択肢（①～⑧）から１つ】選びなさい。（一部改題）

点 呼 記 録 表

社　長	所　長 (統括運行管理者)	運行管理者	補助者

年　月　日　　曜日　　天候　　　　　　　　　　　　　　営業所

登録番号 運転者名 (ガイド名)	業務前点呼										業務途中点呼							業務後点呼						
	点呼日時	点呼場所	点呼方法	疾病・疲労・睡眠不足等の状況	アルコール検知器の使用の有無	酒気帯びの有無	A	指示事項	その他必要な事項	執行者名	点呼日時	点呼場所	点呼方法	自動車・道路及び運行の状況	B	指示事項	その他必要な事項	執行者名	点呼日時	点呼場所	点呼方法	アルコール検知器の使用の有無	酒気帯びの有無	自動車・道路及び運行の状況	C	その他必要な事項	執行者名
	／ ：	対面 電話		有 無	有 無					／ ：	電話						／ ：	対面 電話	有 無	有 無			
	／ ：	対面 電話		有 無	有 無					／ ：	電話						／ ：	対面 電話	有 無	有 無			
	／ ：	対面 電話		有 無	有 無					／ ：	電話						／ ：	対面 電話	有 無	有 無			

①定期点検の状況

②苦情の状況

③薬物の使用状況

④運転者交替時の通告内容

⑤酒気帯びの有無

⑥日常点検の状況

⑦指示事項

⑧疾病・疲労・睡眠不足等の状況

問 25 旅客自動車運送事業者が事業用自動車の運転者に対して行う指導・監督に関する次の記述のうち、【適切なものをすべて】選びなさい。なお、解答にあたっては、各選択肢に記載されている事項以外は考慮しないものとする。

1. 運転者の目は、車の速度が速いほど、周辺の景色が視界から消え、物の形を正確に捉えることができなくなるため、周辺の危険要因の発見が遅れ、事故につながるおそれが高まることを理解させるよう指導している。

2. 他の自動車に追従して走行するときは、常に「秒」の意識をもって自車の速度と制動距離（ブレーキが効きはじめてから止まるまでに走った距離）に留意し、前車への追突の危険が発生した場合でも安全に停止できるよう、制動距離と同程度の車間距離を保って運転するよう指導している。

3. 自動車が追越しをするときは、前の自動車の走行速度に応じた追越し距離、追越し時間が必要になる。前の自動車と追越しをする自動車の速度差が小さい場合には追越しに長い時間と距離が必要になることから、無理な追越しをしないよう運転者に対し指導する必要がある。

4. 国土交通大臣が認定する適性診断（以下「適性診断」という。）を受診した運転者の診断結果において、「感情の安定性」の項目で、「すぐかっとなるなどの衝動的な傾向」との判定が出た。適性診断は、性格等を客観的に把握し、運転の適性を判定することにより、運転業務に適さない者を選任しないようにするためのものであるため、運行管理者は、当該運転者は運転業務に適さないと判断し、他の業務へ配置替えを行った。

問26　事業用自動車の運転者の健康管理に関する次の記述のうち、【適切なものをすべて】選びなさい。なお、解答にあたっては、各選択肢に記載されている事項以外は考慮しないものとする。

1．事業者は、法令により定められた健康診断を実施することが義務づけられているが、運転者が自ら受けた健康診断（人間ドックなど）において、法令で必要な定期健康診断の項目を充足している場合であっても、法定健診として代用することができない。

2．事業者は、脳血管疾患の予防のため、運転者の健康状態や疾患につながる生活習慣の適切な把握・管理に努めるとともに、法令により義務づけられている定期健康診断において脳血管疾患を容易に発見することができることから、運転者に確実に受診させている。

3．事業者や運行管理者は、点呼等の際に、運転者が意識や言葉に異常な症状があり普段と様子が違うときには、すぐに専門医療機関で受診させている。また、運転者に対し、脳血管疾患の症状について理解させ、そうした症状があった際にすぐに申告させるように努めている。

4．事業者は、運転者の自動車の運転に支障を及ぼすおそれがある脳血管疾患及び心疾患等に係る外見上の前兆や自覚症状等を確認し、総合的に判断して必要と認められる場合には、運転者に医師の診断等を受診させ、必要に応じて所見に応じた精密検査を受けさせ、その結果を把握するとともに、医師から結果に基づく運転者の業務に係る意見を聴取している。

問 27 交通事故防止対策に関する次の記述のうち、【適切なものをすべて】選びなさい。なお、解答にあたっては、各選択肢に記載されている事項以外は考慮しないものとする。

1. アンチロック・ブレーキシステム（ABS）は、急ブレーキをかけた時などにタイヤがロック（回転が止まること）するのを防ぐことにより、車両の進行方向の安定性を保ち、また、ハンドル操作で障害物を回避できる可能性を高める装置である。ABSを効果的に作動させるためには、できるだけ強くブレーキペダルを踏み続けることが重要であり、この点を運転者に指導する必要がある。

2. 輸送の安全に関する教育及び研修については、知識を普及させることに重点を置く手法に加えて、問題を解決することに重点を置く手法を取り入れるとともに、グループ討議や「参加体験型」研修等、運転者が参加する手法を取り入れることも交通事故防止対策の有効な手段となっている。

3. 交通事故は、そのほとんどが運転者等のヒューマンエラーにより発生するものであるが、その背景には、運転操作を誤ったり、交通違反せざるを得なかったりすることに繋がる背景要因が潜んでいることが少なくない。そのため、事故の背景にある運行管理その他の要因の調査・分析をすることが重要である。

4. 指差呼称は、運転者の錯覚、誤判断、誤操作等を防止するための手段であり、信号や標識などを指で差し、その対象が持つ名称や状態を声に出して確認することをいうが、安全確認に重要な運転者の意識レベルは、個人差があるため有効な交通事故防止対策の手段となっていない。

問 28　自動車の運転に関する次の記述の A、B、C、D に入るべき字句として【いずれか正しいものを 1 つ】選びなさい。

1．急なハンドル操作や積雪がある路面の走行などを原因とした横転の危険を、運転者へ警告するとともに、エンジン出力やブレーキ力を制御し、横転の危険を軽減させる装置を［ A ］という。

2．自動車がカーブを走行するとき、自動車の重量及び速度が同一の場合には、カーブの半径が 2 倍になると遠心力の大きさは［ B ］になる。

3．長い下り坂などでフット・ブレーキを使い過ぎるとブレーキ・ドラムやブレーキ・ライニングなどが摩擦のため過熱することによりドラムとライニングの間の摩擦力が減り、制動力が低下することを［ C ］という。

4．路面が水でおおわれているときに高速で走行するとタイヤの排水作用が悪くなり、水上を滑走する状態になって操縦不能になることを［ D ］という。

A：①車線維持支援制御装置　　　②車両安定性制御装置

B：①4 分の 1　　　　　　　　　②2 分の 1

C：①ベーパー・ロック現象　　　②フェード現象

D：①ハイドロプレーニング現象　②ウェット・スキッド現象

▼

問29 旅行業者からバス事業者に対し、ツアー客の運送依頼があった。これを受けて運行管理者は、下の図に示す運行計画を立てた。この運行に関する次の1～3の記述について、解答しなさい。なお、解答にあたっては、＜運行計画＞及び各選択肢に記載されている事項以外は考慮しないものとする。（一部改題）

＜運行計画＞

A営業所を出庫し、B駅にてツアー客を乗車させ、C観光地及びD観光地を経て、E駅にてツアー客を降車させた後、A営業所に帰庫する行程とする。当該運行は、乗車定員36名乗りのバスを使用し、運転者1人乗務とする。

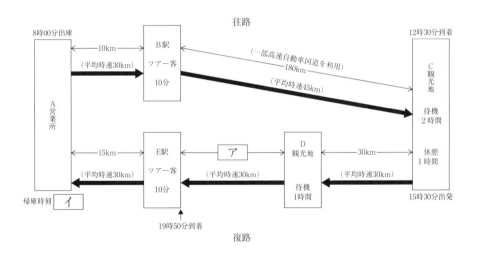

1. D観光地とE駅の間の距離 ア について、次の①～③の中から【正しいものを1つ】選びなさい。

　　①60キロメートル　　②65キロメートル　　③70キロメートル

2. 当該運転者がA営業所に帰庫する時刻 イ について、次の①～③の中から【正しいものを1つ】選びなさい。

　　①20時20分　　②20時30分　　③20時40分

3. 当日の全運行において、連続運転時間は「自動車運転者の労働時間等の

改善のための基準」に照らし、違反しているか否かについて、次の①〜
④の中から【正しいものを１つ】選びなさい。

　①往路は違反しているが、復路は違反していない

　②往路は違反していないが、復路は違反している

　③往路、復路ともに違反している

　④往路、復路ともに違反していない

問30　運行管理者が、次のタクシーの事故報告に基づき、この事故の要因分析を行い、同種の事故の再発を防止する対策として、【最も直接的に有効と考えられる組合せを、下の選択肢（①〜⑧）から1つ】選びなさい。なお、解答にあたっては、＜事故の概要＞及び＜事故関連情報＞に記載されている事項以外は考慮しないものとする。

＜事故の概要＞

　当該運転者は、事故前日の16時50分頃に点呼を受けた後出庫し、客扱いを終えて、午前3時15分頃、営業所に帰庫するため、回送板を表示して一般道路（制限速度時速50キロメートル）を走行していた。自車タクシーの前方を走行していた自動車は、赤信号を無視して横断している自転車を発見し、右に急ハンドルを切って自転車を回避したが、当該タクシーの運転者は、車間距離を十分にとらず、制限速度を25キロメートル超過して走行していたことに加え、衝突回避のための反応が遅れたことから、自転車を避けきれず衝突し、自転車の運転者は路上に投げ出され負傷した。

　当該タクシーの運転者は、他の車両に対し停止していることを知らせることなく、その場で自転車の運転者の救護措置を行っていたところ、後続の自動車が事故現場に突入し、衝突した。この事故で自転車の運転者が死亡し、当該タクシーの運転者が負傷した。

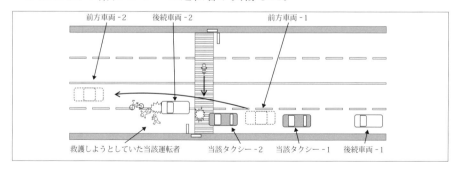

イラストはカラーで出題されます。

＜事故関連情報＞

○　この事故惹起運転者は、事故日前1ヵ月の勤務において、拘束時間、連続運転時間に係る違反はなかった。

○　当該営業所では点呼は適正に実施されていた。営業所には複数の運行管理者が選任されており、24時間点呼が実施できる体制がとられていた。

○　当該運転者は、普段からスピード超過の傾向があり、事故当時も制限速度時速50キロメートルの道路を時速75キロメートルと制限速度を大きく超過して走行していた。また、当該運転者は、事故時回送運行ということもあり、考え事をしながら運転をしていた。

○　事業者は、運転者に対する集合教育を月1回実施しているが、運転者が多く出勤する時間帯に朝礼の中で行っていた。欠席した者には、指導内容を掲示板に張り出し、確認できるようにしていた。

○　当該運転者は、満67歳になっており、適齢診断において動体視力に問題ありと判定された他、過去の診断結果と比較して動作の正確さに大きな低下が認められた。また、本人は、加齢に伴う身体能力の衰えを十分自覚していなかった。

○　当該運転者は、健康診断を適正に受診していた。高血圧、心臓の疾患があったが、重度のものではないため経過観察としていた。

＜事故の再発防止対策＞

ア　運行管理者は、運転者に対し、交通事故を発生させたときは、直ちに自車の運転を停止して負傷者を救護し、道路における危険を防止するなど必要な措置を講ずべきことについて、指導・監督を徹底する。

イ　運行管理者は、法令違反を犯した運転者に対しては、個別指導により適正な車間距離の確保、法定速度の厳守、道路状況等に適応した運転を行うなど、安全運転の指導を徹底する。

ウ　運行管理者は、健康診断の結果において精密検査を要するとされた運転者は再検査を必ず受診させるとともに、その再検結果については、医師から詳細な報告を受けた上で、業務上の措置を検討する。

エ　ドライブレコーダーは、事故発生時の映像、速度等のデータにより、事故の要因分析が可能であるため、ドライブレコーダー装着車両の導入を検討する。

オ　運行管理者は、点呼を通じて運転者の健康状態の把握に努め、安全な運行ができないおそれのある運転者を事業用自動車に乗務させない等の措置をとる。

カ　事業者は、高齢運転者に対して、適齢診断結果に基づき、加齢に伴う反応時間の遅れや視覚の衰え等が、安全運転に悪影響を及ぼすことについて入念な指導を行い、診断結果によっては、深夜業務からの配置転換も検討する。

キ　運行管理者は、深夜の営業運行を終えての回送運行は、営業運転中と比較して緊張状態が薄れ、漫然運転となる可能性があるので、回送運行においても絶えず周囲の状況に目を配り、安全な運行に努めるべきことを徹底する。

ク　運転者に対し、過労が運転に及ぼす危険性を認識させ、疲労を感じたときは、適切な休憩を取るなどの対応を指導する。

①ア・イ・エ・オ	②ア・イ・カ・キ
③ア・ウ・キ・ク	④ア・ウ・エ・ク
⑤イ・エ・オ・カ	⑥イ・エ・オ・キ
⑦ウ・エ・キ・ク	⑧ウ・オ・カ・ク

令和2年度 CBT試験出題例
（2021年11月30日公表）

運行管理者試験問題
〈旅客〉

【注意事項】
(1) 試験時間は90分となります。試験開始後、残り時間が画面右上に表示されます。
(2) 試験が早く終了された方は、「試験終了」ボタンを押した後、いつでも退室できます。
   万一、試験の途中で間違って「試験終了」ボタンを押した場合は試験の再開はできません。
(3) 「文字サイズ」を変更する場合は、画面右上の「文字サイズ」のボタンで変更できます。
(4) 画面右側の「後で確認する」にチェックを選択すると、後から見直しが容易にできます。
(5) 試験問題の内容に関する質問は受け付けません。
(6) 試験中の離席は原則的に認められておりませんが、次の場合は、手を挙げて試験監督官
   にお知らせください。
   ・気分が悪くなった場合
   ・部屋の空調に調整が必要な場合
   ・試験画面の表示や動作に不具合がある場合
(7) 試験監督者が次の行為等を発見し不正行為とみなした場合には、試験が無効となり退席
   していただきます。
   ・許可されているもの以外の物を試験室に持ち込む行為
   ・試験終了後、配布されたメモ用紙とペンを持ち帰る行為
   ・試験問題や解答内容を試験室から持ち出す行為
   ・試験問題等を第三者と共有、又は開示（漏洩）する行為
   ・申請者と異なる者に受験させる行為
   ・試験中に私語・喫煙・騒ぐ等、他の受験者の迷惑となる行為
   ・試験中に他の受験者の解答画面を見たり、他の受験者と話したりする行為
   ・その他、明らかに不正と認められる行為

● P.290の解答用紙をコピーしてお使いください。
答え合わせに便利な正答一覧は別冊P.126

	受験者数(人)	合格者数(人)	合格率(%)
令和2年度　第2回	7,610	3,604	47.4
令和2年度　第1回	9,714	3,026	31.2

※令和2年度第2回については、筆記試験及びCBT試験の両方が実施されました。

1. 道路運送法関係

問1　旅客自動車運送事業に関する次の記述のうち、【正しいものを2つ】選びなさい。なお、解答にあたっては、各選択肢に記載されている事項以外は考慮しないものとする。

1．自動車運送事業とは、旅客自動車運送事業、貨物自動車運送事業及び自動車道事業をいう。

2．旅客自動車運送事業とは、他人の需要に応じ、有償で、自動車を使用して旅客を運送する事業であって、一般旅客自動車運送事業及び特定旅客自動車運送事業をいう。

3．一般貸切旅客自動車運送事業の許可は、5年ごとにその更新を受けなければ、その期間の経過によって、その効力を失う。

4．一般旅客自動車運送事業の許可の取消しを受けた者は、その取消しの日から2年を経過しなければ、新たに一般旅客自動車運送事業の許可を受けることができない。

問2　道路運送法に定める一般旅客自動車運送事業者の輸送の安全等についての次の文中、A、B、C に入るべき字句として【いずれか正しいものを1つ】選びなさい。

1．一般旅客自動車運送事業者は、事業計画（路線定期運行を行う一般乗合旅客自動車運送事業者にあっては、事業計画及び運行計画）の遂行に　A　運転者の確保、事業用自動車の運転者がその休憩又は睡眠のために利用することができる施設の整備、事業用自動車の運転者の適切な勤務時間及び　B　の設定その他の運行の管理その他事業用自動車の運転者の過労運転を防止するために必要な措置を講じなければならない。

2．一般旅客自動車運送事業者は、事業用自動車の運転者が疾病により安全な運転ができないおそれがある状態で事業用自動車を運転することを防止するために必要な　C　に基づく措置を講じなければならない。

A　1．必要な資格を有する　　　2．必要となる員数の
B　1．乗務時間　　　　　　　　2．休息期間
C　1．医学的知見　　　　　　　2．運行管理規程

問3 次の記述のうち、旅客自動車運送事業者の運行管理者が行わなければならない業務として、【誤っているものを1つ】選びなさい。なお、解答にあたっては、各選択肢に記載されている事項以外は考慮しないものとする。（一部改題）

1．旅客自動車運送事業運輸規則第35条の規定（運転者の選任）により選任された者その他旅客自動車運送事業者により運転者として選任された者（特定自動運行旅客運送を行う場合にあっては、同規則第15条の2第1項の規定により選任された特定自動運行保安員）以外の者を事業用自動車の運行の業務に従事させないこと。

2．一般貸切旅客自動車運送事業の運行管理者にあっては、夜間において長距離の運行を行う事業用自動車の運行の業務に従事する運転者等に対して、当該業務の途中において少なくとも1回電話その他の方法により点呼を行わなければならないこと。

3．一般貸切旅客自動車運送事業において、運転者として新たに雇い入れた者に対して、当該事業用自動車の運転者として選任する前に初任診断（初任運転者のための適性診断として国土交通大臣が認定したもの。）を受診させること。

4．法令の規定により、運転者等に対して点呼を行い、報告を求め、確認を行い、指示を与え、記録し、及びその記録を保存し、並びに運転者に対して使用するアルコール検知器を備え置くこと。

▼

問4　旅客自動車運送事業の事業用自動車の運転者等に対する点呼についての法令等の定めに関する次の記述のうち、【正しいものをすべて】選びなさい。なお、解答にあたっては、各選択肢に記載されている事項以外は考慮しないものとする。（一部改題）

1．業務前の点呼は、対面により、又は対面による点呼と同等の効果を有する者として国土交通大臣が定める方法（運行上やむを得ない場合は電話その他の方法）により行い、運転者に対しては、①酒気帯びの有無、②疾病、疲労、睡眠不足その他の理由により安全な運転をすることができないおそれの有無、運転者等に対しては、③道路運送車両法の規定による日常点検の実施、特定自動運行保安員に対しては、④特定自動運行事業用自動車による運送を行うために必要な自動運行装置の設定の状況に関する確認について報告を求め、及び確認を行い、並びに事業用自動車の運行の安全を確保するために必要な指示を与えなければならない。

2．業務終了後の点呼は、対面により、又は対面による点呼と同等の効果を有する者として国土交通大臣が定める方法により行い、当該業務に係る事業用自動車、道路及び運行の状況について報告を求め、かつ、運転者に対しては酒気帯びの有無について確認を行わなければならない。この場合において、当該運転者等が他の運転者等と交替した場合にあっては、当該運転者等が交替した運転者等に対して行った法令の規定による通告についても報告を求めなければならない。

3．次のいずれにも該当する一般旅客自動車運送事業者の営業所にあっては、当該営業所と当該営業所の車庫間で点呼を行う場合は、対面による点呼と同等の効果を有するものとして国土交通大臣が定めた機器による点呼を行うことができる。

　①開設されてから1年を経過していること。

　②過去1年間所属する旅客自動車運送事業の用に供する事業用自動車の運転者が自らの責に帰する自動車事故報告規則第2条に規定する事故を発生させていないこと。（選択肢4は次ページ）

4．旅客自動車運送事業運輸規則第24条第4項（点呼等）に規定する「アルコール検知器を営業所ごとに備え」とは、営業所又は営業所の車庫に設置されているアルコール検知器をいい、携帯型アルコール検知器は、これにあたらない。

問5　次の自動車事故に関する記述のうち、一般旅客自動車運送事業者が自動車事故報告規則に基づき国土交通大臣への【報告を要するものを2つ】選びなさい。なお、解答にあたっては、各選択肢に記載されている事項以外は考慮しないものとする。

1．乗合バス運転者が乗客を降車させる際、当該バスの乗降口の扉を開閉する操作装置の不適切な操作をしたため、乗客1名が14日間の医師の治療を要する傷害を生じさせた。

2．タクシーが交差点に停車していた貨物自動車に気づくのが遅れ、当該タクシーがこの貨物自動車に追突し、さらに後続の自家用自動車3台が関係する玉突き事故となり、この事故によりタクシーの乗客1人、自家用自動車の同乗者5人が軽傷を負った。

3．バス運転者が乗客を乗せ、走行していたところ、運転者は意識がもうろうとしてきたので直近の駐車場に駐車させて乗客を降ろした。しかし、その後も容体が回復しなかったため、運行を中断した。なお、その後、当該運転者は脳梗塞と診断された。

4．大型バスが踏切を通過しようとしたところ、踏切内の施設に衝突して、線路内に車体が残った状態で停止した。ただちに乗務員が踏切非常ボタンを押して鉄道車両との衝突は回避したが、鉄道施設に損傷を与えたため、2時間にわたり本線において鉄道車両の運転を休止させた。

▼

問6　旅客自動車運送事業者（以下「事業者」という。）の過労運転の防止
　　　等についての法令の定めに関する次の記述のうち、【誤っているものを
　　　1つ】選びなさい。なお、解答にあたっては、各選択肢に記載されてい
　　　る事項以外は考慮しないものとする。（一部改題）

1．事業者は、乗務員等が有効に利用することができるように、営業所、自
　動車車庫等に、休憩に必要な施設を整備し、及び乗務員等に睡眠を与え
　る必要がある場合は睡眠に必要な施設を整備しなければならない。ただ
　し、乗務員等が実際に睡眠を必要とする場所に設けられていない施設は、
　有効に利用することができる施設には該当しない。

2．一般貸切旅客自動車運送事業者は、運転者が長距離運転又は夜間の運転
　に従事する場合であって、疲労等により安全な運転を継続することがで
　きないおそれがあるときは、あらかじめ、交替するための運転者を配置
　すること。

3．一般貸切旅客自動車運送事業者は、事業用自動車の運行中少なくとも
　1人の運行管理者が、事業用自動車の運転業務に従事せずに、異常気象、
　乗務員の体調変化等の発生時、速やかに運行の中止等の判断、指示等を
　行える体制を整備しなければならない。

4．事業者は、過労の防止を十分考慮して、国土交通大臣が告示で定める基
　準に従って、事業用自動車の運転者の勤務日数及び乗務距離を定め、当
　該運転者にこれらを遵守させなければならない。

令和２年度ＣＢＴ

問7 一般旅客自動車運送事業者（以下「事業者」という。）の事業用自動車の運行の安全を確保するために、国土交通省告示等に基づき運転者に対して行わなければならない指導監督及び特定の運転者に対して行わなければならない特別な指導に関する次の記述のうち、【誤っているものを1つ】選びなさい。なお、解答にあたっては、各選択肢に記載されている事項以外は考慮しないものとする。

1. 事業者は、その事業用自動車の運転者に対し、主として運行する路線又は営業区域の状態及びこれに対処することができる運転技術並びに法令に定める自動車の運転に関する事項について、適切な指導監督をしなければならない。この場合においては、その日時、場所及び内容並びに指導監督を行った者及び受けた者を記録し、かつ、その記録を営業所において3年間保存しなければならない。

2. 一般貸切旅客自動車運送事業者が貸切バスの運転者に対して行う初任運転者に対する特別な指導は、事業用自動車の安全な運転に関する基本的事項、運行の安全及び旅客の安全を確保するために留意すべき事項等について、6時間以上実施するとともに、安全運転の実技について、15時間以上実施すること。

3. 事業者は、運転者が乗務を終了したときは交替する運転者に対し、乗務中の事業用自動車、道路及び運行状況について通告するよう、運転者に対し指導及び監督をすること。

4. 事業者は、事故惹起運転者に対する特別な指導については、当該交通事故を引き起こした後、再度事業用自動車に乗務する前に実施すること。なお、外部の専門的機関における指導講習を受講する予定である場合は、この限りでない。

問8　一般旅客自動車運送事業者（以下「事業者」という。）の運行管理者の選任等に関する次の記述のうち、【誤っているものを1つ】選びなさい。なお、解答にあたっては、各選択肢に記載されている事項以外は考慮しないものとする。

1．一般貸切旅客自動車運送事業者は、事業用自動車60両の運行を管理する営業所においては、3人以上の運行管理者を選任しなければならない。

2．国土交通大臣は、運行管理者資格者証の交付を受けている者が、道路運送法若しくはこの法律に基づく命令又はこれらに基づく処分に違反したときは、その運行管理者資格者証の返納を命ずることができる。また、運行管理者資格者証の返納を命ぜられ、その返納を命ぜられた日から5年を経過しない者に対しては、運行管理者資格者証の交付を行わないことができる。

3．事業者は、新たに選任した運行管理者に、選任届出をした日の属する年度（やむを得ない理由がある場合にあっては、当該年度の翌年度）に基礎講習又は一般講習（基礎講習を受講していない当該運行管理者にあっては、基礎講習）を受講させなければならない。

4．事業者は、法令に規定する運行管理者資格者証を有する者又は国土交通大臣が告示で定める運行の管理に関する講習であって国土交通大臣の認定を受けたもの（基礎講習）を修了した者のうちから、運行管理者の業務を補助させるための者（補助者）を選任することができる。

2. 道路運送車両法関係

問9　自動車の登録等についての次の記述のうち、【誤っているものを１つ】選びなさい。なお、解答にあたっては、各選択肢に記載されている事項以外は考慮しないものとする。

1. 登録自動車は、自動車登録番号標を国土交通省令で定める位置に、かつ、被覆しないことその他当該自動車登録番号標に記載された自動車登録番号の識別に支障が生じないものとして国土交通省令で定める方法により表示しなければ、運行の用に供してはならない。

2. 臨時運行の許可を受けた者は、臨時運行許可証の有効期間が満了したときは、その日から５日以内に、当該臨時運行許可証及び臨時運行許可番号標を当該行政庁に返納しなければならない。

3. 登録自動車の使用者は、当該自動車が減失し、解体し（整備又は改造のために解体する場合を除く。）、又は自動車の用途を廃止したときは、その事由があった日（使用済自動車の解体である場合には解体報告記録がなされたことを知った日）から15日以内に、当該自動車検査証を国土交通大臣に返納しなければならない。

4. 登録自動車の所有者は、当該自動車の使用の本拠の位置に変更があったときは、道路運送車両法で定める場合を除き、その事由があった日から30日以内に、国土交通大臣の行う変更登録の申請をしなければならない。

▼

問 10　自動車（検査対象外軽自動車及び小型特殊自動車を除く。）の検査等についての次の記述のうち、【正しいものを２つ】選びなさい。なお、解答にあたっては、各選択肢に記載されている事項以外は考慮しないものとする。（一部改題）

1．自動車は、指定自動車整備事業者が継続検査の際に交付した有効な保安基準適合標章を表示している場合であっても、自動車検査証を備え付けなければ、運行の用に供してはならない。

2．乗車定員５人の旅客を運送する自動車運送事業の用に供する自動車については、初めて自動車検査証の交付を受ける際の当該自動車検査証の有効期間は２年である。

3．国土交通大臣は、一定の地域に使用の本拠の位置を有する自動車の使用者が、天災その他やむを得ない事由により、継続検査を受けることができないと認めるときは、当該地域に使用の本拠の位置を有する自動車の自動車検査証の有効期間を、期間を定めて伸長する旨を公示することができる。

4．自動車の使用者は、自動車の長さ、幅又は高さを変更したときは、道路運送車両法で定める場合を除き、その事由があった日から 15 日以内に、当該変更について、国土交通大臣が行う自動車検査証の変更記録を受けなければならない。

問11　道路運送車両法に定める自動車の点検整備等に関する次の文中、A、B、C、D に入るべき字句として【いずれか正しいもの】を選びなさい。

1．自動車運送事業の用に供する自動車の使用者又は当該自動車を運行する者は、　A　、その運行の開始前において、国土交通省令で定める技術上の基準により、自動車を点検しなければならない。

2．車両総重量8トン以上又は乗車定員30人以上の自動車の使用者は、スペアタイヤの取付状態等について、　B　ごとに国土交通省令で定める技術上の基準により自動車を点検しなければならない。

3．自動車の使用者は、自動車の点検及び整備等に関する事項を処理させるため、車両総重量8トン以上の自動車その他の国土交通省令で定める自動車であって国土交通省令で定める台数以上のものの使用の本拠ごとに、自動車の点検及び整備に関する実務の経験その他について国土交通省令で定める一定の要件を備える者のうちから、　C　を選任しなければならない。

4．地方運輸局長は、自動車の　D　が道路運送車両法第54条（整備命令等）の規定による命令又は指示に従わない場合において、当該自動車が道路運送車両の保安基準に適合しない状態にあるときは、当該自動車の使用を停止することができる。

A　①1日1回　　　　　②必要に応じて
B　①3ヵ月　　　　　　②6ヵ月
C　①安全統括管理者　②整備管理者
D　①所有者　　　　　②使用者

問 12　道路運送車両の保安基準及びその細目を定める告示についての次の記述のうち、**【誤っているものを 1 つ】**選びなさい。なお、解答にあたっては、各選択肢に記載されている事項以外は考慮しないものとする。

1．自動車の前面ガラス及び側面ガラス（告示で定める部分を除く。）は、フィルムが貼り付けられた場合、当該フィルムが貼り付けられた状態においても、透明であり、かつ、運転車が交通状況を確認するために必要な視野の範囲に係る部分における可視光線の透過率が 70%以上であることが確保できるものでなければならない。

2．幼児専用車及び乗車定員 11 人以上の自動車（緊急自動車を除く。）には、非常時に容易に脱出できるものとして、設置位置、大きさ等に関し告示で定める基準に適合する非常口を設けなければならない。ただし、すべての座席が乗降口から直接着席できる自動車にあっては、この限りでない。

3．乗車定員 11 人以上の自動車及び幼児専用車には、消火器を備えなければならない。

4．自動車は、告示で定める方法により測定した場合において、長さ（セミトレーラにあっては、連結装置中心から当該セミトレーラの後端までの水平距離）12 メートル（セミトレーラのうち告示で定めるものにあっては、13 メートル）、幅 2.5 メートル、高さ 3.8 メートルを超えてはならない。

令和2年度CBT

3. 道路交通法関係

問13　道路交通法に定める車両の交通方法等についての次の記述のうち、【誤っているものを１つ】選びなさい。なお、解答にあたっては、各選択肢に記載されている事項以外は考慮しないものとする。

1．車両（自転車以外の軽車両を除く。）の運転者は、左折し、右折し、転回し、徐行し、停止し、後退し、又は同一方向に進行しながら進路を変えるときは、手、方向指示器又は灯火により合図をし、かつ、これらの行為が終わるまで当該合図を継続しなければならない。（環状交差点における場合を除く。）

2．一般乗合旅客自動車運送事業者による路線定期運行の用に供する自動車（以下「路線バス等」という。）の優先通行帯であることが道路標識等により表示されている車両通行帯が設けられている道路においては、自動車（路線バス等を除く。）は、路線バス等が後方から接近してきた場合に当該道路における交通の混雑のため当該車両通行帯から出ることができないこととなるときであっても、路線バス等が実際に接近してくるまでの間は、当該車両通行帯を通行することができる。

3．車両は、道路外の施設又は場所に出入するためやむを得ない場合において歩道等を横断するとき、又は法令の規定により歩道等で停車し、若しくは駐車するため必要な限度において歩道等を通行するときは、歩道等に入る直前で一時停止し、かつ、歩行者の通行を妨げないようにしなければならない。

4．旅客自動車運送事業の用に供する乗車定員50人の自動車は、法令の規定によりその速度を減ずる場合及び危険を防止するためやむを得ない場合を除き、道路標識等により自動車の最低速度が指定されていない区間の高速自動車国道の本線車道（政令で定めるものを除く。）における最低速度は、時速50キロメートルである。

問14　道路交通法に定める停車及び駐車等についての次の記述のうち、【正しいものを2つ】選びなさい。なお、解答にあたっては、各選択肢に記載されている事項以外は考慮しないものとする。

1．車両は、道路工事が行なわれている場合における当該工事区域の側端から5メートル以内の道路の部分においては、駐車してはならない。

2．車両は、人の乗降、貨物の積卸し、駐車又は自動車の格納若しくは修理のため道路外に設けられた施設又は場所の道路に接する自動車用の出入口から5メートル以内の道路の部分においては、駐車してはならない。

3．車両は、公安委員会が交通がひんぱんでないと認めて指定した区域を除き、法令の規定により駐車する場合に当該車両の右側の道路上に5メートル（道路標識等により距離が指定されているときは、その距離）以上の余地がないこととなる場所においては、駐車してはならない。

4．車両は、消防用機械器具の置場若しくは消防用防火水槽の側端又はこれらの道路に接する出入口から5メートル以内の道路の部分においては、駐車してはならない。

問15 道路交通法に定める交通事故の場合の措置についての次の文中、A、B、C に入るべき字句として【いずれか正しいものを 1 つ】選びなさい。

　交通事故があったときは、当該交通事故に係る車両等の運転者その他の乗務員は、直ちに車両等の運転を停止して、　A　し、道路における危険を防止する等必要な措置を講じなければならない。この場合において、当該車両等の運転者（運転者が死亡し、又は負傷したためやむを得ないときは、その他の乗務員）は、警察官が現場にいるときは当該警察官に、警察官が現場にいないときは直ちに最寄りの警察署の警察官に当該交通事故が発生した日時及び場所、当該交通事故における　B　及び負傷者の負傷の程度並びに損壊した物及びその損壊の程度、当該交通事故に係る車両等の積載物並びに　C　を報告しなければならない。

A　①事故状況を確認　　　　　　②負傷者を救護
B　①死傷者の数　　　　　　　　②事故車両の数
C　①当該交通事故について講じた措置　②運転者の健康状態

問 16　次に掲げる標識に関する次の記述のうち、【誤っているものを 1 つ】選びなさい。

1．車両は、黄色又は赤色の灯火の信号にかかわらず左折することができる。

青

　　道路交通法施行規則　別記様式第 1
　　矢印及びわくの色彩は青色、地の色彩は白色とする。

2．車両は横断（道路外の施設又は場所に出入するための左折を伴う横断を除く。）をしてはならない。

　　「道路標識、区画線及び道路標示に関する命令」に定める様式
　　文字及び記号を青色、斜めの帯及び枠を赤色、縁及び地を白色とする。

3．乗車定員が 18 人の中型乗用自動車は通行することができる。

　　「道路標識、区画線及び道路標示に関する命令」に定める様式
　　文字及び記号を青色、斜めの帯及び枠を赤色、縁及び地を白色とする。

4．車両は、法令の規定若しくは警察官の命令により、又は危険を防止するため一時停止する場合のほか、8 時から 20 時までの間は駐停車してはならない。

　　「道路標識、区画線及び道路標示に関する命令」に定める様式
　　斜めの帯及び枠を赤色、文字及び縁を白色、地を青色とする。

標識のみカラーで出題されます。

令和2年度CBT

問 17 道路交通法に定める運転者の遵守事項等についての次の記述のうち、【誤っているものを 1 つ】選びなさい。なお、解答にあたっては、各選択肢に記載されている事項以外は考慮しないものとする。

1. 自動車を運転する場合においては、当該自動車が停止しているときを除き、携帯電話用装置（その全部又は一部を手で保持しなければ送信及び受信のいずれをも行うことができないものに限る。）を通話（傷病者の救護等のため当該自動車の走行中に緊急やむを得ずに行うものを除く。）のために使用してはならない。

2. 免許証の更新を受けようとする者で更新期間が満了する日における年齢が 70 歳以上のもの（当該講習を受ける必要がないものとして法令で定める者を除く。）は、更新期間が満了する日前 6 ヵ月以内にその者の住所地を管轄する都道府県公安委員会が行った「高齢者講習」を受けていなければならない。

3. 一般旅客自動車運送事業の用に供される自動車の運転者が当該事業に係る旅客である幼児を乗車させるときは、幼児用補助装置を使用しないで幼児を乗車させて自動車を運転することができる。

4. 自動車の運転者は、故障その他の理由により高速自動車国道等の本線車道若しくはこれに接する加速車線、減速車線若しくは登坂車線（以下「本線車道等」という。）において当該自動車を運転することができなくなったときは、政令で定めるところにより、当該自動車が故障その他の理由により停止しているものであることを表示しなければならない。ただし、本線車道等に接する路肩若しくは路側帯においては、この限りではない。

4. 労働基準法関係

問18　労働基準法（以下「法」という。）に定める労働契約についての次の記述のうち、【正しいものを２つ】選びなさい。なお、解答にあたっては、各選択肢に記載されている事項以外は考慮しないものとする。

1．使用者は、労働者が業務上負傷し、又は疾病にかかり療養のために休業する期間及びその後６週間並びに産前産後の女性が法第65条（産前産後）の規定によって休業する期間及びその後６週間は、解雇してはならない。

2．労働者が、退職の場合において、使用期間、業務の種類、その事業における地位、賃金又は退職の事由（退職の事由が解雇の場合にあっては、その理由を含む。）について証明書を請求した場合においては、使用者は、遅滞なくこれを交付しなければならない。

3．使用者は、労働者を解雇しようとする場合においては、法第20条の規定に基づき、少くとも14日前にその予告をしなければならない。14日前に予告をしない使用者は、14日分以上の平均賃金を支払わなければならない。

4．法第20条（解雇の予告）の規定は、法に定める期間を超えない限りにおいて、「日日雇い入れられる者」、「２ヵ月以内の期間を定めて使用される者」、「季節的業務に４ヵ月以内の期間を定めて使用される者」又は「試の使用期間中の者」のいずれかに該当する労働者については適用しない。

問 19　労働基準法に定める労働時間及び休日等に関する次の記述のうち、【誤っているものを 1 つ】選びなさい。なお、解答にあたっては、各選択肢に記載されている事項以外は考慮しないものとする。

1．労働時間は、事業場を異にする場合においても、労働時間に関する規定の適用については通算する。

2．使用者は、労働時間が 6 時間を超える場合においては少くとも 30 分、8 時間を超える場合においては少くとも 45 分の休憩時間を労働時間の途中に与えなければならない。

3．使用者は、労働者に対して、毎週少くとも 1 回の休日を与えなければならない。ただし、この規定は、4 週間を通じ 4 日以上の休日を与える使用者については適用しない。

4．使用者は、その雇入れの日から起算して 6 ヵ月間継続勤務し全労働日の 8 割以上出勤した労働者に対して、継続し、又は分割した 10 労働日の有給休暇を与えなければならない。

▼

問 20 「自動車運転者の労働時間等の改善のための基準」（以下「改善基準告示」という。）に定めるバス運転者等の拘束時間等に関する次の文中、A、B、C、D に入るべき字句として【いずれか正しいものを 1 つ】選びなさい。ただし、1 人乗務で、隔日勤務に就く場合には該当しないものとする。（一部改題）

1．業務の必要上、勤務の終了後継続 9 時間以上の休息期間を与えることが困難な場合、当分の間、一定期間（1ヵ月を限度とする。）における全勤務回数の 　A　 を限度に、休息期間を拘束時間の途中及び拘束時間の経過直後の 2 回に分割して与えることができるものとする。この場合において、分割された休息期間は、1 日において 1 回当たり継続 4 時間以上、合計 　B　 以上でなければならないものとする。

2．バス運転者等の拘束時間は、4 週間を平均し 1 週間当たり 　C　 を超えず、かつ 52 週間について 3,300 時間を超えないものとすること。ただし、貸切バス等乗務者の拘束時間は、労使協定により、52 週間のうち 24 週間までは 4 週間を平均し 1 週間当たり 　D　 まで延長することができ、かつ、52 週間について 3,400 時間まで延長することができる。

A　①3 分の 1　　②2 分の 1
B　①11 時間　　②13 時間
C　①44 時間　　②65 時間
D　①68 時間　　②72 時間

▼

問21 「自動車運転者の労働時間等の改善のための基準」(以下「改善基準告示」という。)において定めるバス運転者等の拘束時間等に関する次の記述のうち、【正しいものを2つ】選びなさい。ただし、当該運行は、1人乗務で、隔日勤務には就いていない場合とする。なお、解答にあたっては、各選択肢に記載されている事項以外は考慮しないものとする。(一部改題)

1. 使用者は、バス運転者等(隔日勤務に就く運転者以外のもの。)の1日(始業時刻から起算して24時間をいう。以下同じ。)についての拘束時間については、13時間を超えないものとし、当該拘束時間を延長する場合であっても、最大拘束時間は、15時間とすること。この場合において、1日についての拘束時間が14時間を超える回数をできるだけ少なくするよう努めるものとする。

2. 使用者は、バス運転者等の運転時間については、2日を平均し1日当たり9時間、4週間を平均し1週間当たり44時間を超えないものとすること。ただし、貸切バス等乗務者については、労使協定により、52週間についての運転時間が2,080時間を超えない範囲内において、52週間のうち16週間までは、4週間を平均し1週間当たり48時間まで延長することができる。

3. 使用者は、貸切バス運転者に休日に労働させる場合は、当該労働させる休日は2週間について1回を超えないものとし、当該休日の労働によって改善基準告示第5条第1項に定める拘束時間及び最大拘束時間を超えないものとする。

4. 使用者は、バス運転者等の連続運転時間(1回が連続5分以上で、かつ、合計が30分以上の運転の中断をすることなく連続して運転する時間をいう。)は、原則として4時間を超えないものとすること。

▼

問 22　下図は、バス運転者等（1人乗務で隔日勤務に就く運転者以外のもの。）の5日間の勤務状況の例を示したものであるが、次の1〜4の拘束時間のうち、「自動車運転者の労働時間等の改善のための基準」等における1日についての拘束時間として、【正しいものを1つ】選びなさい。（一部改題）

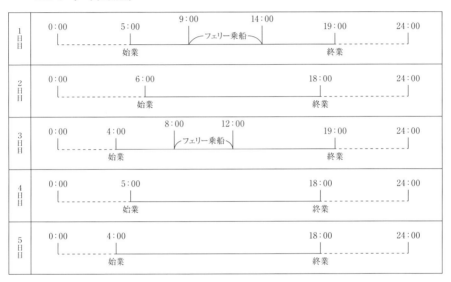

1.　1日目：12時間　2日目：12時間　3日目：13時間　4日目：13時間

2.　1日目： 9時間　2日目：14時間　3日目：11時間　4日目：14時間

3.　1日目：11時間　2日目：14時間　3日目：13時間　4日目：14時間

4.　1日目：12時間　2日目：14時間　3日目：13時間　4日目：14時間

問23　下表は、バス運転者等の4週間の勤務状況の例を示したものであるが、「自動車運転者の労働時間等の改善のための基準」に定める拘束時間等に照らし、次の1〜4の中から【違反している事項を1つ】選びなさい。なお、1人乗務とし、「4週間を平均し1週間当たりの拘束時間の延長に関する労使協定」及び「4週間を平均し1週間当たりの運転時間の延長に関する労使協定」があり、下表の4週間は、当該協定により、拘束時間及び運転時間を延長することができるものとする。（一部改題）

（起算日）

		1日	2日	3日	4日	5日	6日	7日	週の合計時間
第1週	各日の運転時間	9	8	9	5	6	5	休日	42
	各日の拘束時間	12	11	12	10	12	11		68

		8日	9日	10日	11日	12日	13日	14日	週の合計時間
第2週	各日の運転時間	6	8	6	7	9	8	休日	44
	各日の拘束時間	9	12	10	13	12	12		68

		15日	16日	17日	18日	19日	20日	21日	週の合計時間
第3週	各日の運転時間	5	6	5	8	10	8	休日	42
	各日の拘束時間	10	10	10	14	14	12		70

		22日	23日	24日	25日	26日	27日	28日	週の合計時間
第4週	各日の運転時間	6	6	6	8	10	9	休日	45
	各日の拘束時間	8	10	8	14	15	12		67

4週間の合計時間	
運転時間	173
拘束時間	273

（注1）拘束時間及び運転時間に係る4週間の起算日は1日とする。
（注2）各労働日の始業時刻は午前8時とする。
（注3）当該4週間を含む52週間の運転時間は、2080時間を超えないものとする。

1．当該4週間のすべての日を特定日とした2日を平均した1日当たりの運転時間
2．4週間を平均した1週間当たりの運転時間
3．4週間を平均した1週間当たりの拘束時間
4．1日の最大拘束時間

5. 実務上の知識及び能力

▼
問24　運行管理に関する次の記述のうち、【適切なものをすべて】選びなさい。なお、解答にあたっては、各選択肢に記載されている事項以外は考慮しないものとする。（一部改題）

1．運行管理者は、自動車運送事業者の代理人として事業用自動車の輸送の安全確保に関する業務全般を行い、交通事故を防止する役割を担っている。したがって、事故が発生した場合には、自動車運送事業者に代わって責任を負うこととなる。

2．運行管理者は、運行管理業務に精通し、確実に遂行しなければならない。そのためにも自動車輸送に関連する諸規制を理解し、実務知識を身につけると共に、日頃から運転者と積極的にコミュニケーションを図り、必要な場合にあっては運転者の声を自動車運送事業者に伝え、常に安全で明るい職場環境を築いていくことも重要な役割である。

3．運行管理者は、業務開始前及び業務終了後の運転者等に対し、対面により、又は対面による点呼と同等の効果を有するものとして国土交通大臣が定める方法（運行上やむを得ない場合は電話その他の方法。）により点呼を実施しなければならないが、遠隔地で業務が開始又は終了する場合、車庫と営業所が離れている場合、又は運転者等の出庫・帰庫が早朝・深夜であり、点呼を行う運行管理者が営業所に出勤していない場合等、運行上やむを得ないときには、電話、その他の方法で行う必要がある。

4．運行管理者は、事業用自動車が運行しているときにおいては、運行管理業務に従事している必要がある。しかし、1人の運行管理者が毎日、24時間営業所に勤務することは不可能である。そのため自動車運送事業者は、複数の運行管理者を選任して交替制で行わせるか、又は、運行管理者の補助者を選任し、点呼の一部を実施させるなど、確実な運行管理業務を遂行させる必要がある。

問25　旅客自動車運送事業者が事業用自動車の運転者に対して行う指導・監督に関する次の記述のうち、【適切なものをすべて】選びなさい。なお、解答にあたっては、各選択肢に記載されている事項以外は考慮しないものとする。

1．時速36キロメートルで走行中の自動車を例に取り、運転者が前車との追突の危険を認知しブレーキ操作を行い、ブレーキが効きはじめるまでに要する空走時間を1秒間とし、ブレーキが効きはじめてから停止するまでに走る制動距離を8メートルとすると、当該自動車の停止距離は約13メートルとなるなど、危険が発生した場合でも安全に止まれるような速度と車間距離を保って運転するよう指導している。

2．道路上におけるバスの乗客の荷物の落下は、事故を誘発するおそれがあることから、運行管理者は運転者に対し、バスを出発させる時には、トランクルームの扉が完全に閉まった状態であり、かつ、確実に施錠されていることを確認するなど、乗客の荷物等積載物の転落を防止するための措置を講ずるよう指導している。

3．運転者の目は、車の速度が速いほど、周辺の景色が視界から消え、物の形を正確に捉えることができなくなるため、周辺の危険要因の発見が遅れ、事故につながるおそれが高まることを理解させるよう指導している。

4．飲酒により体内に摂取されたアルコールを処理するために必要な時間の目安については、例えばビール500ミリリットル（アルコール5％）の場合、概ね4時間とされている。事業者は、これを参考に個人差も考慮して、体質的にお酒に弱い運転者のみを対象として、飲酒が運転に及ぼす影響等について指導を行っている。

問26　事業用自動車の運転者の健康管理に関する次の記述のうち、【適切なものをすべて】選びなさい。なお、解答にあたっては、各選択肢に記載されている事項以外は考慮しないものとする。

1．事業者は、運転者が医師の診察を受ける際は、自身が職業運転者で勤務時間が不規則であることを伝え、薬を処方されたときは、服薬のタイミングと運転に支障を及ぼす副作用の有無について確認するよう指導している。

2．事業者は、法令により定められた健康診断を実施することが義務づけられているが、運転者が自ら受けた健康診断（人間ドックなど）において、法令で必要な定期健康診断の項目を充足している場合であっても、法定健診として代用することができない。

3．事業者は、健康診断の結果、運転者に心疾患の前兆となる症状がみられたので、当該運転者に医師の診断を受けさせた。その結果、医師より「直ちに入院治療の必要はないが、より軽度な勤務において経過観察することが必要」との所見が出されたが、繁忙期であったことから、運行管理者の判断で短期間に限り従来と同様の業務を続けさせた。

4．平成29年中のすべての事業用自動車の乗務員に起因する重大事故報告件数は約2,000件であり、このうち、運転者の健康状態に起因する事故件数は約300件となっている。病名別に見てみると、心筋梗塞等の心臓疾患と脳内出血等の脳疾患が多く発生している。

令和2年度CBT

問27　自動車の運転に関する次の記述のうち、【適切なものをすべて】選びなさい。なお、解答にあたっては、各選択肢に記載されている事項以外は考慮しないものとする。

1．運転中の車外への脇見だけでなく、車内にあるカーナビ等の画像表示用装置を注視したり、スマートフォン等を使用することによって追突事故等の危険性が増加することについて、日頃から運転者に対して指導する必要がある。

2．自動車がカーブを走行するとき、自動車の重量及びカーブの半径が同一の場合には、速度が2倍になると遠心力の大きさも2倍になることから、カーブを走行する場合の横転などの危険性について運転者に対し指導する必要がある。

3．自動車の夜間の走行時においては、自車のライトと対向車のライトで、お互いの光が反射し合い、その間にいる歩行者や自転車が見えなくなることがあり、これを蒸発現象という。蒸発現象は暗い道路で特に起こりやすいので、夜間の走行の際には十分注意するよう運転者に対し指導する必要がある。

4．四輪車を運転する場合、二輪車との衝突事故を防止するための注意点として、①二輪車は死角に入りやすいため、その存在に気づきにくく、また、②二輪車は速度が実際より遅く感じたり、距離が実際より遠くに見えたりする特性がある。したがって、運転者に対してこのような点に注意するよう指導する必要がある。

問28　交通事故防止対策に関する次の記述のうち、【適切なものをすべて】選びなさい。なお、解答にあたっては、各選択肢に記載されている事項以外は考慮しないものとする。

1．いわゆるヒヤリ・ハットとは、運転者が運転中に他の自動車等と衝突又は接触するおそれなどがあったと認識した状態をいい、1件の重大な事故（死亡・重傷事故等）が発生する背景には多くのヒヤリ・ハットがあるとされており、このヒヤリ・ハットを調査し減少させていくことは、交通事故防止対策に有効な手段となっている。

2．指差呼称は、運転者の錯覚、誤判断、誤操作等を防止するための手段であり、道路の信号や標識などを指で差し、その対象が持つ名称や状態を声に出して確認することをいい、安全確認に重要な運転者の意識レベルを高めるなど交通事故防止対策に有効な手段の一つとして活用されている。

3．交通事故の防止対策を効率的かつ効果的に講じていくためには、事故情報を多角的に分析し、事故実態を把握したうえで、①計画の策定、②対策の実施、③効果の評価、④対策の見直し及び改善、という一連の交通安全対策の PDCA サイクルを繰り返すことが必要である。

4．適性診断は、運転者の運転能力、運転態度及び性格等を客観的に把握し、運転の適性を判定することにより、運転に適さない者を運転者として選任しないようにするためのものであり、ヒューマンエラーによる交通事故の発生を未然に防止するための有効な手段となっている。

▼

問29 旅行業者からバス事業者に対し、ツアー客の運送依頼があった。これを受けて運行管理者は、下の図に示す運行計画を立てた。この運行に関する次の1～3の記述について、解答しなさい。なお、解答にあたっては、＜運行計画＞及び各選択肢に記載されている事項以外は考慮しないものとする。（一部改題）

＜運行計画＞

朝B駅にてツアー客を乗車させ、C観光地及びD道の駅等を経て、F駅に帰着させる行程とする。当該運行は、乗車定員36名乗りバスを使用し、運転者は1人乗務とする。

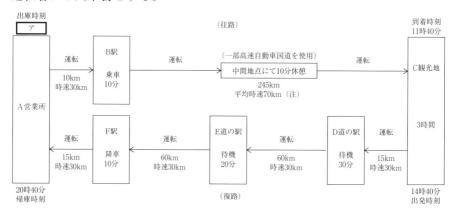

(注) 平均時速の算出にあたっては、中間地点における10分休憩は含まれない。

1. 当該運行においてC観光地に11時40分に到着させるためにふさわしいA営業所の出庫時刻 ア について、次の①～③の中から【正しいものを1つ】選びなさい。

　①7時20分　　②7時30分　　③7時40分

2. 当該運転者は前日の運転時間が9時間00分であり、また、翌日の運転時間を9時間20分とした場合、当日を特定の日とした場合の2日を平均して1日当たりの運転時間が自動車運転者の労働時間等の改善のための

基準告示（以下「改善基準告示」という。）に違反しているか否かについて、
【正しいものを１つ】選びなさい。

　　①違反していない　　　②違反している

3．当日の全運行において、連続運転時間は「改善基準告示」に、違反して
　いるか否かについて、【正しいものを１つ】選びなさい。

　　①違反していない　　　②違反している

令和２年度ＣＢＴ

問30　運行管理者が運転者に対し実施する危険予知訓練に関し、下図の交通場面の状況において考えられる＜運転者が予知すべき危険要因＞とそれに対応する＜運行管理者による指導事項＞として、【最もふさわしい＜選択肢の組み合わせ＞１～10の中から３つ】選びなさい。

【交通場面の状況】
・住宅街の道路を走行している。
・前方に二輪車が走行している。
・右側の脇道から車や自転車が出ようとしている。
・前方の駐車車両の向こうに人影が見える。

イラストはカラーで出題されます。

１．＜運転者が予知すべき危険要因＞

①二輪車を避けようとしてセンターラインをはみ出すと、対向車と衝突する危険がある。

②駐車車両に進路を塞がれた二輪車が右に進路を変更してくることが予測されるので、このまま進行すると二輪車と衝突する危険がある。

③前方右側の脇道から左折しようとしている車の影に見える自転車が道路を横断してくると衝突する危険がある。

④後方の状況を確認せずに右側に進路変更をすると、後続の二輪車と接触する危険がある。

⑤駐車車両の先に歩行者が見えるが、この歩行者が道路を横断してくるとはねる危険がある。

2．＜運行管理者による指導事項＞

ア　住宅街を走行する際に駐車車両があるときは、その付近の歩行者の動きにも注意しスピードを落として走行する。

イ　単路でも、いつ前車が進路変更などのために減速や停止をするかわからないので、常に車間距離を保持しておく。

ウ　進路変更するときは、必ず後続車の有無を確認するとともに、後続車があるときは、決して強引な進路変更はしない。

エ　右側の脇道から自転車が出ようとしているので、周辺の交通状況を確認のうえ、脇道の自転車の動きに注意し走行する。仮に出てきた場合は先に行かせる。

オ　二輪車は、後方の確認をしないまま進路を変更することがよくあるので、二輪車を追い越そうとはせず先に行かせる。

3．＜選択肢の組み合わせ＞

1：①－イ

2：①－ウ

3：②－エ

4：②－オ

5：③－ア

6：③－エ

7：④－イ

8：④－オ

9：⑤－ア

10：⑤－ウ

memo

令和2年度　第2回

運行管理者試験問題
〈旅客〉

●試験時間　13：15〜14：45（制限時間90分）

● P.291の解答用紙をコピーしてお使いください。
　答え合わせに便利な正答一覧は別冊 P.127

	受験者数（人）	合格者数（人）	合格率（%）
令和 4 年度　第2回	4,675	1,651	35.3
令和 4 年度　第1回	5,403	2,167	40.1
令和 3 年度　第2回	5,787	1,999	34.5
令和 3 年度　第1回	6,740	2,196	32.6
★　令和 2 年度　第2回	7,610	3,604	47.4
令和 2 年度　第1回	9,714	3,026	31.2
令和 元 年度　第1回	8,263	2,624	31.8
平成 30 年度　第2回	7,605	2,868	37.7
平成 30 年度　第1回	8,998	2,856	31.7

※令和2年度第2回については、筆記試験及びCBT試験の両方が実施されました。

1. 道路運送法関係

問1 一般旅客自動車運送事業者（以下「事業者」という。）の事業計画の変更等に関する次の記述のうち、<u>正しいものを2つ選び</u>、解答用紙の該当する欄にマークしなさい。なお、解答にあたっては、各選択肢に記載されている事項以外は考慮しないものとする。

1．路線定期運行を行う一般乗合旅客自動車運送事業者の路線（路線定期運行に係るものに限る。）の休止又は廃止に係る変更をしようとするときは、国土交通大臣の認可を受けなければならない。

2．事業者は、「自動車車庫の位置及び収容能力」の事業計画の変更をしようとするときは、国土交通大臣の認可を受けなければならない。

3．事業者は、「営業所ごとに配置する事業用自動車の数」の事業計画の変更をしたときは、遅滞なく、その旨を国土交通大臣に届け出なければならない。

4．一般貸切旅客自動車運送事業者は、「営業所の名称」の変更をしたときは、遅滞なく、その旨を国土交通大臣に届け出なければならない。

▼

問2　次の記述のうち、旅客自動車運送事業の運行管理者の行わなければならない業務として、誤っているものを1つ選び、解答用紙の該当する欄にマークしなさい。なお、解答にあたっては、各選択肢に記載されている事項以外は考慮しないものとする。（一部改題）

1．運転者等に対して、法令の規定により点呼を行い、報告を求め、確認を行い、及び指示をしたときは、運転者等ごとに点呼を行った旨、報告、確認及び指示の内容並びに法令で定める所定の事項を記録し、かつ、その記録を1年間（一般貸切旅客自動車運送事業者にあっては、その内容を記録した電磁的記録を3年間）保存すること。

2．一般貸切旅客自動車運送事業の運行管理者にあっては、法令の規定による運行指示書を作成し、かつ、これにより事業用自動車の運転者等に対し適切な指示を行い、当該運転者等に携行させ、及びその保存をすること。

3．事業用自動車が非常信号用具、非常口又は消火器を備えたものであるときは、当該事業用自動車の乗務員等に対し、これらの器具の取扱いについて適切な指導を行うこと。

4．過労の防止を十分考慮して、国土交通大臣が告示で定める基準に従って、事業用自動車の運転者の勤務時間及び乗務時間を定め、当該運転者にこれらを遵守させること。

令和2年2回

▼

問3 旅客自動車運送事業運輸規則に定める旅客自動車運送事業者の過労防止についての次の文中、A、B、C、D に入るべき字句としていずれか正しいものを1つ選び、解答用紙の該当する欄にマークしなさい。（一部改題）

1．旅客自動車運送事業者は、事業計画（路線定期運行を行う一般乗合旅客自動車運送事業者にあっては、事業計画及び運行計画）の遂行に十分な数の事業用自動車の運転者を常時選任しておかなければならない。この場合、事業者（個人タクシー事業者を除く。）は、日日雇い入れられる者、　A　以内の期間を定めて使用される者及び試みの使用期間中の者（14日を超えて引き続き使用されるに至った者を除く。）を当該運転者等として選任してはならない。

2．旅客自動車運送事業者は、運転者に国土交通大臣が告示で定める基準による1日の勤務時間中に当該運転者の属する営業所で勤務を終了することができない運行を指示する場合は、当該運転者が有効に利用することができるように、勤務を終了する場所の付近の適切な場所に睡眠に必要な施設を整備し、又は確保し、並びにこれらの施設を　B　しなければならない。

3．旅客自動車運送事業者は、乗務員等の　C　に努め、疾病、疲労、睡眠不足その他の理由により安全に運行の業務を遂行し、又はその補助をすることができないおそれがある乗務員等を事業用自動車の運行の業務に従事させてはならない。

4．一般貸切旅客自動車運送事業者は、運転者が長距離運転又は夜間の運転に従事する場合であって、　D　により安全な運転を継続することができないおそれがあるときは、あらかじめ、交替するための運転者を配置しておかなければならない。

A　①　1ヵ月　　　　　　　　　②　2ヵ月

B　①　維持するための要員を確保　②　適切に管理し、及び保守

C　① 　運転履歴の把握　　　　　② 　健康状態の把握

D　① 　疲労等　　　　　　　　　② 　酒気帯び

▼

問4　旅客自動車運送事業の事業用自動車の運転者（以下「運転者」という。）に対する点呼に関する次の記述のうち、正しいものをすべて選び、解答用紙の該当する欄にマークしなさい。なお、解答にあたっては、各選択肢に記載されている事項以外は考慮しないものとする。（一部改題）

1．点呼は、運行管理者と運転者が対面により、又は対面による点呼と同等の効果を有するものとして国土交通大臣が定める方法（運行上やむを得ない場合は電話その他の方法。）により行うこととされているが、運行上やむを得ない場合は電話その他の方法によることも認められている。一般貸切旅客自動車運送事業において、営業所と離れた場所にある当該営業所の車庫から業務を開始する運転者については、運行上やむを得ない場合に該当しないことから、電話による点呼を行うことはできない。

2．運転者が所属する営業所において、対面により業務前の点呼を行う場合は、法令の規定により酒気帯びの有無について、運転者の顔色、呼気の臭い、応答の声の調子等を目視等により確認するほか、当該営業所に備えられたアルコール検知器を用いて確認を行わなければならない。

3．一般貸切旅客自動車運送事業の運行管理者にあっては、運行指示書上、実車運行する区間の距離が100キロメートルを超える夜間運行を行う事業用自動車の運行の業務に従事する運転者に対して当該業務の途中において少なくとも1回電話その他の方法により点呼を行わなければならない。

4．業務終了後の点呼においては、「道路運送車両法第47条の2第1項及び第2項の規定による点検（日常点検）の実施又はその確認」について報告を求め、及び確認を行わなければならない。

問5 自動車事故に関する次の記述のうち、旅客自動車運送事業者が自動車事故報告規則に基づき運輸支局長等に<u>速報を要するものを2つ</u>選び、解答用紙の該当する欄にマークしなさい。なお、解答にあたっては、各選択肢に記載されている事項以外は考慮しないものとする。

1．貸切バスの運転者がハンドル操作を誤り、当該貸切バスが車道と歩道の区別がない道路を逸脱し、当該道路との落差が0.3メートル下の畑に転落した。

2．乗合バスが、交差点で信号待ちで停車していた乗用車の発見が遅れ、ブレーキをかける間もなく追突した。この事故で、当該乗合バスの乗客6人が14日間医師の治療を要する傷害を受けた。

3．高速乗合バスが高速道路を走行中、前方に渋滞により乗用車が停車していることに気づくのが遅れ、追突事故を引き起こした。この事故で、当該高速乗合バスの乗客2人が重傷（自動車事故報告規則で定める傷害のものをいう。以下同じ。）を負い、乗用車に乗車していた2人が軽傷を負った。

4．乗合バスに乗車してきた旅客が着席する前に当該乗合バスが発車したことから、当該旅客のうち1人がバランスを崩して床に倒れ大腿骨を骨折する重傷を負った。

▼

問 6　旅客自動車運送事業者の事業用自動車の運行に係る記録等に関する次の記述のうち、誤っているものを 1 つ選び、解答用紙の該当する欄にマークしなさい。なお、解答にあたっては、各選択肢に記載されている事項以外は考慮しないものとする。（一部改題）

1．旅客自動車運送事業者は、事業用自動車の運転者が転任、退職その他の理由により運転者でなくなった場合には、直ちに、当該運転者に係る乗務員等台帳に運転者でなくなった年月日及び理由を記載し、これを 3 年間保存しなければならない。

2．一般貸切旅客自動車運送事業者は、運送を引き受けた場合には、遅滞なく、当該運送の申込者に対して所定の事項を記載した運送引受書を交付しなければならない。また、当該事業者は、この運送引受書の写しを運送の終了の日から 1 年間保存しなければならない。

3．一般乗合旅客自動車運送事業者は、運転者等が事業用自動車の運行の業務に従事中に道路交通法に規定する交通事故若しくは自動車事故報告規則に規定する事故又は著しい運行の遅延その他の異常な状態が発生した場合にあっては、その概要及び原因を運転者等ごとに「業務記録」に記録させ、かつ、その記録を 1 年間保存しなければならない。

4．一般貸切旅客自動車運送事業者は、法令の規定による運行指示書を作成し、かつ、これにより事業用自動車の運転者等に対し適切な指示を行うとともに、当該運行指示書を運行を計画した日から 1 年間保存しなければならない。

問7　次の記述のうち、旅客自動車運送事業者の事業用自動車の運転者等が遵守しなければならない事項として、<u>正しいものを2つ選び</u>、解答用紙の該当する欄にマークしなさい。なお、解答にあたっては、各選択肢に記載されている事項以外は考慮しないものとする。（一部改題）

1．一般貸切旅客自動車運送事業者の事業用自動車の運転者は、運行中、所定の事項を記載した運行指示書が当該事業用自動車の運行を管理する営業所に備えられ、電話等により必要な指示が行われる場合にあっては、当該運行指示書の携行を省略することができる。

2．旅客自動車運送事業者の事業用自動車の運転者は、乗務を終了したときは、交替する運転者に対し、乗務中の事業用自動車、道路及び運行状況について通告すること。この場合において、乗務する運転者は、当該事業用自動車の制動装置、走行装置その他の重要な部分の機能について異常のおそれがあると認められる場合には、点検をすること。

3．旅客自動車運送事業者の事業用自動車の運転者は、坂路において事業用自動車から離れるとき及び安全な運行に支障がある箇所を通過するときは、旅客を降車させること。

4．一般乗用旅客自動車運送事業者の事業用自動車の運転者は、食事若しくは休憩のため運送の引受けをすることができない場合又は乗務の終了等のため車庫若しくは営業所に回送しようとする場合には、回送板を掲出すること。

問8　一般旅客自動車運送事業者（以下「事業者」という。）の事業用自動車の運行の安全を確保するために、国土交通省告示に基づき運転者に対して行わなければならない指導監督及び特定の運転者に対して行わなければならない特別な指導に関する次の記述のうち、**誤っているものを1つ選び**、解答用紙の該当する欄にマークしなさい。なお、解答にあたっては、各選択肢に記載されている事項以外は考慮しないものとする。

1．事業者は、高齢運転者に対する特別な指導については、国土交通大臣が認定した高齢運転者のための適性診断の結果を踏まえ、個々の運転者の加齢に伴う身体機能の変化の程度に応じた事業用自動車の安全な運転方法等について運転者が自ら考えるよう指導する。この指導は、当該適性診断の結果が判明した後1ヵ月以内に実施する。

2．一般貸切旅客自動車運送事業者が貸切バスの運転者に対して行う初任運転者に対する特別な指導は、事業用自動車の安全な運転に関する基本的事項、運行の安全及び旅客の安全を確保するために留意すべき事項等について、10時間以上実施するとともに、安全運転の実技について、20時間以上実施すること。

3．適齢診断（高齢運転者のための適性診断として国土交通大臣が認定したものをいう。）を運転者が65歳に達した日以後1年以内に1回、その後70歳に達するまでは3年以内ごとに1回、70歳に達した日以後1年以内に1回、その後1年以内ごとに1回受診させること。

4．一般乗用旅客自動車運送事業者（個人タクシー事業者を除く。）は、運転者として新たに雇い入れた者（法令に定める要件に該当する者を除く。）については、国土交通大臣が告示で定めるところにより、営業区域の状態等、事業用自動車の運行の安全を確保するために遵守すべき事項等について、雇入れ後少なくとも10日間の指導、監督及び特別な指導を行い、並びに適性診断を受診させた後でなければ、事業用自動車の運転者として選任してはならない。

2. 道路運送車両法関係

問9　道路運送車両法の自動車の登録等についての次の記述のうち、**誤っているものを 1 つ選び**、解答用紙の該当する欄にマークしなさい。なお、解答にあたっては、各選択肢に記載されている事項以外は考慮しないものとする。

1. 登録自動車について所有者の変更があったときは、新所有者は、その事由があった日から 15 日以内に、国土交通大臣の行う移転登録の申請をしなければならない。

2. 登録自動車の所有者は、当該自動車が滅失し、解体し（整備又は改造のために解体する場合を除く。）、又は自動車の用途を廃止したときは、その事由があった日（使用済自動車の解体である場合には解体報告記録がなされたことを知った日）から 15 日以内に、永久抹消登録の申請をしなければならない。

3. 自動車登録番号標及びこれに記載された自動車登録番号の表示は、国土交通省令で定めるところにより、自動車登録番号標を自動車の前面及び後面の任意の位置に確実に取り付けることによって行うものとする。

4. 何人も、国土交通大臣若しくは封印取付受託者が取付けをした封印又はこれらの者が封印の取付けをした自動車登録番号標は、これを取り外してはならない。ただし、整備のため特に必要があるときその他の国土交通省令で定めるやむを得ない事由に該当するときは、この限りでない。

▼

問10　道路運送車両法の自動車の検査等についての次の記述のうち、正しいものを2つ選び、解答用紙の該当する欄にマークしなさい。なお、解答にあたっては、各選択肢に記載されている事項以外は考慮しないものとする。（一部改題）

1．自動車運送事業の用に供する自動車は、自動車検査証を当該自動車又は当該自動車の所属する営業所に備え付けなければ、運行の用に供してはならない。

2．自動車は、その構造が、長さ、幅及び高さ並びに車両総重量（車両重量、最大積載量及び55キログラムに乗車定員を乗じて得た重量の総和をいう。）等道路運送車両法に定める事項について、国土交通省令で定める保安上又は公害防止その他の環境保全上の技術基準に適合するものでなければ、運行の用に供してはならない。

3．車両総重量8トン以上又は乗車定員30人以上の自動車の使用者は、スペアタイヤの取付状態等について、1ヵ月ごとに国土交通省令で定める技術上の基準により自動車を点検しなければならない。

4．自動車検査証の有効期間の起算日については、自動車検査証の有効期間が満了する日の1ヵ月前（離島に使用の本拠の位置を有する自動車を除く。）から当該期間が満了する日までの間に継続検査を行い、当該自動車検査証に有効期間を記録する場合は、当該自動車検査証の有効期間が満了する日の翌日とする。

問11　道路運送車両法に定める自動車の点検整備等に関する次の文中、A、B、C、Dに入るべき字句として**いずれか正しいものを1つ**選び、解答用紙の該当する欄にマークしなさい。

1．事業用自動車の使用者は、自動車の点検をし、及び必要に応じ　A　をすることにより、当該自動車を道路運送車両の保安基準に適合するように維持しなければならない。

2．事業用自動車の使用者又は当該自動車を　B　する者は、1日1回、その　C　において、国土交通省令で定める技術上の基準により、自動車を点検しなければならない。

3．事業用自動車の使用者は、当該自動車について定期点検整備をしたときは、遅滞なく、点検整備記録簿に点検の結果、整備の概要等所定事項を記載して当該自動車に備え置き、その記載の日から　D　間保存しなければならない。

A　①　検査　　　　　　②　整備
B　①　運行　　　　　　②　管理
C　①　運行の開始前　　②　運行の終了後
D　①　1年　　　　　　②　2年

問 12　道路運送車両の保安基準及びその細目を定める告示についての次の
　　　　記述のうち、誤っているものを 1 つ選び、解答用紙の該当する欄に
　　　　マークしなさい。なお、解答にあたっては、各選択肢に記載されてい
　　　　る事項以外は考慮しないものとする。

1．自動車（二輪自動車等を除く。）の空気入ゴムタイヤの接地部は滑り止
　めを施したものであり、滑り止めの溝は、空気入ゴムタイヤの接地部の
　全幅にわたり滑り止めのために施されている凹部（サイピング、プラッ
　トフォーム及びウエア・インジケータの部分を除く。）のいずれの部分に
　おいても 1.6 ミリメートル以上の深さを有すること。

2．乗用車等に備える事故自動緊急通報装置は、当該自動車が衝突等による
　衝撃を受ける事故が発生した場合において、その旨及び当該事故の概要
　を所定の場所に自動的かつ緊急に通報するものとして、機能、性能等に
　関し告示で定める基準に適合するものでなければならない。

3．路線を定めて定期に運行する一般乗合旅客自動車運送事業用自動車に備
　える旅客が乗降中であることを後方に表示する電光表示器には、点滅す
　る灯火又は光度が増減する灯火を備えることができる。

4．自動車に備えなければならない非常信号用具は、夜間 150 メートルの距
　離から確認できる赤色の灯光を発するものでなければならない。

3. 道路交通法関係

**問 13　道路交通法に定める灯火及び合図等についての次の記述のうち、
誤っているものを 1 つ選び、解答用紙の該当する欄にマークしなさ
い。なお、解答にあたっては、各選択肢に記載されている事項以外は
考慮しないものとする。**

1. 車両の運転者が同一方向に進行しながら進路を左方又は右方に変える
   ときの合図を行う時期は、その行為をしようとする地点から 30 メートル手
   前の地点に達したときである。

2. 車両の運転者が左折又は右折するときの合図を行う時期は、その行為を
   しようとする地点（交差点においてその行為をする場合にあっては、当
   該交差点の手前の側端）から 30 メートル手前の地点に達したときである。
   （環状交差点における場合を除く。）

3. 車両は、トンネルの中、濃霧がかかっている場所その他の場所で、視界
   が高速自動車国道及び自動車専用道路においては 200 メートル、その他
   の道路においては 50 メートル以下であるような暗い場所を通行する場合
   及び当該場所に停車し、又は駐車している場合においては、前照灯、車
   幅灯、尾灯その他の灯火をつけなければならない。

4. 停留所において乗客の乗降のため停車していた乗合自動車が発進するた
   め進路を変更しようとして手又は方向指示器により合図をした場合にお
   いては、その後方にある車両は、その速度又は方向を急に変更しなけれ
   ばならないこととなる場合を除き、当該合図をした乗合自動車の進路の
   変更を妨げてはならない。

問14 道路交通法に定める停車及び駐車等についての次の記述のうち、<u>正しいものを2つ選び</u>、解答用紙の該当する欄にマークしなさい。なお、解答にあたっては、各選択肢に記載されている事項以外は考慮しないものとする。

1. 車両は、人の乗降、貨物の積卸し、駐車又は自動車の格納若しくは修理のため道路外に設けられた施設又は場所の道路に接する自動車用の出入口から5メートル以内の道路の部分においては、駐車してはならない。

2. 車両は、法令の規定により駐車しようとする場合には、当該車両の右側の道路上に3メートル（道路標識等により距離が指定されているときは、その距離）以上の余地があれば駐車してもよい。

3. 車両は、交差点の側端又は道路の曲がり角から5メートル以内の道路の部分においては、法令の規定若しくは警察官の命令により、又は危険を防止するため一時停止する場合のほか、停車し、又は駐車してはならない。

4. 車両は、踏切の前後の側端からそれぞれ前後に10メートル以内の道路の部分においては、法令の規定若しくは警察官の命令により、又は危険を防止するため一時停止する場合のほか、停車し、又は駐車してはならない。

問15 道路交通法に定める自動車の法定速度に関する次の文中、A、B、C、Dに入るべき字句を<u>下の枠内の選択肢（①〜⑤）から選び</u>、解答用紙の該当する欄にマークしなさい。

1. 自動車の最高速度は、道路標識等により最高速度が指定されていない片側一車線の一般道路においては、□ A □である。

2. 自動車の最低速度は、法令の規定によりその速度を減ずる場合及び危険を防止するためやむを得ない場合を除き、道路標識等により自動車の最低速度が指定されていない区間の高速自動車国道の本線車道（政令で定めるものを除く。）においては、□ B □である。

3. 貸切バス（乗車定員47名）の最高速度は、道路標識等により最高速度が指定されていない高速自動車国道の本線車道（政令で定めるものを除く。）においては、□ C □である。

4. トラック（車両総重量12,000キログラム、最大積載量8,000キログラムであって乗車定員3名）の最高速度は、道路標識等により最高速度が指定されていない高速自動車国道の本線車道（政令で定めるものを除く。）においては、□ D □である。

---

①	時速40キロメートル	②	時速50キロメートル
③	時速60キロメートル	④	時速80キロメートル
⑤	時速100キロメートル		

問 16　道路交通法に定める乗車等についての次の記述のうち、<u>誤っているもの</u>を 1 つ選び、解答用紙の該当する欄にマークしなさい。なお、解答にあたっては、各選択肢に記載されている事項以外は考慮しないものとする。

1．車両に乗車する者は、運転者の視野若しくはハンドルその他の装置の操作を妨げ、後写鏡の効用を失わせ、車両の安定を害し、又は外部から当該車両の方向指示器、車両の番号標、制動灯、尾灯若しくは後部反射器を確認することができないこととなるような方法で乗車をしてはならない。

2．車両等の運転者は、安全を確認しないで、ドアを開き、又は車両等から降りないようにし、及びその車両等に乗車している他の者がこれらの行為により交通の危険を生じさせないようにするため必要な措置を講じなければならない。

3．自動車の運転者は、高速自動車国道に限り、法令で定めるやむを得ない理由があるときを除き、他の者を運転者席の横の乗車装置以外の乗車装置（当該乗車装置につき座席ベルトを備えなければならないこととされているものに限る。）に乗車させて自動車を運転するときは、その者に座席ベルトを装着させなければならない。

4．車両等に乗車し、又は乗車しようとしている者が道路交通法第 65 条第 1 項（酒気帯び運転等の禁止）の規定に違反して車両等を運転するおそれがあると認められるときは、警察官はその者が正常な運転ができる状態になるまで車両等を運転してはならない旨を指示する等道路における交通の危険を防止するため必要な応急の措置をとることができる。

問 17 道路交通法に定める運転者及び使用者の義務等についての次の記述のうち、<u>正しいものを２つ</u>選び、解答用紙の該当する欄にマークしなさい。なお、解答にあたっては、各選択肢に記載されている事項以外は考慮しないものとする。

１．車両等の運転者は、児童、幼児等の乗降のため、道路運送車両の保安基準に関する規定に定める非常点滅表示灯をつけて停車している通学通園バスの側方を通過するときは、徐行して安全を確認しなければならない。

２．車両等の運転者は、高齢の歩行者でその通行に支障のあるものが通行しているときは、一時停止し、又は徐行して、その通行を妨げないようにしなければならない。

３．道路運送法第３条第１号に掲げる一般旅客自動車運送事業の用に供される自動車の運転者が当該事業に係る旅客である幼児を乗車させるときは、幼児用補助装置を使用して乗車させなければならない。

４．自動車の運転者は、故障その他の理由により高速自動車国道等の本線車道若しくはこれに接する加速車線、減速車線若しくは登坂車線（以下「本線車道等」という。）において当該自動車を運転することができなくなったときは、政令で定めるところにより、当該自動車が故障その他の理由により停止しているものであることを表示しなければならない。ただし、本線車道等に接する路肩若しくは路側帯においては、この限りでない。

4. 労働基準法関係

問18　労働基準法（以下「法」という。）の定めに関する次の記述のうち、誤っているものを1つ選び、解答用紙の該当する欄にマークしなさい。なお、解答にあたっては、各選択肢に記載されている事項以外は考慮しないものとする。

1．平均賃金とは、これを算定すべき事由の発生した日以前3ヵ月間にその労働者に対し支払われた賃金の総額を、その期間の総日数で除した金額をいう。

2．法で定める労働条件の基準は最低のものであるから、労働関係の当事者は、当事者間の合意がある場合を除き、この基準を理由として労働条件を低下させてはならないことはもとより、その向上を図るように努めなければならない。

3．労働者が、退職の場合において、使用期間、業務の種類、その事業における地位、賃金又は退職の事由（退職の事由が解雇の場合にあっては、その理由を含む。）について証明書を請求した場合においては、使用者は、遅滞なくこれを交付しなければならない。

4．使用者は、労働者の国籍、信条又は社会的身分を理由として、賃金、労働時間その他の労働条件について、差別的取扱をしてはならない。

問 19 労働基準法（以下「法」という。）に定める労働時間及び休日等に関する次の記述のうち、<u>誤っているもの</u>を 1 つ選び、解答用紙の該当する欄にマークしなさい。なお、解答にあたっては、各選択肢に記載されている事項以外は考慮しないものとする。

1．使用者は、当該事業場に、労働者の過半数で組織する労働組合がある場合においてはその労働組合、労働者の過半数で組織する労働組合がない場合においては労働者の過半数を代表する者との書面による協定をし、これを行政官庁に届け出た場合においては、法定労働時間又は法定休日に関する規定にかかわらず、その協定で定めるところによって労働時間を延長し、又は休日に労働させることができる。

2．使用者は、災害その他避けることのできない事由によって、臨時の必要がある場合においては、行政官庁の許可を受けて、その必要の限度において法に定める労働時間を延長し、又は休日に労働させることができる。ただし、事態急迫のために行政官庁の許可を受ける暇がない場合においては、事後に遅滞なく届け出なければならない。

3．使用者は、2 週間を通じ 4 日以上の休日を与える場合を除き、労働者に対して、毎週少なくとも 2 回の休日を与えなければならない。

4．使用者が、法の規定により労働時間を延長し、又は休日に労働させた場合においては、その時間又はその日の労働については、通常の労働時間又は労働日の賃金の計算額の 2 割 5 分以上 5 割以下の範囲内でそれぞれ政令で定める率以上の率で計算した割増賃金を支払わなければならない。

▼★

問20 「自動車運転者の労働時間等の改善のための基準」（以下「改善基準告示」という。）に定める一般乗用旅客自動車運送事業以外の旅客自動車運送事業に従事する自動車運転者（以下「バス運転者」という。）の拘束時間等についての次の文中、A、B、C、Dに入るべき字句としていずれか正しいものを1つ選び、解答用紙の該当する欄にマークしなさい。（一部改題）

1．労使当事者は、時間外労働協定においてバス運転者に係る一定期間についての延長時間について協定するに当たっては、当該一定期間は、 A 及び B 以内の一定の期間とするものとする。

2．使用者は、バス運転者等に休日に労働させる場合は、当該労働させる休日は C について D を超えないものとし、当該休日の労働によって改善基準告示第5条第1項に定める拘束時間及び最大拘束時間を超えないものとする。

A ① 2週間 ② 4週間

B ① 1ヵ月以上3ヵ月 ② 3ヵ月以上6ヵ月

C ① 2週間 ② 4週間

D ① 1回 ② 2回

▼

問21 「自動車運転者の労働時間等の改善のための基準」に定めるバス運転者等の拘束時間等に関する次の記述のうち、正しいものを2つ選び、解答用紙の該当する欄にマークしなさい。なお、解答にあたっては、各選択肢に記載されている事項以外は考慮しないものとする。(一部改題)

1．拘束時間とは、始業時間から終業時間までの時間で、休憩時間を除く労働時間の合計をいう。

2．使用者は、バス運転者等の休息期間については、当該バス運転者等の住所地における休息期間がそれ以外の場所における休息期間より長くなるように努めるものとする。

3．連続運転時間（1回が連続10分以上で、かつ、合計が30分以上の運転の中断をすることなく連続して運転する時間をいう。）は、原則として、4時間を超えないものとする。

4．使用者は、業務の必要上、バス運転者等に勤務の終了後継続9時間以上の休息期間を与えることが困難な場合、当分の間、一定期間（1ヵ月を限度とする。）における全勤務回数の2分の1を限度に、休息期間を拘束時間の途中及び拘束時間の経過直後の2回に分割して与えることができるものとする。この場合において、分割された休息期間は、1日において1回当たり継続4時間以上、合計8時間以上でなければならないものとする。

▼

問22　下図は、一般貸切旅客自動車運送事業に従事する自動車運転者の１週間の勤務状況の例を示したものであるが、「自動車運転者の労働時間等の改善のための基準」（以下「改善基準告示」という。）に定める拘束時間等に関する次の記述のうち、<u>誤っているもの</u>を１つ選び、解答用紙の該当する欄にマークしなさい。ただし、すべて１人乗務の場合とする。なお、解答にあたっては、下図に示された内容及び各選択肢に記載されている事項以外は考慮しないものとする。（一部改題）

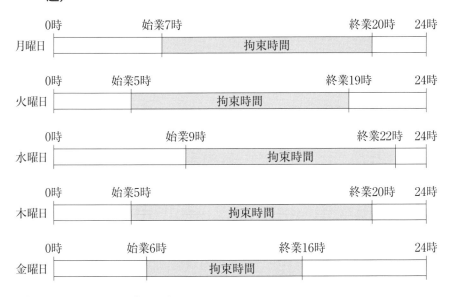

注）土曜日及び日曜日は休日とする。

1．１日についての拘束時間が改善基準告示に定める最大拘束時間に違反する勤務がある。

2．勤務終了後の休息期間が改善基準告示に違反するものがある。

3．運転者が休日に労働する回数は、改善基準告示に違反していない。

4．木曜日に始まる勤務の１日についての拘束時間は、この１週間の勤務の中で１日についての拘束時間が最も長い。

問23 下表は、一般貸切旅客自動車運送事業に従事する自動車運転者の5日間の運転時間の例を示したものであるが、5日間すべての日を特定日とした2日を平均し1日当たりの運転時間が「自動車運転者の労働時間等の改善のための基準」に<u>違反しているものをすべて</u>選び、解答用紙の該当する欄にマークしなさい。

1.

	休日	1日目	2日目	3日目	4日目	5日目	休日
運転時間	－	10時間	7時間	11時間	10時間	8時間	－

2.

	休日	1日目	2日目	3日目	4日目	5日目	休日
運転時間	－	7時間	8時間	9時間	10時間	9時間	－

3.

	休日	1日目	2日目	3日目	4日目	5日目	休日
運転時間	－	8時間	9時間	10時間	9時間	8時間	－

4.

	休日	1日目	2日目	3日目	4日目	5日目	休日
運転時間	－	10時間	9時間	9時間	9時間	10時間	－

5. 実務上の知識及び能力

▼

問24 旅客自動車運送事業の事業用自動車の運転者に対する点呼の実施等に関する次の記述のうち、適切なものには解答用紙の「適」の欄に、適切でないものには解答用紙の「不適」の欄にマークしなさい。なお、解答にあたっては、各選択肢に記載されている事項以外は考慮しないものとする。（一部改題）

1. 運行管理者は、業務開始前及び業務終了後の運転者等に対し、原則、対面により、又は対面による点呼と同等の効果を有するものとして国土交通大臣が定める方法（運行上やむを得ない場合は電話その他の方法。）により点呼を実施しなければならないが、遠隔地で業務が開始又は終了する場合、車庫と営業所が離れている場合、又は運転者の出庫・帰庫が早朝・深夜であり、点呼を行う運行管理者が営業所に出勤していない場合等、運行上やむを得ないときには、電話、その他の方法で行っている。

2. 3日間にわたる事業用自動車の運行で、2日目は遠隔地の業務のため、業務後の点呼については、目的地への到着予定時刻が運行管理者等の勤務時間外となることから、業務途中の休憩時間を利用して運行管理者等が営業所に勤務する時間帯に携帯電話により行い、所定の事項を点呼記録表に記録した。

3. 輸送の安全及び旅客の利便の確保に関する取組が優良であると認められる営業所に属する運転者が、当該営業所の車庫において、当該営業所の運行管理者による国土交通大臣が定めた機器を使用して行う旅客IT点呼を受けた。

4. 業務従事前の点呼においてアルコール検知器を使用するのは、身体に保有している酒気帯びの有無を確認するためのものであり、道路交通法施行令で定める呼気中のアルコール濃度1リットル当たり0.15ミリグラム以上であるか否かを判定するためのものではない。

問25 旅客自動車運送事業者が事業用自動車の運転者に対して行う指導・監督に関する次の記述のうち、<u>適切なものをすべて選び</u>、解答用紙の該当する欄にマークしなさい。なお、解答にあたっては、各選択肢に記載されている事項以外は考慮しないものとする。

1．自動車が追越しをするときは、前の自動車の走行速度に応じた追越し距離、追越し時間が必要になるため、前の自動車と追越しをする自動車の速度差が大きい場合には追越しに長い時間と距離が必要になることから、無理な追越しをしないよう指導した。

2．ある運転者が、昨年今年と連続で追突事故を起こしたので、運行管理者は、ドライブレコーダーの映像等をもとに事故の原因を究明するため、専門的な知識及び技術を有する外部機関に事故分析を依頼し、その結果に基づき指導した。

3．1人ひとりの運転者が行う日常点検や運転行動は、慣れとともに、各動作を漫然と行ってしまうことがある。その行動や作業を確実に実施させるために、「指差呼称」や「安全呼称」を習慣化することで事故防止に有効であるという意識を根付かせるよう指導した。

4．平成30年中に発生したハイヤー・タクシーが第1当事者となった人身事故のうち、出合い頭の事故は追突事故と同程度に多く、全体の約2割を占めている。出会い頭の事故を防止するために、交差点における安全確認、見通しの悪い箇所での一時停止の確実な履行等を徹底するよう指導した。

問26　事業用自動車の運転者の健康管理に関する次の記述のうち、適切な
　　　ものには解答用紙の「適」の欄に、適切でないものには解答用紙の「不
　　　適」の欄にマークしなさい。なお、解答にあたっては、各選択肢に記
　　　載されている事項以外は考慮しないものとする。

1．事業者は、深夜業（22時〜5時）を含む業務に常時従事する運転者に対し、
　　法令に定める定期健康診断を6ヵ月以内ごとに1回、必ず、定期的に受
　　診させるようにしている。

2．一部の運転者から、事業者が指定する医師による定期健康診断ではなく
　　他の医師による当該健康診断に相当する健康診断を受診し、その結果を
　　証明する書面を提出したい旨の申し出があったが、事業者はこの申し出
　　を認めなかった。

3．事業者は、脳血管疾患の予防のため、運転者の健康状態や疾患につなが
　　る生活習慣の適切な把握・管理に努めるとともに、法令により義務づけ
　　られている定期健康診断において脳血管疾患を容易に発見することがで
　　きることから、運転者に確実に受診させている。

4．事業者は、運転者が軽症度の睡眠時無呼吸症候群（SAS）と診断された
　　場合は、残業を控えるなど業務上での負荷の軽減や、睡眠時間を多く取る、
　　過度な飲酒を控えるなどの生活習慣の改善によって、業務が可能な場合
　　があるので、医師と相談して慎重に対応している。

問27 交通事故防止対策に関する次の記述のうち、適切なものには解答用紙の「適」の欄に、適切でないものには解答用紙の「不適」の欄にマークしなさい。なお、解答にあたっては、各選択肢に記載されている事項以外は考慮しないものとする。

1. 交通事故は、そのほとんどが運転者等のヒューマンエラーにより発生するものである。したがって、事故惹起運転者の社内処分及び再教育に特化した対策を講ずることが、交通事故の再発を未然に防止するには最も有効である。そのためには、発生した事故の要因の調査・分析を行うことなく、事故惹起運転者及び運行管理者に対する特別講習を確実に受講させる等、ヒューマンエラーの再発防止を中心とした対策に努めるべきである。

2. ドライブレコーダーは、事故時の映像だけでなく、運転者のブレーキ操作やハンドル操作などの運転状況を記録し、解析することにより運転のクセ等を読み取ることができるものがあり、運行管理者が行う運転者の安全運転の指導に活用されている。

3. いわゆる「ヒヤリ・ハット」とは、運転者が運転中に他の自動車等と衝突又は接触するおそれなどがあったと認識した状態をいい、1件の重大な事故（死亡・重傷事故等）が発生する背景には多くのヒヤリ・ハットがあるとされており、このヒヤリ・ハットを調査し減少させていくことは、交通事故防止対策に有効な手段となっている。

4. 適性診断は、運転者の運転能力、運転態度及び性格等を客観的に把握し、運転の適性を判定することにより、運転に適さない者を運転者として選任しないようにするためのものであり、ヒューマンエラーによる交通事故の発生を未然に防止するための有効な手段となっている。

問28　自動車の運転の際に車に働く自然の力等に関する次の文中、A、B、Cに入るべき字句としていずれか正しいものを1つ選び、解答用紙の該当する欄にマークしなさい。

1．同一速度で走行する場合、カーブの半径が　 A 　ほど遠心力は大きくなる。

2．まがり角やカーブでハンドルを切った場合、自動車の速度が2倍になると遠心力は　 B 　になる。

3．自動車が衝突するときの衝撃力は、車両総重量が2倍になると　 C 　になる。

A　①　小さい　　②　大きい

B　①　2倍　　②　4倍

C　①　2倍　　②　4倍

問29　旅行業者から下の運送依頼を受けて、A営業所の運行管理者が次のとおり運行の計画を立てた。この計画に関するア～イについて解答しなさい。なお、解答にあたっては、＜運行の計画＞及び各選択肢に記載されている事項以外は考慮しないものとする。

＜旅行業者からの運送依頼＞

○　B駅で観光客27名を乗車させE観光地に10時に到着させる。

○　13時にE観光地で観光を終えた乗客を乗せ、F観光地を回り、17時50分にB駅に到着させる。

＜運行の計画＞

○　次の運行経路図に示された経路に従い運行する。

○　この運行には運転者1名、バスガイド1名が乗務する。

○　道路標識等により最高速度が指定されていない高速自動車国道（高速自動車国道法に規定する道路。以下「高速道路」という。）のC料金所とD料金所間（走行距離135キロメートル）を、運転の中断をすることなく1時間30分で走行する。

○　運行するＦ観光地とＧ地点間の道路には 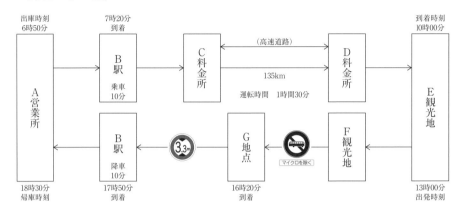 が、Ｇ地点とＢ駅間の道路には の道路標識が設置されているので、これらを勘案して通行可能な貸切バスを配置する。

（道路標識は、「文字及び記号を青色、斜めの帯及び枠を赤色、縁及び地を白色とする。」）

ア　当該運行に適した車両として、次の１～３の貸切バスの中から<u>正しいもの</u>を１つ選び、解答用紙の該当する欄にマークしなさい。

貸切バス	乗車定員（人）	車両重量（kg）	車両総重量（kg）	自動車の大きさ（m）		
				長さ	幅	高さ
1	47	12,930	15,515	11.99	2.49	3.75
2	29	9,900	11,495	8.99	2.49	3.30
3	29	6,390	7,985	6.99	2.05	2.63

イ　高速道路のＣ料金所とＤ料金所間の運転時間を１時間30分としたことについて、次の１～２の中から<u>正しいもの</u>を１つ選び、解答用紙の該当する欄にマークしなさい。

1．適切

2．不適切

▼

問30 貸切バス事業の営業所の運行管理者は、旅行業者から下の運送依頼を受けて、次のとおり運行の計画を立てた。国土交通省で定めた「貸切バスの交替運転者の配置基準」（以下「配置基準」という。）等に照らし、この計画を立てた運行管理者の判断に関する１～３の記述の中から<u>正しいものをすべて</u>選び、解答用紙の該当する欄にマークしなさい。なお、解答にあたっては、＜運行の計画＞及び各選択肢に記載されている事項以外は考慮しないものとする。（一部改題）

（旅行業者からの運送依頼）

　　ハイキングツアー客（以下「乗客」という。）38名を乗せ、A地点を23時25分に出発し、D目的地に翌日の4時20分に到着する。その後、E目的地を13時40分に出発し、G地点に18時30分に到着する。

＜運行の計画＞

ア　デジタル式運行記録計を装着した乗車定員45名の貸切バスを使用する。運転者は１人乗務とする。

イ　運転者は、本運行の開始前10時間の休息をとった後、始業時刻である22時30分に業務前点呼を受け、点呼後23時に営業所を出発する。A地点において乗客を乗せた後23時25分にD目的地に向け出発する。途中の高速道路のパーキングエリアにて、2回の休憩をとり業務途中点呼後に、D目的地には翌日の4時20分に到着する。

　　乗客を降ろした後、当該運転者は、指定された宿泊所に向かい、当該宿泊所において電話による業務後点呼を受けた後、5時00分に往路の業務を終了し、8時間休息する。

ウ　13時00分に電話による業務前点呼を受け、13時15分に出発し、E目的地において乗客を乗せた後13時40分にG地点に向け出発する。復路も高速道路等を運転し、2回の休憩をはさみ、G地点には18時30分に到着する。

　　乗客を降ろした後、運転者は、18時55分に営業所に帰庫し、業務後点呼の後、19時25分に終業し、翌日は休日とする。

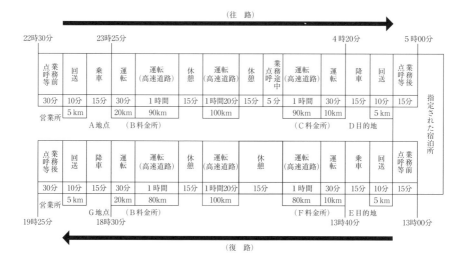

1．当該運行計画の1日における実車距離は、配置基準に定める限度に違反していないと判断したこと。

2．1日における運転時間は、配置基準に定める限度に違反していないと判断したこと。

3．往路運行の実車運行区間の途中における休憩の確保は、配置基準に定める限度に違反していないと判断したこと。

令和2年度 第1回

運行管理者試験問題
〈旅客〉

●試験時間　13：15〜14：45（制限時間90分）

●P. 292の解答用紙をコピーしてお使いください。
　答え合わせに便利な正答一覧は別冊P.128

	受験者数(人)	合格者数(人)	合格率(%)
令和 4 年度　第2回	4,675	1,651	35.3
令和 4 年度　第1回	5,403	2,167	40.1
令和 3 年度　第2回	5,787	1,999	34.5
令和 3 年度　第1回	6,740	2,196	32.6
令和 2 年度　第2回	7,610	3,604	47.4
★ 令和 2 年度　第1回	9,714	3,026	31.2
令和 元 年度　第1回	8,263	2,624	31.8
平成 30 年度　第2回	7,605	2,868	37.7
平成 30 年度　第1回	8,998	2,856	31.7

1. 道路運送法関係

問1　一般旅客自動車運送事業に関する次の記述のうち、<u>正しいものを1つ</u>選び、解答用紙の該当する欄にマークしなさい。なお、解答にあたっては、各選択肢に記載されている事項以外は考慮しないものとする。

1．一般旅客自動車運送事業を経営しようとする者は、一般乗合旅客自動車運送事業、一般貸切旅客自動車運送事業、一般乗用旅客自動車運送事業の種別ごとに国土交通大臣の認可を受けなければならない。

2．一般貸切旅客自動車運送事業者は、「営業所の名称」に係る事業計画の変更をしようとするときは、あらかじめ、その旨を国土交通大臣に届け出なければならない。

3．一般貸切旅客自動車運送事業者及び一般乗用旅客自動車運送事業者は、災害の場合その他緊急を要するとき、又は一般乗合旅客自動車運送事業者によることが困難な場合において、一時的な需要のために国土交通大臣の許可を受けて地域及び期間を限定して行う場合に限り、乗合旅客の運送をすることができる。

4．一般旅客自動車運送事業者は、運送約款を定め、又はこれを変更しようとするときは、あらかじめ、その旨を国土交通大臣に届け出なければならない。

▼

問 2　次の記述のうち、旅客自動車運送事業者の運行管理者が行わなければ
　　　ならない業務として、正しいものを 2 つ選び、解答用紙の該当する欄
　　　にマークしなさい。なお、解答にあたっては、各選択肢に記載されてい
　　　る事項以外は考慮しないものとする。（一部改題）

1．運行管理規程を定め、かつ、その遵守について運行管理業務を補助させ
　るため選任した補助者及び運転者に対し指導及び監督を行うこと。

2．乗務員等の健康状態の把握に務め、疾病、疲労、睡眠不足その他の理由
　により安全に運行の業務を遂行することができないおそれがある乗務員
　等を事業用自動車の運行の業務に従事させないこと。

3．事業用自動車に係る事故が発生した場合には、事故の発生日時等所定の
　事項を記録し、その記録を当該事業用自動車の運行を管理する営業所に
　おいて 1 年間保存すること。

4．一般乗用旅客自動車運送事業の運行管理者にあっては、タクシー業務適
　正化特別措置法第 13 条の規定により運転者証を表示しなければならない
　事業用自動車に運転者を乗務させる場合には、当該自動車に運転者証を
　表示し、その者が乗務を終了した場合には、当該運転者証を保管してお
　くこと。

令和2年1回

問3　一般旅客自動車運送事業者（以下「事業者」という。）の安全管理規程等及び輸送の安全に係る情報の公表についての次の記述のうち、誤っているものを1つ選び、解答用紙の該当する欄にマークしなさい。なお、解答にあたっては、各選択肢に記載されている事項以外は考慮しないものとする。

1．道路運送法（以下「法」という。）第22条の2第1項の規定により安全管理規程を定めなければならない事業者は、安全統括管理者を選任したときは、国土交通省令で定めるところにより、遅滞なく、その旨を国土交通大臣に届け出なければならない。

2．一般乗用旅客自動車運送事業の用に供する事業用自動車の保有車両数が100両以上の事業者は、安全管理規程を定めて国土交通大臣に届け出なければならない。これを変更しようとするときも、同様とする。

3．事業者は、毎事業年度の経過後100日以内に、輸送の安全に関する基本的な方針その他の輸送の安全にかかわる情報であって国土交通大臣が告示で定める①輸送の安全に関する基本的な方針、②輸送の安全に関する目標及びその達成状況、③自動車事故報告規則第2条に規定する事故に関する統計について、インターネットの利用その他の適切な方法により公表しなければならない。

4．事業者は、法第27条（輸送の安全等）第4項、法第31条（事業改善の命令）又は法第40条（許可の取消し等）の規定による処分（輸送の安全に係るものに限る。）を受けたときは、遅滞なく、当該処分の内容並びに当該処分に基づき講じた措置及び講じようとする措置の内容をインターネットの利用その他の適切な方法により公表しなければならない。

問4　旅客自動車運送事業の事業用自動車の運転者に対する点呼についての法令等の定めに関する次の記述のうち、誤っているものを1つ選び、解答用紙の該当する欄にマークしなさい。なお、解答にあたっては、各選択肢に記載されている事項以外は考慮しないものとする。

1．次のいずれにも該当する一般旅客自動車運送事業者の営業所にあって

は、当該営業所と当該営業所の車庫間で点呼を行う場合は、対面による点呼と同等の効果を有するものとして国土交通大臣が定めた機器による点呼（以下「旅客 IT 点呼」という。）を行うことができる。

①　開設されてから 3 年を経過していること。

②　過去 3 年間所属する旅客自動車運送事業の用に供する事業用自動車の運転者が自らの責に帰する自動車事故報告規則第 2 条に規定する事故を発生させていないこと。

③　過去 3 年間自動車その他の輸送施設の使用の停止処分、事業の停止処分又は警告を受けていないこと。

2．旅客 IT 点呼を行うことができる「国土交通大臣が定めた機器」とは、営業所で管理する機器であってそのカメラ、モニター等によって、運行管理者等が運転者の酒気帯びの有無、疾病、疲労、睡眠不足等の状況を随時確認でき、かつ、当該機器により行おうとする点呼において、当該運転者の酒気帯びの状況に関する測定結果を、自動的に記録及び保存するとともに当該運行管理者等が当該測定結果を直ちに確認できるものをいう。

3．旅客自動車運送事業者は、点呼に用いるアルコール検知器を常時有効に保持しなければならない。このため、確実に酒気を帯びていない者が当該アルコール検知器を使用した場合に、アルコールを検知しないこと及び洗口液等アルコールを含有する液体又はこれを希釈したものをスプレー等により口内に噴霧した上で、当該アルコール検知器を使用した場合にアルコールを検知すること等により、定期的に故障の有無を確認しなければならない。

4．運行管理者の業務を補助させるために選任された補助者に対し、点呼の一部を行わせる場合にあっても、当該営業所において選任されている運行管理者が行う点呼は、点呼を行うべき総回数の少なくとも 2 分の 1 以上でなければならない。

令和2年1回

問5 一般旅客自動車運送事業者の自動車事故報告規則に基づく自動車事故報告書の提出等に関する次の記述のうち、<u>正しいものを2つ</u>選び、解答用紙の該当する欄にマークしなさい。なお、解答にあたっては、各選択肢に記載されている事項以外は考慮しないものとする。

1. 事業用自動車が鉄道車両（軌道車両を含む。）と接触する事故を起こした場合には、当該事故のあった日から15日以内に、自動車事故報告規則に定める自動車事故報告書（以下「事故報告書」という。）を当該事業用自動車の使用の本拠の位置を管轄する運輸支局長等を経由して、国土交通大臣に提出しなければならない。

2. 事業用自動車の運転者が、運転中に胸に強い痛みを感じたので、直近の駐車場に駐車し、その後の運行を中止した。当該運転者は狭心症と診断された。この場合、事故報告書を国土交通大臣に提出しなければならない。

3. 事業用自動車が高速自動車国道法に定める高速自動車国道において、路肩に停車中の車両に追突したため、後続車6台が衝突する多重事故が発生し、この事故により6人が重傷、4人が軽傷を負った。この場合、24時間以内においてできる限り速やかに、その事故の概要を運輸支局長等に速報することにより、国土交通大臣への事故報告書の提出を省略することができる。

4. 自動車の装置（道路運送車両法第41条各号に掲げる装置をいう。）の故障により、事業用自動車が運行できなくなった場合には、国土交通大臣に提出する事故報告書に当該事業用自動車の自動車検査証の有効期間、使用開始後の総走行距離等所定の事項を記載した書面及び故障の状況を示す略図又は写真を添付しなければならない。

問6　一般貸切旅客自動車運送事業者の過労防止等についての国土交通省で定めた「貸切バスの交替運転者の配置基準」に関する次の記述のうち、<u>誤っているもの</u>を1つ選び、解答用紙の該当する欄にマークしなさい。なお、解答にあたっては、各選択肢に記載されている事項以外は考慮しないものとする。

1．貸切バスの交替運転者の配置基準に定める夜間ワンマン運行（1人乗務）において、運行直前に11時間以上休息期間を確保している場合など配置基準に規定する場合を除き、1運行の実車距離は600キロメートルを超えないものとする。

2．貸切バスの交替運転者の配置基準に定める夜間ワンマン運行（1人乗務）の1運行の運転時間は、運行指示書上、9時間を超えないものとする。

3．貸切バスの交替運転者の配置基準に定める夜間ワンマン運行（1人乗務）の実車運行区間においては、連続運転時間は、運行指示書上、概ね2時間までとする。

4．貸切バスの交替運転者の配置基準に定める夜間ワンマン運行（1人乗務）の実車運行区間においては、運行指示書上、実車運行区間における運転時間概ね2時間毎に連続20分以上（1運行の実車距離が400キロメートル以下の場合にあっては、実車運行区間における運転時間概ね2時間毎に連続15分以上）の休憩を確保しなければならない。

令和2年1回

問7 一般旅客自動車運送事業者の事業用自動車の運行の安全を確保するために、事業者が行う国土交通省告示で定める特定の運転者に対する特別な指導の指針に関する次の文中、A、B、Cに入るべき字句として<u>いずれか正しいものを1つ選び</u>、解答用紙の該当する欄にマークしなさい。

1．軽傷者（法令で定める傷害を受けた者）を生じた交通事故を引き起こし、かつ、当該事故前の ┌─A─┐ 間に交通事故を引き起こしたことがある運転者に対し、国土交通大臣が告示で定める適性診断であって国土交通大臣の認定を受けたものを受診させなければならない。

2．貸切バス以外の一般旅客自動車の運転者として新たに雇い入れた者又は選任した者にあっては、雇入れの日又は選任される日前 ┌─B─┐ 間に他の旅客自動車運送事業者において当該旅客自動車運送事業者と同一の種類の事業の事業用自動車の運転者として選任されたことがない者に対して、特別な指導を行わなければならない。

3．一般貸切旅客自動車運送事業者は、初任運転者以外の者であって、直近 ┌─C─┐ 間に当該事業者において運転の経験（実技の指導を受けた経験を含む。）のある貸切バスより大型の車種区分の貸切バスに乗務しようとする運転者（準初任運転者）に対して、特別な指導を行わなければならない。

A　①　1年　　②　3年
B　①　1年　　②　3年
C　①　1年　　②　3年

▼

問8 旅客自動車運送事業者が運転者等に記録させる業務記録についての次の記述のうち、<u>正しいものを2つ選び</u>、解答用紙の該当する欄にマークしなさい。なお、解答にあたっては、各選択肢に記載されている事項以外は考慮しないものとする。（一部改題）

1．一般乗合旅客自動車運送事業者は、運転者等が事業用自動車の運行の業務に従事したときは、休憩又は仮眠をした場合にあっては、その地点及び日時を、当該業務を行った運転者等ごとに「業務記録」（法令に規定する運行記録計に記録する場合は除く。以下同じ。）に記録させなければならない。ただし、10分未満の休憩については、その記載を省略しても差しつかえない。

2．一般貸切旅客自動車運送事業者は、運転者等が事業用自動車の運行の業務に従事したときは、旅客が乗車した区間を運転者等ごとに「業務記録」に記録をさせなければならない。ただし、当該業務において、法令の規定に基づき作成された運行指示書に「旅客が乗車する区間」が記載されているときは、「業務記録」への当該事項の記録を省略することができる。

3．一般乗合旅客自動車運送事業者は、運転者等が事業用自動車の運行の業務に従事したときは、道路交通法に規定する交通事故若しくは自動車事故報告規則に規定する事故又は著しい運行の遅延その他の異常な状態が発生した場合にあっては、その概要及び原因について、当該業務を行った運転者等ごとに「業務記録」に記録をさせなければならない。

4．一般乗用旅客自動車運送事業者は、運転者等が事業用自動車の運行の業務に従事したときは、旅客が乗車した区間並びに運行の業務に従事した事業用自動車の走行距離計に表示されている業務の開始時及び終了時における走行距離の積算キロ数等について、当該業務を行った事業用自動車ごとに「業務記録」に記録させ、かつ、その記録を事業用自動車ごとに整理しなければならない。

2. 道路運送車両法関係

問9　自動車の登録等についての次の記述のうち、<u>誤っているものを１つ</u>選び、解答用紙の該当する欄にマークしなさい。なお、解答にあたっては、各選択肢に記載されている事項以外は考慮しないものとする。

1. 一時抹消登録を受けた自動車（国土交通省令で定めるものを除く。）の所有者は、自動車の用途を廃止したときには、その事由があった日から15日以内に、国土交通省令で定めるところにより、その旨を国土交通大臣に届け出なければならない。

2. 臨時運行の許可を受けた者は、臨時運行許可証の有効期間が満了したときは、その日から15日以内に、当該臨時運行許可証及び臨時運行許可番号標を行政庁に返納しなければならない。

3. 登録自動車の使用者は、当該自動車が滅失し、解体し（整備又は改造のために解体する場合を除く。）、又は自動車の用途を廃止したときは、その事由があった日（使用済自動車の解体である場合には解体報告記録がなされたことを知った日）から15日以内に、当該自動車検査証を国土交通大臣に返納しなければならない。

4. 自動車の所有者は、当該自動車の使用の本拠の位置に変更があったときは、道路運送車両法で定める場合を除き、その事由があった日から15日以内に、国土交通大臣の行う変更登録の申請をしなければならない。

問 10　自動車の検査等についての次の記述のうち、誤っているものを 1 つ選び、解答用紙の該当する欄にマークしなさい。なお、解答にあたっては、各選択肢に記載されている事項以外は考慮しないものとする。

1. 自動車は、指定自動車整備事業者が継続検査の際に交付した有効な保安基準適合標章を表示しているときは、自動車検査証を備え付けていなくても、運行の用に供することができる。

2. 初めて自動車検査証の交付を受ける乗車定員 5 人の旅客を運送する自動車運送事業の用に供する自動車については、当該自動車検査証の有効期間は 2 年である。

3. 自動車の使用者は、自動車検査証又は検査標章が滅失し、き損し、又はその識別が困難となった場合には、その再交付を受けることができる。

4. 検査標章は、自動車検査証がその効力を失ったとき、又は継続検査、臨時検査若しくは構造等変更検査の結果、当該自動車検査証の返付を受けることができなかったときは、当該自動車に表示してはならない。

問 11　道路運送車両法に定める検査等についての次の文中、A、B、C、D に入るべき字句を下の枠内の選択肢（①〜⑥）から選び、解答用紙の該当する欄にマークしなさい。（一部改題）

1．登録を受けていない道路運送車両法第4条に規定する自動車又は同法第60条第1項の規定による車両番号の指定を受けていない検査対象軽自動車若しくは二輪の小型自動車を運行の用に供しようとするときは、当該自動車の使用者は、当該自動車を提示して、国土交通大臣の行う　A　を受けなければならない。

2．登録自動車又は車両番号の指定を受けた検査対象軽自動車若しくは二輪の小型自動車の使用者は、自動車検査証の有効期間の満了後も当該自動車を使用しようとするときは、当該自動車を提示して、国土交通大臣の行う　B　を受けなければならない。この場合において、当該自動車の使用者は、当該自動車検査証を国土交通大臣に提出しなければならない。

3．自動車の使用者は、自動車検査証記録事項について変更があったときは、法令で定める場合を除き、その事由があった日から　C　以内に、当該変更について、国土交通大臣が行う自動車検査証の変更記録を受けなければならない。

4．国土交通大臣は、一定の地域に使用の本拠の位置を有する自動車の使用者が、天災その他やむを得ない事由により、　D　を受けることができないと認めるときは、当該地域に使用の本拠の位置を有する自動車の自動車検査証の有効期間を、期間を定めて伸長する旨を公示することができる。

| ① 新規検査 | ② 継続検査 | ③ 構造等変更検査 |
| ④ 予備検査 | ⑤ 15日 | ⑥ 30日 |

問 12　道路運送車両の保安基準及びその細目を定める告示についての次の記述のうち、誤っているものを 1 つ選び、解答用紙の該当する欄にマークしなさい。なお、解答にあたっては、各選択肢に記載されている事項以外は考慮しないものとする。

1．自動車の前面ガラス及び側面ガラス（告示で定める部分を除く。）は、フィルムが貼り付けられた場合、当該フィルムが貼り付けられた状態においても、透明であり、かつ、運転者が交通状況を確認するために必要な視野の範囲に係る部分における可視光線の透過率が 60％以上であることが確保できるものでなければならない。

2．幼児専用車及び乗車定員 30 人以上の自動車（緊急自動車を除く。）には、非常時に容易に脱出できるものとして、設置位置、大きさ等に関し告示で定める基準に適合する非常口を設けなければならない。ただし、すべての座席が乗降口から直接着席できる自動車にあっては、この限りでない。

3．自動車の後面には、夜間にその後方 150 メートルの距離から走行用前照灯で照射した場合にその反射光を照射位置から確認できる赤色の後部反射器を備えなければならない。

4．自動車は、告示で定める方法により測定した場合において、長さ（セミトレーラにあっては、連結装置中心から当該セミトレーラの後端までの水平距離）12 メートル（セミトレーラのうち告示で定めるものにあっては、13 メートル）、幅 2.5 メートル、高さ 3.8 メートルを超えてはならない。

令和2年1回

3. 道路交通法関係

問13　道路交通法に定める車両の交通方法等についての次の記述のうち、誤っているものを1つ選び、解答用紙の該当する欄にマークしなさい。なお、解答にあたっては、各選択肢に記載されている事項以外は考慮しないものとする。

1．車両は、車両通行帯の設けられた道路においては、道路の左側端から数えて1番目の車両通行帯を通行しなければならない。ただし、自動車（小型特殊自動車及び道路標識等によって指定された自動車を除く。）は、当該道路の左側部分（当該道路が一方通行となっているときは、当該道路）に3以上の車両通行帯が設けられているときは、政令で定めるところにより、その速度に応じ、その最も右側の車両通行帯以外の車両通行帯を通行することができる。

2．車両等は、踏切を通過しようとするときは、踏切の直前（道路標識等による停止線が設けられているときは、その停止線の直前。以下同じ。）で停止し、かつ、安全であることを確認した後でなければ進行してはならない。ただし、信号機の表示する信号に従うときは、踏切の直前で停止しないで進行することができる。

3．車両は、道路外の施設又は場所に出入するためやむを得ない場合において歩道等を横断するとき、又は法令の規定により歩道等で停車し、若しくは駐車するため必要な限度において歩道等を通行するときは、徐行しなければならない。

4．旅客自動車運送事業の用に供する乗車定員50人の自動車は、法令の規定によりその速度を減ずる場合及び危険を防止するためやむを得ない場合を除き、道路標識等により自動車の最低速度が指定されていない区間の高速自動車国道の本線車道（政令で定めるものを除く。）における最低速度は、時速50キロメートルである。

▼

問 14 道路交通法に定める追越し等についての次の記述のうち、**誤っているものを 1 つ選び**、解答用紙の該当する欄にマークしなさい。なお、解答にあたっては、各選択肢に記載されている事項以外は考慮しないものとする。（一部改題）

1. 車両は、他の車両を追い越そうとするときは、その追い越されようとする車両（以下「前車」という。）の右側を通行しなければならない。ただし、法令の規定により追越しを禁止されていない場所において、前車が法令の規定により右折をするため道路の中央又は右側端に寄って通行しているときは、その左側を通行しなければならない。

2. 車両は、法令の規定若しくは警察官の命令により、又は危険を防止するため、停止し、若しくは停止しようとして徐行している車両等に追いついたときは、その前方にある車両等の側方を通過して当該車両等の前方に割り込み、又はその前方を横切ってはならない。

3. 車両は、法令に規定する優先道路を通行している場合における当該優先道路にある交差点を除き、交差点の手前の側端から前に 30 メートル以内の部分においては、他の車両（特定小型原動機付自転車等を除く。）を追い越そうとするときは、速やかに進路を変更しなければならない。

4. 車両は、進路を変更した場合にその変更した後の進路と同一の進路を後方から進行してくる車両等の速度又は方向を急に変更させることとなるおそれがあるときは、進路を変更してはならない。

令和2年1回

問 15 道路交通法及び道路交通法施行令に定める酒気帯び運転等の禁止等に関する次の文中、A、B、C に入るべき字句として<u>いずれか正しい</u>ものを 1 つ選び、解答用紙の該当する欄にマークしなさい。

⑴ 何人も、酒気を帯びて車両等を運転してはならない。

⑵ 何人も、酒気を帯びている者で、⑴の規定に違反して車両等を運転することとなるおそれがあるものに対し、 A してはならない。

⑶ 何人も、⑴の規定に違反して車両等を運転することとなるおそれがある者に対し、酒類を提供し、又は飲酒をすすめてはならない。

⑷ 何人も、車両（トロリーバス及び旅客自動車運送事業の用に供する自動車で当該業務に従事中のものその他の政令で定める自動車を除く。）の運転者が酒気を帯びていることを知りながら、当該運転者に対し、当該車両を運転して自己を運送することを要求し、又は依頼して、当該運転者が⑴の規定に違反して運転する B してはならない。

⑸ ⑴の規定に違反して車両等（軽車両を除く。）を運転した者で、その運転をした場合において身体に血液 1 ミリリットルにつき 0.3 ミリグラム又は呼気 1 リットルにつき C ミリグラム以上にアルコールを保有する状態にあったものは、3 年以下の懲役又は 50 万円以下の罰金に処する。

A　①　運転を指示　　②　車両等を提供
B　①　車両に同乗　　②　機会を提供
C　①　0.15　　　　　②　0.25

問 16　道路交通法に定める交差点等における通行方法についての次の記述のうち、**誤っているものを 1 つ**選び、解答用紙の該当する欄にマークしなさい。なお、解答にあたっては、各選択肢に記載されている事項以外は考慮しないものとする。

1．車両等（優先道路を通行している車両等を除く。）は、交通整理の行われていない交差点に入ろうとする場合において、交差道路が優先道路であるとき、又はその通行している道路の幅員よりも交差道路の幅員が明らかに広いものであるときは、その前方に出る前に必ず一時停止しなければならない。

2．車両等は、交差点に入ろうとし、及び交差点内を通行するときは、当該交差点の状況に応じ、交差道路を通行する車両等、反対方向から進行してきて右折する車両等及び当該交差点又はその直近で道路を横断する歩行者に特に注意し、かつ、できる限り安全な速度と方法で進行しなければならない。

3．車両は、左折するときは、あらかじめその前からできる限り道路の左側端に寄り、かつ、できる限り道路の左側端に沿って（道路標識等により通行すべき部分が指定されているときは、その指定された部分を通行して）徐行しなければならない。

4．左折又は右折しようとする車両が、法令の規定により、それぞれ道路の左側端、中央又は右側端に寄ろうとして手又は方向指示器による合図をした場合においては、その後方にある車両は、その速度又は方向を急に変更しなければならないこととなる場合を除き、当該合図をした車両の進路の変更を妨げてはならない。

令和2年1回

問 17 道路交通法に定める運転者及び使用者の義務等についての次の記述のうち、<u>正しいものを2つ選び</u>、解答用紙の該当する欄にマークしなさい。なお、解答にあたっては、各選択肢に記載されている事項以外は考慮しないものとする。

1. 免許を受けた者が自動車等を運転することが著しく道路における交通の危険を生じさせるおそれがあるときは、その者の住所地を管轄する公安委員会は、点数制度による処分に至らない場合であっても運転免許の停止処分を行うことができる。

2. 免許証の更新を受けようとする者で更新期間が満了する日における年齢が70歳以上のもの（当該講習を受ける必要がないものとして法令で定める者を除く。）は、更新期間が満了する日前6ヵ月以内にその者の住所地を管轄する公安委員会が行った「高齢者講習」を受けていなければならない。

3. 車両等は、横断歩道等に接近する場合には、当該横断歩道等によりその進路の前方を横断し、又は横断しようとする歩行者等があるときは、当該歩行者等の直前で停止することができるような速度で進行し、かつ、その通行を妨げないようにしなければならない。

4. 下の道路標識は、「車両は、8時から20時までの間は停車してはならない。」ことを示している。

「道路標識、区画線及び道路標示に関する命令」に定める様式
斜めの帯及び枠を赤色、文字及び縁を白色、地を青色とする。

4. 労働基準法関係

問18　労働基準法の定めに関する次の記述のうち、<u>正しいものを2つ</u>選び、解答用紙の該当する欄にマークしなさい。なお、解答にあたっては、各選択肢に記載されている事項以外は考慮しないものとする。

1. 使用者は、労働者名簿、賃金台帳及び雇入、解雇、災害補償、賃金その他労働関係に関する重要な書類を1年間保存しなければならない。

2. 使用者は、労働者に、休憩時間を除き1週間について40時間を超えて、労働させてはならない。また、1週間の各日については、労働者に、休憩時間を除き1日について8時間を超えて、労働させてはならない。

3. 使用者は、労働時間が6時間を超える場合においては少くとも45分、8時間を超える場合においては少くとも1時間の休憩時間を労働時間の途中に与えなければならない。

4. 労働契約は、期間の定めのないものを除き、一定の事業の完了に必要な期間を定めるもののほかは、1年を超える期間について締結してはならない。

令和2年1回

問 19　労働基準法及び労働安全衛生法の定める健康診断に関する次の記述のうち、誤っているものを 1 つ選び、解答用紙の該当する欄にマークしなさい。なお、解答にあたっては、各選択肢に記載されている事項以外は考慮しないものとする。

1．事業者は、常時使用する労働者を雇い入れるときは、当該労働者に対し、労働安全衛生規則に定める既往歴及び業務歴の調査等の項目について医師による健康診断を行わなければならない。ただし、医師による健康診断を受けた後、3 ヵ月を経過しない者を雇い入れる場合において、その者が当該健康診断の結果を証明する書面を提出したときは、当該健康診断の項目に相当する項目については、この限りでない。

2．事業者は、事業者が行う健康診断を受けた労働者に対し、遅滞なく、当該健康診断の結果を通知しなければならない。

3．事業者は、深夜業を含む業務等に常時従事する労働者に対し、当該業務への配置替えの際及び 6 ヵ月以内ごとに 1 回、定期に、労働安全衛生規則に定める所定の項目について医師による健康診断を行わなければならない。

4．事業者は、労働安全衛生規則で定めるところにより、深夜業に従事する労働者が、自ら受けた健康診断の結果を証明する書面を事業者に提出した場合において、その健康診断の結果（当該健康診断の項目に異常の所見があると診断された労働者に係るものに限る。）に基づく医師からの意見聴取は、当該健康診断の結果を証明する書面が事業者に提出された日から 4 ヵ月以内に行わなければならない。

★

問20 「自動車運転者の労働時間等の改善のための基準」に定める目的等についての次の文中、A、B、C、Dに入るべき字句としていずれか正しいものを1つ選び、解答用紙の該当する欄にマークしなさい。

1．この基準は、自動車運転者（労働基準法（以下「法」という。）第9条に規定する労働者であって、四輪以上の自動車の運転の業務（厚生労働省労働基準局長が定めるものを除く。）に主として従事する者をいう。以下同じ。）の労働時間等の改善のための基準を定めることにより、自動車運転者の　A　等の労働条件の向上を図ることを目的とする。

2．　B　は、この基準を理由として自動車運転者の労働条件を低下させてはならないことはもとより、その　C　に努めなければならない。

3．使用者は、　D　その他の事情により、法第36条第1項の規定に基づき臨時に労働時間を延長し、又は休日に労働させる場合においても、その時間数又は日数を少なくするように努めるものとする。

A ① 労働時間　　② 運転時間
B ① 使用者　　　② 労働関係の当事者
C ① 維持　　　　② 向上
D ① 運転者不足　② 季節的繁忙

▼★

問21 「自動車運転者の労働時間等の改善のための基準」（以下「改善基準告示」という。）に関する次の記述のうち、<u>正しいものを2つ選び</u>、解答用紙の該当する欄にマークしなさい。ただし、当該運行は、1人乗務で、隔日勤務には就いていない場合とする。なお、解答にあたっては、各選択肢に記載されている事項以外は考慮しないものとする。（一部改題）

1．使用者は、バス運転者等（隔日勤務に就く運転者以外のもの。）の1日（始業時刻から起算して24時間をいう。以下同じ。）についての拘束時間は、13時間を超えないものとし、当該拘束時間を延長する場合であっても、最大拘束時間は、15時間とすること。この場合において、1日についての拘束時間が13時間を超える回数をできるだけ少なくするよう努めるものとする。

2．使用者は、業務の必要上、バス運転者等に勤務の終了後継続9時間以上の休息期間を与えることが困難な場合、当分の間、一定期間（1ヵ月を限度とする。）における全勤務回数の2分の1を限度に、休息期間を拘束時間の途中及び拘束時間の経過直後の2回に分割して与えることができるものとする。この場合において、分割された休息期間は、1日において1回当たり継続4時間以上、合計11時間以上でなければならないものとする。

3．バス運転者等がフェリーに乗船している時間は、原則として休息期間とし、規定により与えるべき休息期間から当該時間を除くことができること。ただし、当該時間を除いた後の休息期間については、改善基準第5条第4項第2号の場合を除き、フェリーを下船した時刻から終業の時刻までの時間の3分の1を下回ってはならない。

4．労使当事者は、時間外労働協定において一般乗用旅客自動車運送事業以外の旅客自動車運送事業に従事する自動車運転者に係る一定期間についての延長時間について協定するに当たっては、当該一定期間は、2週間及び1ヵ月以上3ヵ月以内の一定の期間とするものとする。

▼

問 22　下表は、一般乗用旅客自動車運送事業の隔日勤務に従事する自動車運転者の 1 ヵ月の勤務状況の例を示したものであるが、「自動車運転者の労働時間等の改善のための基準」に定める拘束時間等に照らし、次の 1 〜 4 の中から違反している事項を 2 つ選び、解答用紙の該当する欄にマークしなさい。なお、車庫待ち等はないものとし、また、「1 ヵ月についての拘束時間の延長に関する労使協定」及び「時間外労働及び休日労働に関する労使協定」があり、下表の 1 ヵ月は、当該協定により 1 ヵ月についての拘束時間を延長することができる月に該当するものとする。（一部改題）

（起算日）

日付	1日	2日	3日	4日	5日	6日	7日	8日	9日	10日	11日	12日	13日	14日	15日	16日
勤務等状況	労働日		労働日			労働日		労働日			労働日		労働日		労働日	
始業時刻（午前）	9：00		8：00		休日	9：00		9：00		休日	8：00		9：00		8：00	
終業時刻（午前）		6：00		5：00			6：00		6：00			5：00		6：00		5：00
拘束時間（時間）	21		21		－	21		21		－	21		21		21	

日付	17日	18日	19日	20日	21日	22日	23日	24日	25日	26日	27日	28日	29日	30日	31日	1ヵ月（1日〜31日）の拘束時間計
勤務等状況	労働日				労働日		労働日		休日労働日		労働日		労働日			
始業時刻（午前）	8：00		休日	休日	8：00		8：00		10：00		9：00		8：00		休日	
終業時刻（午前）		6：00				5：00		5：00		4：00		6：00		5：00		
拘束時間（時間）	22	－	－		21		21		18		21		21		－	271 時間

（注 1）協定における時間外労働及び休日労働の起算日は、1 日とする。
（注 2）1 日の前日は休日とする。
（注 3）拘束時間と次の拘束時間の間は休息期間とする。

1．休息期間
2．休日に労働させる回数
3．2 暦日についての拘束時間
4．1 ヵ月の拘束時間

問23 下図は、貸切バス運転者の4週間の運転時間の例を示したものである。図の空欄A、B、C、Dについて、次の選択肢1～4の運転時間の組み合わせを当てはめた場合、2日を平均した1日当たりの運転時間及び4週間を平均した1週間当たりの運転時間のいずれも「自動車運転者の労働時間等の改善のための基準」に適合しているものをすべて選び、解答用紙の該当する欄にマークしなさい。ただし、1人乗務とし、「4週間を平均し1週間当たりの運転時間の延長に関する労使協定」があり、下図の4週間は、当該協定により4週間を平均し1週間当たりの運転時間を延長することができるものとする。

前週		第1週							第2週					
日付	1日 (起算日)	2日	3日	4日	5日	6日	7日	8日	9日	10日	11日	12日	13日	14日
運転時間等（時間）	5	6	5	9	A	10	休日	8	B	10	5	6	7	休日

	第3週							第4週					
日付	15日	16日	17日	18日	19日	20日	21日	22日	23日	24日	25日	26日	27日	28日
運転時間等（時間）	7	6	9	C	10	6	休日	5	10	D	10	5	6	休日

（注1）2日を平均した1日当たりの運転時間については、当該4週間のすべての日を特定日とすること。
（注2）4週間の起算日は1日とし、1日の前日は休日とする。
（注3）各労働日の始業時刻は午前8時とする。

		A（時間）	B（時間）	C（時間）	D（時間）	第1週～第4週を合計した運転時間（時間）
選択肢	1	9	8	6	8	176
	2	8	9	9	7	178
	3	7	6	10	6	174
	4	6	10	7	8	176

5. 実務上の知識及び能力

▼
問24 運行管理者の日常業務の記録等に関する次の記述のうち、適切なものには解答用紙の「適」の欄に、適切でないものには解答用紙の「不適」の欄にマークしなさい。なお、解答にあたっては、各選択肢に記載されている事項以外は考慮しないものとする。（一部改題）

1. 運行管理者は、事業用自動車の運転者が他の営業所に転出し当該営業所の運転者でなくなったときは、直ちに、乗務員等台帳に運転者でなくなった年月日及び理由を記載して1年間保存している。

2. 運行管理者は、貸切バスに装着された運行記録計により記録される「瞬間速度」、「運行距離」及び「運行時間」等により運転者の運行の実態や車両の運行の実態を分析し、運転者の日常の業務を把握し、過労運転の防止及び運行の適正化を図る資料として活用しており、この運行記録計の記録を1年間保存している。

3. 運行管理者は、事業用自動車の運転者に対し、事業用自動車の構造上の特性、乗車中の旅客の安全を確保するために留意すべき事項など事業用自動車の運行の安全及び旅客の安全を確保するために必要な運転に関する技能及び知識等について、適切に指導を行うとともに、その内容等について記録し、かつ、その記録を営業所において1年間保存している。

4. 運行管理者は、事業用自動車の運転者等に対する業務従事前点呼において、酒気帯びの有無については、目視等で確認するほか、アルコール検知器を用いて確認するとともに、点呼を行った旨並びに報告及び指示の内容等を記録し、かつ、その記録を1年間（一般貸切旅客自動車運送事業者にあっては、その内容を記録した電磁的記録を3年間）保存している。

問25 旅客自動車運送事業者が事業用自動車の運転者に対して行う指導・監督に関する次の記述のうち、<u>適切なものをすべて選び</u>、解答用紙の該当する欄にマークしなさい。なお、解答にあたっては、各選択肢に記載されている事項以外は考慮しないものとする。

1. 車長が長い自動車は、①内輪差が大きく、左折時に左側方のバイクや歩行者を巻き込んでしまう、②狭い道路への左折時には、車体がふくらみ、センターラインをはみ出してしまう、③右折時には、車体後部のオーバーハング部が隣接する車線へはみ出して車体後部が後続車に接触する、などの事故の要因となり得る危険性を有していることを運転者に対し指導している。

2. 運転者が交通事故を起こした場合、乗客に対する被害状況を確認し、負傷者がいるときは、まず最初に運行管理者に連絡した後、負傷者の救護、道路における危険の防止、乗客の安全確保、警察への報告などの必要な措置を講じるよう運転者に対し指導している。

3. 国土交通大臣が認定する適性診断（以下「適性診断」という。）を受診した運転者の診断結果において、「感情の安定性」の項目で、「すぐかっとなるなどの衝動的な傾向」との判定が出た。適性診断は、性格等を客観的に把握し、運転の適性を判定することにより、運転業務に適さない者を選任しないようにするためのものであるため、運行管理者は、当該運転者は運転業務に適さないと判断し、他の業務へ配置替えを行った。

4. 飲酒により体内に摂取されたアルコールを処理するために必要な時間の目安については、個人差はあるが、例えばチューハイ350ミリリットル（アルコール7%）の場合、概ね2時間とされている。事業者は、これらを参考に、社内教育の中で酒気帯び運転防止の観点から飲酒が運転に及ぼす影響等について指導している。

★

問26　事業用自動車の運転者の健康管理及び就業における判断・対処に関する次の記述のうち、適切なものには解答用紙の「適」の欄に、適切でないものには解答用紙の「不適」の欄にマークしなさい。なお、解答にあたっては、各選択肢に記載されている事項以外は考慮しないものとする。

1．自動車の運転中に、心臓疾患（心筋梗塞、心不全等）や、大血管疾患（急性大動脈解離、大動脈瘤破裂等）が起こると、ショック状態、意識障害、心停止等を生じ、運転者が事故を回避するための行動をとることができなくなり、重大事故を引き起こすおそれがある。そのため、健康起因事故を防止するためにも発症する前の早期発見や予防が重要となってくる。

2．事業者は、業務に従事する運転者に対し法令で定める健康診断を受診させ、その結果に基づいて健康診断個人票を作成して5年間保存している。また、運転者が自ら受けた健康診断の結果を提出したものについても同様に保存している。

3．自動車事故報告規則に基づく平成29年中のすべての事業用自動車の乗務員に起因する重大事故報告件数約2,000件の中で、健康起因による事故件数は約300件を占めている。そのうち運転者が死亡に至った事案は60件あり、原因病名別にみると、心臓疾患が半数以上を占めている。

4．睡眠時無呼吸症候群（SAS）は、大きないびきや昼間の強い眠気など容易に自覚症状を感じやすいので、事業者は、自覚症状を感じていると自己申告をした運転者に限定して、SASスクリーニング検査を実施している。

令和2年1回

問27　自動車の運転に関する次の記述のうち、適切なものには解答用紙の「適」の欄に、適切でないものには解答用紙の「不適」の欄にマークしなさい。なお、解答にあたっては、各選択肢に記載されている事項以外は考慮しないものとする。

1．四輪車を運転する場合、二輪車との衝突事故を防止するための注意点として、①二輪車は死角に入りやすいため、その存在に気づきにくく、また、②二輪車は速度が実際より速く感じたり、距離が近くに見えたりする特性がある。したがって、運転者に対してこのような点に注意するよう指導する必要がある。

2．アンチロック・ブレーキシステム（ABS）は、急ブレーキをかけた時などにタイヤがロック（回転が止まること）するのを防ぐことにより、車両の進行方向の安定性を保ち、また、ハンドル操作で障害物を回避できる可能性を高める装置である。ABSを効果的に作動させるためには、できるだけ強くブレーキペダルを踏み続けることが重要であり、この点を運転者に指導する必要がある。

3．バス車両は、車両の直前に死角があり、子ども、高齢者、降車した乗客などが通行しているのを見落とすことがある。このため、発車時には目視及びアンダーミラーによる車両直前の確認等の基本動作を確実に行うため、運転者に対し、指差し呼称及び安全呼称を励行することを指導する必要がある。

4．車両の重量が重い自動車は、スピードを出すことにより、カーブでの遠心力が大きくなるため横転などの危険性が高くなり、また、制動距離が長くなるため追突の危険性も高くなる。このため、法定速度を遵守し、十分な車間距離を保つことを運転者に指導する必要がある。

問28　高速自動車国道において、Ａ自動車（貸切バス）が前方のＢ自動車とともにほぼ同じ速度で50メートルの車間距離を保ちながらＢ自動車に追従して走行していたところ、突然、前方のＢ自動車が急ブレーキをかけたのを認め、Ａ自動車も直ちに急ブレーキをかけ、Ａ自動車、Ｂ自動車とも停止した。Ａ自動車、Ｂ自動車とも安全を確認した後、走行を開始した。この運行に関する次のア〜ウについて解答しなさい。

　　なお、下図は、Ａ自動車に備えられたデジタル式運行記録計で上記運行に関して記録された6分間記録図表の一部を示す。

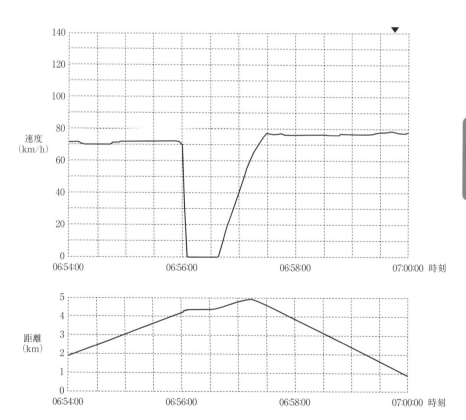

ア　左の記録図表からA自動車の急ブレーキを操作する直前の速度を読み取ったうえで、当該速度における空走距離（危険認知から、その状況を判断してブレーキを操作するという動作に至る間（空走時間）に自動車が走行した距離）を求めるとおよそ何メートルか。次の①～②の中から正しいものを1つ選び、解答用紙の該当する欄にマークしなさい。なお、この場合の空走時間は1秒間とする。

　　　①　15メートル　　　②　20メートル

イ　A自動車の急ブレーキを操作する直前の速度における制動距離（ブレーキが実際に効き始めてから止まるまでに走行した距離）を40メートルとした場合、A自動車が危険を認知してから停止するまでに走行した距離は、およそ何メートルか。次の①～②の中から正しいものを1つ選び、解答用紙の該当する欄にマークしなさい。なお、この場合の空走時間は1秒間とする。

　　　①　55メートル　　　②　60メートル

ウ　B自動車が急ブレーキをかけA自動車、B自動車とも停止した際の、A自動車とB自動車の車間距離は、およそ何メートルか。次の①～②の中から正しいものを1つ選び、解答用紙の該当する欄にマークしなさい。なお、この場合において、A自動車の制動距離及び空走時間は上記イに示すとおりであり、また、B自動車の制動距離は35メートルとする。

　　　①　25メートル　　　②　30メートル

▼

問29 旅行業者からバス事業者に対し、朝B駅にてツアー客を乗車させ、D観光地に向けて運行し、夕方F駅に帰着させるよう運送の依頼があった。これを受けて運行管理者は、次に示す「当日の運行計画」を立てた。この事業用自動車の運行に関する次のア～ウについて解答しなさい。なお、解答にあたっては、「当日の運行計画」及び各選択肢に記載されている事項以外は考慮しないものとする。（一部改題）

「当日の運行計画」

往路

○ A営業所を出庫し、15キロメートル離れたB駅まで平均時速30キロメートルで走行する。

○ B駅にてツアー客のバスへの乗車に要する時間を10分とする。

○ B駅から110キロメートル離れたC地点までの間、一部高速自動車国道を利用し、平均時速55キロメートルで走行し、C地点で、10分間休憩をとる。

○ C地点から45キロメートル離れたD観光地まで平均時速30キロメートルで走行し、D観光地に12時に到着する。

○ D観光地にて、2時間待機し、その内1時間の休憩をとる。

復路

○ 休憩後、E地点に向かうため、D観光地を14時に出発し、60キロメートル離れたE地点まで平均時速30キロメートルで走行する。E地点で、20分間休憩をとる。

○ E地点からF駅まで平均時速25キロメートルで走行して、F駅に18時20分に到着し、ツアー客の降車に要する時間を10分とする。

○ F駅から20キロメートル離れたA営業所まで平均時速30キロメートルで走行し、A営業所には19時10分に帰庫する。

令和2年1回

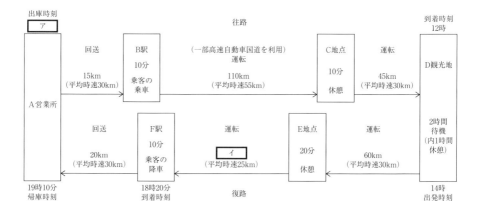

ア　D 観光地に 12 時に到着させるためにふさわしい A 営業所の出庫時
　　刻　ア　について、次の①～④の中から正しいものを 1 つ選び、解答
　　用紙の該当する欄にマークしなさい。

　　①　7 時 00 分　　②　7 時 20 分　　③　7 時 40 分　　④　8 時 00 分

イ　E 地点と F 駅間の距離　イ　について、次の①～④の中から正しい
　　ものを 1 つ選び、解答用紙の該当する欄にマークしなさい。
　　①　45 キロメートル　　②　50 キロメートル
　　③　55 キロメートル　　④　60 キロメートル

ウ　当日の全運行において、連続運転時間は「自動車運転者の労働時間等の
　　改善のための基準」に照らし、違反しているか否かについて、次の①～
　　②の中から正しいものを 1 つ選び、解答用紙の該当する欄にマークしな
　　さい。
　　①　違反していない
　　②　違反している

問30　平成28年中の乗合バスによる死亡・重傷事故について、事業用自動車の交通事故統計及び自動車事故報告規則により提出された事故報告書に基づき、下記のとおり、事故の特徴やその要因についての分析結果が導かれた。この分析結果をもとに、【事業者及び運行管理者が実施すべき事故低減対策のポイント】の中から【事故防止のための指導】として、A、B、Cに当てはまる最も直接的に有効と考えられる組合せを下の枠内の選択肢（①～⑧）からそれぞれ1つ選び、解答用紙の該当する欄にマークしなさい。なお、解答にあたっては、下記に記載されている事項以外は考慮しないものとする。

【死亡・重傷事故の特徴】

平成28年中の乗合バスによる死亡・重傷事故は131件であり、事故類型別にみると単独事故が約半数を占めており、その大半は車内事故である。車内事故を除く事故を車両の走行等の態様別にみると、直進時が66％、右折時が21％、左折時が4％となっている。

車内事故	直進時の事故	右折時の事故
・発進時及び減速・急停止時に多い。 ・被害者は75～84歳の女性が多い。	直進時の事故のうち、自転車との事故が42％、歩行者等との事故が33％、他の車両等との事故が25％となっている。	・右折時の事故のうち、歩行者等との事故が57％、他の車両等との事故が43％となっている。 ・回送など運転者のみのときに多く発生している。

【事故の主な要因】

・乗客が着席したものと誤認して発進 ・乗客が走行中に立ち上がったり移動したりすることがある	・自転車の挙動に対する運転者の認識の甘さ ・自転車の側方を通過する際、間隔が不十分、減速・徐行が不十分 ・慣れている道による気の緩み ・車線変更時の安全確認不足 ・寝不足による注意力散漫	・車両の片側の安全確認不足 ・回送による気の緩み、注意力不足 ・対向車の後方の安全確認不足

【事故防止のための指導】

A	B	C

【事業者及び運行管理者が実施すべき事故低減対策のポイント】

ア　慣れている直進道路などでは、気の緩みが追突事故を誘発することから、慎重な運転と適正な車間距離をとるよう運転者に対し指導する。

イ　高齢の乗客が走行中に席を立ち車内を移動した場合、バスが停車してから席を立つように乗客に注意喚起をするよう運転者に対し指導する。

ウ　衝突被害軽減ブレーキを装着したバスの運転者に対しては、当該装置は、いかなる走行条件においても、前方の車両等に衝突する危険性が生じた場合には、確実にレーダー等で検知したうえで自動的にブレーキが作動し、衝突を確実に回避できるものであることを十分理解させる。

エ　右折するときは、対向車に注意して徐行するとともに、右折したその先の状況にも十分注意を払い走行するよう運転者に対し指導する。

オ　前方に自転車を見かけたら、歩道を走行していても車道に降りてくるか

もしれないと予測するなど自転車の挙動に注意して運転するよう運転者に対し指導する。

カ　バスを発車しようとするときは、乗車してきた乗客が着席又は手すり等につかまったことを車内に備えられたミラー等で確認するとともに、発車する前にその旨を車内アナウンスするよう運転者に対し指導する。

キ　乗合バスは、定時運行を確保する必要があることから、各停留所の到着時刻等を遵守し、運行しなければならないことを運転者に対し指導する。

ク　運転者が体調不良や睡眠不足で運転することがないよう、運転者の体調や通勤時間などを考慮した無理のない乗務割を行う。

ケ　回送時も乗客がいるときと同様に集中して運転を行うよう運転者に対し指導する。

コ　発進、停止時等において滑らかで静かな運転となるよう、デジタルタコグラフ等を活用して、運転者が客観的に自身の走行状況を把握し、運転技術の向上を図るよう運転者に対し指導する。

サ　右折するときは、対向車の速度が遅い場合などは自車の速度を落とさず交差点をすばやく右折するよう運転者に対し指導する。

シ　右折時に対向車が接近しているときは、その通過を待つとともに、対向車の後方にも車がいるかもしれないと予測して、対向車の通過後に必ずその後方の状況を確認してから右折するよう運転者に対し指導する。

令和２年１回

①	アウオ	②	アウク	③	アオク	④	イカキ
⑤	イカコ	⑥	イカサ	⑦	エケサ	⑧	エケシ

memo

令和元年度　第2回

運行管理者試験
〈旅客〉
中止

※令和元年度第2回運行管理者試験は、
　新型コロナウイルスの感染拡大に伴い、
　中止となりました。

memo

令和元年度　第1回

運行管理者試験問題

〈旅客〉

●試験時間　13：15〜14：45（制限時間90分）

● P. 293 の解答用紙をコピーしてお使いください。
　答え合わせに便利な正答一覧は別冊 P.129

	受験者数（人）	合格者数（人）	合格率（%）
令和 4 年度　第2回	4,675	1,651	35.3
令和 4 年度　第1回	5,403	2,167	40.1
令和 3 年度　第2回	5,787	1,999	34.5
令和 3 年度　第1回	6,740	2,196	32.6
令和 2 年度　第2回	7,610	3,604	47.4
令和 2 年度　第1回	9,714	3,026	31.2
★ 令和 元 年度　第1回	8,263	2,624	31.8
平成 30 年度　第2回	7,605	2,868	37.7
平成 30 年度　第1回	8,998	2,856	31.7

1．道路運送法関係

問 1　旅客自動車運送事業に関する次の記述のうち、<u>正しいものを 2 つ選び</u>、解答用紙の該当する欄にマークしなさい。なお、解答にあたっては、各選択肢に記載されている事項以外は考慮しないものとする。

1．旅客自動車運送事業とは、他人の需要に応じ、有償で、自動車を使用して旅客を運送する事業であって、一般旅客自動車運送事業及び特定旅客自動車運送事業をいう。

2．一般旅客自動車運送事業の許可の取消しを受けた者は、その取消しの日から 2 年を経過しなければ、新たに一般旅客自動車運送事業の許可を受けることができない。

3．一般貸切旅客自動車運送事業の許可は、5 年ごとにその更新を受けなければ、その期間の経過によって、その効力を失う。

4．一般旅客自動車運送事業者は、「営業所ごとに配置する事業用自動車の数」の事業計画の変更をしたときは、遅滞なく、その旨を国土交通大臣に届け出なければならない。

▼

問２　次の記述のうち、旅客自動車運送事業の運行管理者が行わなければならない業務として正しいものを２つ選び、解答用紙の該当する欄にマークしなさい。なお、解答にあたっては、各選択肢に記載されている事項以外は考慮しないものとする。（一部改題）

１．従業員に対し、効果的かつ適切に指導監督を行うため、輸送の安全に関する基本的な方針を策定し、これに基づき指導及び監督を行うこと。

２．一般貸切旅客自動車運送事業の運行管理者にあっては、運転者が長距離運転又は夜間の運転に従事する場合であって、疲労等により安全な運転を継続することができないおそれがあるときは、あらかじめ、交替するための運転者を配置すること。

３．法令の規定により、運転者等に対し、点呼を行い、報告を求め、確認を行い、指示を与え、記録し、及びその記録を保存し、並びに運転者に対して使用するアルコール検知器を常時有効に保持すること。

４．適齢診断（高齢運転者のための適性診断として国土交通大臣が認定したものをいう。）を運転者が65歳に達した日以後１年以内に１回、その後70歳に達するまでは３年以内ごとに１回、70歳に達した日以後１年以内に１回、その後１年以内ごとに１回受診させること。

令和元年1回

問3 道路運送法に定める一般旅客自動車運送事業者（以下「事業者」という。）の輸送の安全等についての次の記述のうち、<u>誤っているものを1つ選び</u>、解答用紙の該当する欄にマークしなさい。なお、解答にあたっては、各選択肢に記載されている事項以外は考慮しないものとする。

1．事業者は、その事業用自動車の運転者に対し、主として運行する路線又は営業区域の状態及びこれに対処することができる運転技術並びに法令に定める自動車の運転に関する事項について適切な指導監督をしなければならない。この場合においては、その日時、場所及び内容並びに指導監督を行った者及び受けた者を記録し、かつ、その記録を営業所において3年間保存しなければならない。

2．事業者は、事業用自動車の運転者が疾病により安全な運転ができないおそれがある状態で事業用自動車を運転することを防止するために必要な医学的知見に基づく措置を講じなければならない。

3．事業者は、運行管理者に対し、国土交通省令で定める業務を行うため必要な権限を与えなければならない。また、事業者及び事業用自動車の運転者その他の従業員は、運行管理者がその業務として行う助言又は指導があった場合は、これを尊重しなければならない。

4．事業者は、道路運送法第27条（輸送の安全等）第4項、同法第31条（事業改善の命令）又は同法第40条（許可の取消し等）の規定による処分（輸送の安全に係るものに限る。）を受けたときは、遅滞なく、当該処分の内容並びに当該処分に基づき講じた措置及び講じようとする措置の内容をインターネットの利用その他の適切な方法により公表しなければならない。

▼

問4　一般貸切旅客自動車運送事業の事業用自動車の運転者に対し、各点呼の際に報告を求め、及び確認を行わなければならない事項として、A、B、Cに入るべき字句を下の枠内の選択肢（1〜6）から選び、解答用紙の該当する欄にマークしなさい。（一部改題）

【業務前点呼】

(1)　酒気帯びの有無

(2)　| A |

(3)　道路運送車両法の規定による点検の実施又はその確認

【業務後点呼】

(1)　業務に係る事業用自動車、道路及び運行の状況

(2)　酒気帯びの有無

(3)　| B |

【業務途中点呼】

(1)　| C |

(2)　疾病、疲労、睡眠不足その他の理由により安全な運転をすることができないおそれの有無

1.　道路運送車両法の規定による点検の実施又はその確認
2.　業務に係る事業用自動車、道路及び運行の状況
3.　乗客に体調の異変等があった場合にはその状況及び措置
4.　疾病、疲労、睡眠不足その他の理由により安全な運転をすることができないおそれの有無
5.　酒気帯びの有無
6.　他の運転者と交替した場合にあっては法令の規定による通告

令和元年1回

問5 自動車事故に関する次の記述のうち、旅客自動車運送事業者が自動車事故報告規則に基づき運輸支局長等に<u>速報を要するものを2つ</u>選び、解答用紙の該当する欄にマークしなさい。なお、解答にあたっては、各選択肢に記載されている事項以外は考慮しないものとする。

1. タクシーが交差点に停車していた貨物自動車に気づくのが遅れ、当該タクシーがこの貨物自動車に追突し、さらに後続の自家用自動車3台が関係する玉突き事故となり、この事故により自家用自動車の運転者、同乗者のうち3人が重傷、5人が軽傷を負った。

2. 貸切バスが信号機のない交差点において乗用車と接触する事故を起こした。双方の運転者は負傷しなかったが、当該バスの運転者が事故を警察官に報告した際、その運転者が道路交通法に規定する酒気帯び運転をしていたことが発覚した。

3. 高速乗合バスが高速自動車国道を走行中、前方に事故で停車していた乗用車の発見が遅れ、当該乗用車に追突した。さらに当該バスの後続車3台が次々と衝突する多重事故となった。この事故で、当該バスの運転者と乗客6人が軽傷を負い、当該高速自動車国道が2時間にわたり自動車の通行が禁止となった。

4. 乗合バスに乗車してきた旅客が着席する前に当該バスが発車したことから、当該旅客のうち1人がバランスを崩して床に倒れ大腿骨を骨折する重傷を負った。

▼

問6 旅客自動車運送事業者（以下「事業者」という。）の過労運転の防止等についての法令の定めに関する次の記述のうち、<u>正しいものをすべて</u>選び、解答用紙の該当する欄にマークしなさい。なお、解答にあたっては、各選択肢に記載されている事項以外は考慮しないものとする。（一部改題）

1．事業者は、乗務員等が有効に利用することができるように、営業所、自動車車庫等に、休憩に必要な施設を整備し、及び乗務員等に睡眠を与える必要がある場合は睡眠に必要な施設を整備しなければならない。ただし、寝具等必要な設備が整えられていない施設は、有効に利用することができる施設には該当しない。

2．事業者は、過労の防止を十分考慮して、国土交通大臣が告示で定める基準に従って、事業用自動車の運転者の勤務日数及び乗務距離を定め、当該運転者にこれらを遵守させなければならない。

3．一般貸切旅客自動車運送事業者は、事業用自動車の運行中少なくとも1人の運行管理者が、事業用自動車の運転業務に従事せずに、異常気象、乗務員の体調変化等の発生時、速やかに運行の中止等の判断、指示等を行える体制を整備しなければならない。

4．事業者は、事業計画（路線定期運行を行う一般乗合旅客自動車運送事業者にあっては、事業計画及び運行計画）の遂行に十分な数の事業用自動車の運転者を常時選任しておかなければならない。この場合、事業者（個人タクシー事業者を除く。）は、日日雇い入れられる者、3ヵ月以内の期間を定めて使用される者及び試みの使用期間中の者（14日を超えて引き続き使用されるに至った者を除く。）を当該運転者等として選任してはならない。

令和元年1回

▼

問7　一般旅客自動車運送事業者（以下「事業者」という。）の事業用自動車の運行の安全を確保するために、国土交通省告示等に基づき運転者に対して行わなければならない指導監督及び特定の運転者に対して行わなければならない特別な指導に関する次の記述のうち、<u>誤っているものを1つ選び</u>、解答用紙の該当する欄にマークしなさい。なお、解答にあたっては、各選択肢に記載されている事項以外は考慮しないものとする。（一部改題）

1．事業者は、事故惹起運転者に対する特別な指導については、当該交通事故を引き起こした後、再度事業用自動車に乗務する前に実施すること。ただし、やむを得ない事情がある場合には、再度事業用自動車に乗務を開始した後1ヵ月以内に実施すること。なお、外部の専門的機関における指導講習を受講する予定である場合は、この限りでない。

2．事業用自動車の運転者は、乗務を終了したときは、交替する運転者に対し、乗務中の事業用自動車、道路及び運行状況について通告すること。この場合において、乗務する運転者は、当該事業用自動車の制動装置、走行装置その他の重要な部分の機能について点検をすること。

3．一般貸切旅客自動車運送事業者は、初任運転者以外の者であって、直近1年間に当該事業者において運転の経験（実技の指導を受けた経験を含む。）のある貸切バスより大型の車種区分の貸切バスに乗務しようとする運転者（準初任運転者）に対して、当該大型の車種区分の貸切バスに乗務する前に所定の特別な指導を実施すること。

4．事業者は、法令に基づき事業用自動車の常時選任する運転者その他事業用自動車の運転者を新たに雇い入れた場合には、当該運転者について、自動車安全運転センターが交付する無事故・無違反証明書又は運転記録証明書等により、事故歴を把握し、事故惹起運転者に該当するか否かを確認すること。また、確認の結果、当該運転者が事故惹起運転者に該当した場合であって、特別な指導を受けていない場合には、特別な指導を実施すること。

問 8　一般旅客自動車運送事業者（以下「事業者」という。）の運行管理者の選任等に関する次の記述のうち、<u>誤っているもの</u>を 1 つ選び、解答用紙の該当する欄にマークしなさい。なお、解答にあたっては、各選択肢に記載されている事項以外は考慮しないものとする。

1．一般貸切旅客自動車運送事業者は、事業用自動車 40 両を管理する営業所においては、3 人以上の運行管理者を選任しなければならない。

2．事業者は、法令に規定する運行管理者資格者証を有する者又は国土交通大臣の認定を受けた基礎講習を修了した者のうちから、運行管理者の業務を補助させるための者（補助者）を選任することができる。ただし、法令の規定により運行管理者資格者証の返納を命ぜられ、その日から 5 年を経過しない者は、補助者に選任することができない。

3．運行管理者の補助者が行う補助業務は、運行管理者の指導及び監督のもと行われるものであり、補助者が行う点呼において、疾病、疲労、睡眠不足等により安全な運転をすることができないおそれがあることが確認された場合には、直ちに運行管理者に報告を行い、運行の可否の決定等について指示を仰ぎ、その結果に基づき運転者に対し指示を行わなければならない。

4．事業者は、新たに選任した運行管理者に、選任届出をした日の属する年度（やむを得ない理由がある場合にあっては、当該年度の翌年度）に基礎講習又は一般講習を受講させなければならない。ただし、他の事業者において運行管理者として選任されていた者にあっては、この限りでない。

令和元年 1 回

2. 道路運送車両法関係

問9　自動車の登録等についての次の記述のうち、<u>誤っているものを1つ</u>選び、解答用紙の該当する欄にマークしなさい。なお、解答にあたっては、各選択肢に記載されている事項以外は考慮しないものとする。

1．登録自動車の所有者は、当該自動車の使用者が道路運送車両法の規定により自動車の使用の停止を命ぜられ、同法の規定により自動車検査証を返納したときは、その事由があった日から30日以内に、当該自動車登録番号標及び封印を取りはずし、自動車登録番号標について国土交通大臣に届け出なければならない。

2．自動車は、自動車登録番号標を国土交通省令で定める位置に、かつ、被覆しないことその他当該自動車登録番号標に記載された自動車登録番号の識別に支障が生じないものとして国土交通省令で定める方法により表示しなければ、運行の用に供してはならない。

3．道路運送車両法に規定する自動車の種別は、自動車の大きさ及び構造並びに原動機の種類及び総排気量又は定格出力を基準として定められ、その別は、普通自動車、小型自動車、軽自動車、大型特殊自動車、小型特殊自動車である。

4．登録自動車について所有者の変更があったときは、新所有者は、その事由があった日から15日以内に、国土交通大臣の行う移転登録の申請をしなければならない。

▼

問 10　自動車の検査等についての次の記述のうち、正しいものを２つ選び、解答用紙の該当する欄にマークしなさい。なお、解答にあたっては、各選択肢に記載されている事項以外は考慮しないものとする。（一部改題）

１．自動車に表示されている検査標章には、当該自動車の自動車検査証の有効期間の満了する時期が表示されている。

２．自動車の使用者は、自動車の長さ、幅又は高さを変更したときは、道路運送車両法で定める場合を除き、その事由があった日から 30 日以内に、当該変更について、国土交通大臣が行う自動車検査証の変更記録を受けなければならない。

３．自動車検査証の有効期間の起算日については、自動車検査証の有効期間が満了する日の２ヵ月前（離島に使用の本拠の位置を有する自動車を除く。）から当該期間が満了する日までの間に継続検査を行い、当該自動車検査証に有効期間を記録する場合は、当該自動車検査証の有効期間が満了する日の翌日とする。

４．車両総重量８トン以上又は乗車定員 30 人以上の自動車の使用者は、スペアタイヤの取付状態等について、３ヵ月ごとに国土交通省令で定める技術上の基準により自動車を点検しなければならない。

令和元年１回

問11 道路運送車両法に定める自動車の点検整備等に関する次の文中、A、B、C、D に入るべき字句としていずれか正しいものを 1 つ選び、解答用紙の該当する欄にマークしなさい。

1. 自動車運送事業の用に供する自動車の使用者又は当該自動車を運行する者は、　A　、その運行の開始前において、国土交通省令で定める技術上の基準により、自動車を点検しなければならない。

2. 自動車運送事業の用に供する自動車の使用者は、　B　ごとに国土交通省令で定める技術上の基準により、自動車を点検しなければならない。

3. 自動車の使用者は、自動車の点検及び整備等に関する事項を処理させるため、車両総重量8トン以上の自動車その他の国土交通省令で定める自動車であって国土交通省令で定める台数以上のものの使用の本拠ごとに、自動車の点検及び整備に関する実務の経験その他について国土交通省令で定める一定の要件を備える者のうちから、　C　を選任しなければならない。

4. 地方運輸局長は、自動車の使用者が道路運送車両法第54条（整備命令等）の規定による命令又は指示に従わない場合において、当該自動車が道路運送車両の保安基準に適合しない状態にあるときは、当該自動車の　D　することができる。

A　1. 1日1回　　　　2. 必要に応じて
B　1. 3ヵ月　　　　2. 6ヵ月
C　1. 安全運転管理者　2. 整備管理者
D　1. 経路を制限　　2. 使用を停止

問 12　道路運送車両の保安基準及びその細目を定める告示についての次の記述のうち、誤っているものを 1 つ選び、解答用紙の該当する欄にマークしなさい。なお、解答にあたっては、各選択肢に記載されている事項以外は考慮しないものとする。

1．路線を定めて定期に運行する一般乗合旅客自動車運送事業用自動車に備える旅客が乗降中であることを後方に表示する電光表示器には、点滅する灯火又は光度が増減する灯火を備えることができる。

2．自動車に備えなければならない後写鏡は、取付部付近の自動車の最外側より突出している部分の最下部が地上 2.0 メートル以下のものは、当該部分が歩行者等に接触した場合に衝撃を緩衝できる構造でなければならない。

3．自動車に備えなければならない非常信号用具は、夜間 200 メートルの距離から確認できる赤色の灯光を発するものでなければならない。

4．もっぱら小学校、中学校、幼稚園等に通う児童、生徒又は幼児の運送を目的とする自動車（乗車定員 11 人以上のものに限る。）の車体の前面、後面及び両側面には、告示で定めるところにより、これらの者の運送を目的とする自動車である旨の表示をしなければならない。

令和元年1回

3. 道路交通法関係

問 13 道路交通法に照らし、次の記述のうち、<u>正しいものを 1 つ選び</u>、解答用紙の該当する欄にマークしなさい。なお、解答にあたっては、各選択肢に記載されている事項以外は考慮しないものとする。

1. 路側帯とは、歩行者及び自転車の通行の用に供するため、歩道の設けられていない道路又は道路の歩道の設けられていない側の路端寄りに設けられた帯状の道路の部分で、道路標示によって区画されたものをいう。

2. 車両は、道路の中央から左の部分の幅員が 6 メートルに満たない道路において、他の車両を追い越そうとするとき（道路の中央から右の部分を見とおすことができ、かつ、反対の方向からの交通を妨げるおそれがない場合に限るものとし、道路標識等により追越しのため道路の中央から右の部分にはみ出して通行することが禁止されている場合を除く。）は、道路の中央から右の部分にその全部又は一部をはみ出して通行することができる。

3. 自動車を運転する場合において、下図の標識が表示されている自動車は、肢体不自由である者が運転していることを示しているので、危険防止のためやむを得ない場合を除き、進行している当該表示自動車の側方に幅寄せをしてはならない。

 道路交通法施行規則で定める様式
縁の色彩は白色
マークの色彩は黄色
地の部分の色彩は緑色

4. 高齢運転者等専用時間制限駐車区間においては、高齢運転者等標章自動車以外の車両であっても、空いている場合は駐車できる。

▼

問14　道路交通法に定める停車及び駐車を禁止する場所についての次の文中、A、B、C、Dに入るべき字句を<u>下の枠内の選択肢（①〜③）から選び</u>、解答用紙の該当する欄にマークしなさい。なお、各選択肢は、法令の規定若しくは警察官の命令により、又は危険を防止するため一時停止する場合には当たらないものとする。また、解答にあたっては、各選択肢に記載されている事項以外は考慮しないものとする。（一部改題）

1．車両は、交差点の側端又は道路の曲がり角から　A　以内の道路の部分においては、停車し、又は駐車してはならない。

2．車両は、横断歩道又は自転車横断帯の前後の側端からそれぞれ前後に　B　以内の道路の部分においては、停車し、又は駐車してはならない。

3．車両は、安全地帯が設けられている道路の当該安全地帯の左側の部分及び当該部分の前後の側端からそれぞれ前後に　C　以内の道路の部分においては、停車し、又は駐車してはならない。

4．車両は、踏切の前後の側端からそれぞれ前後に　D　以内の部分においては、停車し、又は駐車してはならない。

| ①3メートル | ②5メートル | ③10メートル |

令和元年1回

問15 道路交通法に定める第一種免許の自動車免許の自動車の種類等について、次の記述のうち、正しいものを2つ選び、解答用紙の該当する欄にマークしなさい。なお、解答にあたっては、各選択肢に記載されている事項以外は考慮しないものとする。

1. 大型免許を受けた者であって、21歳以上かつ普通免許を受けていた期間（当該免許の効力が停止されていた期間を除く。）が通算して3年以上のものは、車両総重量が11,000キログラム以上のもの、最大積載量が6,500キログラム以上のもの又は乗車定員が30人以上の大型自動車を運転することができる。

2. 中型免許を受けた者であって、21歳以上かつ普通免許を受けていた期間（当該免許の効力が停止されていた期間を除く。）が通算して3年以上のものは、車両総重量が7,500キログラム以上11,000キログラム未満のもの、最大積載量が4,500キログラム以上6,500キログラム未満のもの又は乗車定員が30人の中型自動車を運転することができる。

3. 運転免許証の有効期間の更新期間は、道路交通法第101条の2第1項に規定する場合を除き、更新を受けようとする者の当該免許証の有効期間が満了する日の直前のその者の誕生日の1ヵ月前から当該免許証の有効期間が満了する日までの間である。

4. 運転免許証の有効期間については、優良運転者であって更新日における年齢が70歳未満の者にあっては5年、70歳以上の者にあっては3年である。

問16 道路交通法に定める徐行及び一時停止についての次の記述のうち、<u>誤っているものを1つ</u>選び、解答用紙の該当する欄にマークしなさい。なお、解答にあたっては、各選択肢に記載されている事項以外は考慮しないものとする。

1．交差点又はその附近において、緊急自動車が接近してきたときは、車両（緊急自動車を除く。）は、交差点を避け、かつ、道路の左側（一方通行となっている道路においてその左側に寄ることが緊急自動車の通行を妨げることとなる場合にあっては、道路の右側）に寄って一時停止しなければならない。

2．車両等は、道路のまがりかど附近、上り坂の頂上附近又は勾配の急な上り坂及び下り坂を通行するときは、徐行しなければならない。

3．車両等は、横断歩道に接近する場合には、当該横断歩道を通過する際に当該横断歩道によりその進路の前方を横断しようとする歩行者又は自転車がないことが明らかな場合を除き、当該横断歩道の直前で停止することができるような速度で進行しなければならない。

4．車両は、環状交差点において左折し、又は右折するときは、あらかじめその前からできる限り道路の左側端に寄り、かつ、できる限り環状交差点の側端に沿って（道路標識等により通行すべき部分が指定されているときは、その指定された部分を通行して）徐行しなければならない。

令和元年1回

問 17 道路交通法に定める自動車の運転者の遵守事項及び故障等の場合の措置に関する次の記述のうち、<u>正しいものを２つ選び</u>、解答用紙の該当する欄にマークしなさい。なお、解答にあたっては、各選択肢に記載されている事項以外は考慮しないものとする。（一部改題）

１．車両等の運転者は、児童、幼児等の乗降のため、道路運送車両の保安基準に関する規定に定める非常点滅表示灯をつけて停車している通学通園バスの側方を通過するときは、できる限り安全な速度と方法で進行しなければならない。

２．自動車の運転者は、故障その他の理由により高速自動車国道等の本線車道若しくはこれに接する加速車線、減速車線若しくは登坂車線又はこれらに接する路肩若しくは路側帯において当該自動車を運転することができなくなったときは、道路交通法施行令で定めるところにより、停止表示器材を後方から進行してくる自動車の運転者が見やすい位置に置いて、当該自動車が故障その他の理由により停止しているものであることを表示しなければならない。

３．運転免許（仮運転免許を除く。）を受けた者が自動車等の運転に関し、当該自動車等の交通による人の死傷があった場合において、道路交通法第72条第1項前段の規定（交通事故があったときは、直ちに車両等の運転を停止して、負傷者を救護し、道路における危険を防止する等必要な措置を講じなければならない。）に違反したときは、その者が当該違反をしたときにおけるその者の住所地を管轄する都道府県公安委員会は、その者の運転免許を取り消すことができる。

４．車両等の運転者は、身体障害者用の車が通行しているときは、その側方を離れて走行し、車の通行を妨げないようにしなければならない。

4.　労働基準法関係

問 18　労働基準法（以下「法」という。）に定める労働契約に関する次の
　　　記述のうち、<u>正しいものを 2 つ選び</u>、解答用紙の該当する欄にマー
　　　クしなさい。なお、解答にあたっては、各選択肢に記載されている事
　　　項以外は考慮しないものとする。

1．使用者は、労働者を解雇しようとする場合においては、少くとも 30 日
　　前にその予告をしなければならない。30 日前に予告をしない使用者は、
　　30 日分以上の平均賃金を支払わなければならない。ただし、天災事変そ
　　の他やむを得ない事由のために事業の継続が不可能となった場合又は労
　　働者の責に帰すべき事由に基いて解雇する場合においては、この限りで
　　ない。

2．試の使用期間中の者に該当する労働者については、法第 20 条の解雇の
　　予告の規定は適用しない。ただし、当該者が 1 ヵ月を超えて引き続き使
　　用されるに至った場合においては、この限りでない。

3．労働契約は、期間の定めのないものを除き、一定の事業の完了に必要な
　　期間を定めるもののほかは、3 年（法第 14 条（契約期間等）第 1 項各号
　　のいずれかに該当する労働契約にあっては、5 年）を超える期間について
　　締結してはならない。

4．労働者は、労働契約の締結に際し使用者から明示された賃金、労働時間
　　その他の労働条件が事実と相違する場合においては、少くとも 30 日前に
　　使用者に予告したうえで、当該労働契約を解除することができる。

令和元年 1 回

問 19 労働基準法に定める労働時間及び休日等に関する次の記述のうち、誤っているものを 1 つ選び、解答用紙の該当する欄にマークしなさい。なお、解答にあたっては、各選択肢に記載されている事項以外は考慮しないものとする。

1. 労働時間は、事業場を異にする場合においても、労働時間に関する規定の適用については通算する。

2. 使用者は、労働時間が 6 時間を超える場合においては少くとも 30 分、8 時間を超える場合においては少くとも 45 分の休憩時間を労働時間の途中に与えなければならない。

3. 使用者は、労働者に対して、毎週少くとも 1 回の休日を与えなければならない。ただし、この規定は、4 週間を通じ 4 日以上の休日を与える使用者については適用しない。

4. 使用者は、その雇入れの日から起算して 6 ヵ月間継続勤務し全労働日の 8 割以上出勤した労働者に対して、継続し、又は分割した 10 労働日の有給休暇を与えなければならない。

▼

問20　「自動車運転者の労働時間等の改善のための基準」に定める一般乗
　　　用旅客自動車運送事業に従事する自動車運転者（隔日勤務に就く運転
　　　者及びハイヤーに乗務する運転者以外のもの。）の拘束時間及び休息
　　　期間についての次の文中、A、B、C に入るべき字句として<u>いずれか
　　　正しいものを1つ選び</u>、解答用紙の該当する欄にマークしなさい。（一
　　　部改題）

　　　1日（始業時刻から起算して24時間をいう。以下同じ。）について
　の拘束時間は、13時間を超えないものとし、当該拘束時間を延長する
　場合であっても、1日についての拘束時間の限度（最大拘束時間）は、
　　 A 　 とすること。ただし、車庫待ち等の自動車運転者について、次に
　掲げる要件を満たす場合には、この限りでない。

イ　勤務終了後、継続 　 B 　 以上の休息期間を与えること。
ロ　1日についての拘束時間が16時間を超える回数が、1ヵ月について7回
　以内であること。
ハ　1日についての拘束時間が 　 C 　 を超える場合には、夜間4時間以上
　の仮眠時間を与えること。
ニ　1回の勤務における拘束時間が、24時間を超えないこと。

A　1.　15時間　　　2.　16時間
B　1.　8時間　　　2.　20時間
C　1.　18時間　　　2.　20時間

問21 「自動車運転者の労働時間等の改善のための基準」に関する次の記述のうち、<u>正しいものを2つ</u>選び、解答用紙の該当する欄にマークしなさい。なお、解答にあたっては、各選択肢に記載されている事項以外は考慮しないものとする。（一部改題）

1．使用者は、バス運転者等の拘束時間は、4週間を平均し1週間当たり65時間を超えず、かつ、52週間について3,300時間を超えないものとすること。ただし、貸切バス等乗務者の拘束時間は、労使協定により、52週間のうち24週間までは4週間を平均し1週間当たり68時間まで延長することができ、かつ、52週間について3,400時間まで延長することができる。

2．使用者は、業務の必要上、バス運転者等に勤務の終了後継続9時間以上の休息期間を与えることが困難な場合、当分の間、一定期間（1ヵ月を限度とする。）における全勤務回数の3分の2を限度に、休息期間を拘束時間の途中及び拘束時間の経過直後の2回に分割して与えることができるものとする。この場合において、分割された休息期間は、1日において1回当たり継続4時間以上、合計11時間以上でなければならないものとする。

3．使用者は、バス運転者等が同時に1台の自動車に2人以上乗務する場合であって、車両内に身体を伸ばして休息することができる設備がある場合は、次に掲げるところにより、最大拘束時間を延長し、休息期間を短縮することができる。

　　イ　当該設備がバス運転者等の専用の座席であり、かつ、厚生労働省労働基準局長が定める要件を満たす場合は、最大拘束時間を19時間まで延長し、休息期間を5時間まで短縮することができるものとする。

　　ロ　当該設備としてベッドが設けられている場合その他バス運転者等の休息のための措置として厚生労働省労働基準局長が定める措置が講じられている場合は、最大拘束時間を20時間まで延長し、休息期間を4時間まで短縮することができるものとする。

4．使用者は、業務の必要上やむを得ない場合には、当分の間、2暦日につ

いての拘束時間が 26 時間を超えず、かつ、勤務終了後、継続 20 時間以上の休息期間を与える場合に限り、バス運転者等を隔日勤務に就かせることができる。

▼

問 22　下図は、バス運転者等の 5 日間の勤務状況の例を示したものであるが、次の 1 〜 4 の拘束時間のうち、「自動車運転者の労働時間等の改善のための基準」における 1 日についての拘束時間として、<u>正しい</u><u>もの</u>を 1 つ選び、解答用紙の該当する欄にマークしなさい。（一部改題）

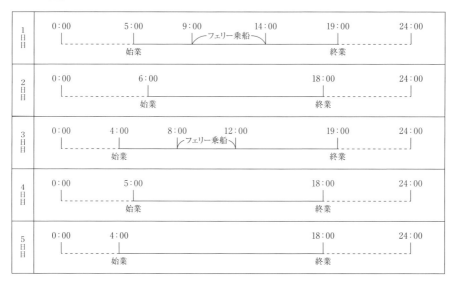

1. 1 日目：12 時間　　2 日目：12 時間　　3 日目：13 時間　　4 日目：13 時間
2. 1 日目： 9 時間　　2 日目：14 時間　　3 日目：11 時間　　4 日目：14 時間
3. 1 日目：11 時間　　2 日目：14 時間　　3 日目：13 時間　　4 日目：14 時間
4. 1 日目：12 時間　　2 日目：14 時間　　3 日目：13 時間　　4 日目：14 時間

問 23　下表は、貸切バスの運転者の 52 週間における各 4 週間を平均した 1 週間当たりの運転時間の例を示したものであるが、このうち、「自動車運転者の労働時間等の改善のための基準」に適合しているものを 1 つ選び、解答用紙の該当する欄にマークしなさい。ただし、「4 週間を平均し 1 週間当たりの運転時間の延長に関する労使協定」があるものとする。

1.

	1 週～4 週	5 週～8 週	9 週～12 週	13 週～16 週	17 週～20 週	21 週～24 週	25 週～28 週	29 週～32 週	33 週～36 週	37 週～40 週	41 週～44 週	45 週～48 週	49 週～52 週	52 週間の運転時間
4 週間を平均した 1 週間当たりの運転時間	38	35	40	46	44	43	38	35	40	44	36	40	40	2,076

2.

	1 週～4 週	5 週～8 週	9 週～12 週	13 週～16 週	17 週～20 週	21 週～24 週	25 週～28 週	29 週～32 週	33 週～36 週	37 週～40 週	41 週～44 週	45 週～48 週	49 週～52 週	52 週間の運転時間
4 週間を平均した 1 週間当たりの運転時間	39	40	39	41	43	40	39	38	40	44	38	39	41	2,084

3.

	1 週～4 週	5 週～8 週	9 週～12 週	13 週～16 週	17 週～20 週	21 週～24 週	25 週～28 週	29 週～32 週	33 週～36 週	37 週～40 週	41 週～44 週	45 週～48 週	49 週～52 週	52 週間の運転時間
4 週間を平均した 1 週間当たりの運転時間	35	40	39	43	41	42	39	37	40	43	36	40	41	2,064

4.

	1 週～4 週	5 週～8 週	9 週～12 週	13 週～16 週	17 週～20 週	21 週～24 週	25 週～28 週	29 週～32 週	33 週～36 週	37 週～40 週	41 週～44 週	45 週～48 週	49 週～52 週	52 週間の運転時間
4 週間を平均した 1 週間当たりの運転時間	37	38	40	42	40	44	38	38	41	44	37	39	40	2,072

5. 実務上の知識及び能力

▼
問24　点呼の実施等に関する次の記述のうち、適切なものには解答用紙の「適」の欄に、適切でないものには解答用紙の「不適」の欄にマークしなさい。なお、解答にあたっては、各選択肢に記載されている事項以外は考慮しないものとする。（一部改題）

1．A営業所においては、運行管理者は昼間のみの勤務体制となっている。しかし、運行管理者が不在となる時間帯の点呼が当該営業所における点呼の総回数の7割を超えていることから、その時間帯における点呼については、事業者が選任した複数の運行管理者の補助者に実施させている。

2．運行管理者は、業務開始前及び業務終了後の運転者等に対し、原則、対面により、又は対面による点呼と同等の効果を有するものとして国土交通大臣が定める方法（運行上やむを得ない場合は電話その他の方法。）により点呼を実施しなければならないが、遠隔地で業務が開始又は終了する場合、車庫と営業所が離れている場合、又は運転者等の出庫・帰庫が早朝・深夜であり、点呼を行う運行管理者が営業所に出勤していない場合等、運行上やむを得ないときには、電話、その他の方法で行っている。

3．業務後の点呼において、業務を終了した運転者等からの当該業務に係る事業用自動車、道路及び運行の状況についての報告は、特に異常がない場合には運転者から求めないこととしており、点呼記録表に「異常なし」と記録している。

4．業務従事前の点呼においてアルコール検知器を使用するのは、身体に保有している酒気帯びの有無を確認するためのものであり、道路交通法施行令で定める呼気中のアルコール濃度1リットル当たり0.15ミリグラム以上であるか否かを判定するためのものではない。

問25　旅客自動車運送事業者が事業用自動車の運転者に対して行う指導・監督に関する次の記述のうち、**適切なものをすべて選び**、解答用紙の該当する欄にマークしなさい。なお、解答にあたっては、各選択肢に記載されている事項以外は考慮しないものとする。

1．他の自動車に追従して走行するときは、常に「秒」の意識をもって自車の速度と制動距離（ブレーキが効きはじめてから止まるまでに走った距離）に留意し、前車への追突の危険が発生した場合でも安全に停止できるよう、制動距離と同程度の車間距離を保って運転するよう指導している。

2．道路上におけるバスの乗客の荷物の落下は、事故を誘発するおそれがあることから、運行管理者は運転者に対し、バスを出発させる時には、トランクルームの扉が完全に閉まった状態であり、かつ、確実に施錠されていることを確認するなど、乗客の荷物等積載物の転落を防止するための措置を講ずるよう指導している。

3．運転者の目は、車の速度が速いほど、周辺の景色が視界から消え、物の形を正確に捉えることができなくなるため、周辺の危険要因の発見が遅れ、事故につながるおそれが高まることを理解させるよう指導している。

4．飲酒により体内に摂取されたアルコールを処理するために必要な時間の目安については、個人差はあるが、例えばビール500ミリリットル（アルコール5％）の場合、概ね4時間とされている。事業者は、これらを参考に、社内教育の中で酒気帯び運転防止の観点から飲酒が運転に及ぼす影響等について指導を行っている。

問 26　事業用自動車の運転者の健康管理に関する次の記述のうち、適切な
　　　　ものには解答用紙の「適」の欄に、適切でないものには解答用紙の「不
　　　　適」の欄にマークしなさい。なお、解答にあたっては、各選択肢に記
　　　　載されている事項以外は考慮しないものとする。

1．事業者は、脳血管疾患の予防のため、運転者の健康状態や疾患につなが
　る生活習慣の適切な把握・管理に努めるとともに、脳血管疾患は法令に
　より義務づけられている定期健康診断において容易に発見することがで
　きることから、運転者に確実に受診させている。

2．事業者は、日頃から運転者の健康状態を把握し、点呼において、意識の
　異常、目の異常、めまい、頭痛、言葉の異常、手足の異常等の申告又は
　その症状が見られたら、脳血管疾患の初期症状とも考えられるためすぐ
　に専門医療機関で受診させるよう対応する。

3．事業者は、深夜業(22時～5時)を含む業務に常時従事する運転者に対し、
　法令に定める定期健康診断を 6 ヵ月以内ごとに 1 回、必ず、定期的に受
　診させるようにしている。

4．平成 29 年中のすべての事業用自動車の乗務員に起因する重大事故報告
　件数は約 2,000 件であり、このうち、運転者の健康状態に起因する事故件
　数は約 300 件となっている。病名別に見てみると、心筋梗塞等の心臓疾
　患と脳血管疾患等の脳疾患が多く発生している。

令和元年1回

問27 交通事故防止対策に関する次の記述のうち、適切なものには解答用紙の「適」の欄に、適切でないものには解答用紙の「不適」の欄にマークしなさい。なお、解答にあたっては、各選択肢に記載されている事項以外は考慮しないものとする。

1. 交通事故は、そのほとんどが運転者等のヒューマンエラーにより発生するものである。したがって、事故惹起運転者の社内処分及び再教育に特化した対策を講ずることが、交通事故の再発を未然に防止するには最も有効である。そのためには、発生した事故の調査や事故原因の分析よりも、事故惹起運転者及び運行管理者に対する特別講習を確実に受講させる等、ヒューマンエラーの再発防止を中心とした対策に努めるべきである。

2. ドライブレコーダーは、事故時の映像だけでなく、運転者のブレーキ操作やハンドル操作などの運転状況を記録し、解析することにより運転のクセ等を読み取ることができるものがあり、運行管理者が行う運転者の安全運転の指導に活用されている。

3. いわゆるヒヤリ・ハットとは、運転者が運転中に他の自動車等と衝突又は接触するおそれなどがあったと認識した状態をいい、1件の重大な事故（死亡・重傷事故等）が発生する背景には多くのヒヤリ・ハットがあるとされており、このヒヤリ・ハットを調査し減少させていくことは、交通事故防止対策に有効な手段となっている。

4. 平成29年中に発生したハイヤー・タクシーが第1当事者となった人身事故の類型別発生状況をみると、「追突」は「出合い頭衝突」と同程度に多く、全体の約2割を占めている。追突事故を防止するためには、適正な車間距離の確保や前方不注意の危険性等に関する指導を徹底することが重要である。

問 28　交通事故及び緊急事態が発生した場合における事業用自動車の運行管理者又は運転者の措置に関する次の記述のうち、適切なものには解答用紙の「適」の欄に、適切でないものには解答用紙の「不適」の欄にマークしなさい。なお、解答にあたっては、各選択肢に記載されている事項以外は考慮しないものとする。

1．貸切バスが観光目的地に向かうため運行中、当該バスの運転者から、営業所の運行管理者に対し、「現在走行している地域の天候が急変し、集中豪雨のため、視界も悪くなってきたので、一時運転を中断している。」との連絡があった。連絡を受けた運行管理者は、「営業所と中断場所とは天候が異なり判断できないので、今後の運行する経路については土砂災害が発生しそうな地域を避け運転者自ら判断し運行するよう」指示した。

2．乗合バスが乗客を乗せて運行中、後続の自動車に追突され、乗客数名が重軽傷を負う事故が発生した。当該バスの運転者は、事故発生時にとるべき措置を講じた後、営業所の運行管理者に、事故の発生及び被害の状況等について連絡した。連絡を受けた運行管理者は、自社の規程に基づき、運転者から事故の状況及び乗客の状態等を確認し、負傷者の家族に連絡するとともに、負傷しなかった当該バスの乗客の意向を踏まえ、乗客を出発地まで送還するための代替バスを運行させた。

3．運転者は、交通事故を起こしたので、二次的な事故を防ぐため、事故車両を安全な場所に移動させるとともに、ハザードランプの点灯、発炎筒の着火、停止表示器材の設置により他の自動車に事故の発生を知らせるなど、安全に留意しながら道路における危険防止の措置をとった。

4．貸切バスの運転者が営業所に戻るため回送で運行中、踏切にさしかかりその直前で一旦停止した。踏切を渡った先の道路は混んでいるが、前の車両が前進すれば通過できると判断し踏切に進入したところ、車両の後方部分を踏切内に残し停車した。その後、踏切の警報機が鳴り、遮断機が下り始めたが、前方車両が動き出したため遮断機と接触することなく通過することができた。

令和元年1回

問29　貸切バス事業の営業所の運行管理者は、旅行会社から運送依頼を受けて、次のとおり運行の計画を立てた。国土交通省で定めた「貸切バスの交替運転者の配置基準」（以下「配置基準」という。）等に照らし、この計画を立てた運行管理者の判断等に関する1〜3の記述について、<u>正しいものをすべて選び、</u>解答用紙の該当する欄にマークしなさい。なお、解答にあたっては、＜運行の計画＞及び各選択肢に記載されている事項以外は考慮しないものとする。（一部改題）

（旅行会社の依頼事項）

　　ハイキングツアー客（以下「乗客」という。）39名を乗せ、A地点を23時50分に出発し、D目的地に翌日の4時50分までに到着する。その後、E目的地を13時40分に出発し、G地点に19時30分までに到着する。

＜運行の計画＞

ア　デジタル式運行記録計を装着した乗車定員45名の貸切バスを使用する。運転者は1人乗務とする。

イ　当該運転者は、本運行の開始前10時間の休息をとった後、始業時刻である23時00分に業務前点呼を受け、点呼後23時20分に営業所を出発する。A地点において乗客を乗せた後23時50分にD目的地に向け出発する。途中の高速自動車国道（法令による最低速度を定めない本線車道に該当しないもの。以下「高速道路」という。）のパーキングエリアにて、2回の休憩をとり業務途中点呼後に、D目的地には翌日の4時25分に到着する。

　　乗客を降ろした後、指定された宿泊所に向かい、当該宿泊所において電話による業務後点呼を受けた後、4時55分に往路の業務を終了する。

　　運転者は、同宿泊所において8時間05分休息する。

ウ　13時00分に同宿泊所において電話による業務前点呼を受け、13時10分に出発する。E目的地において乗客を乗せた後13時40分にG地点に

214

向け出発する。復路も高速道路等を運転し、2回の休憩をはさみ、G地点には19時10分に到着する。

乗客を降ろした後、19時40分に営業所に帰庫し、業務後点呼の後、20時00分に終業する。当該運転者は、翌日は休日とする。

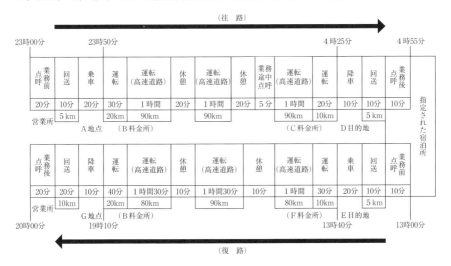

1. 当該運行計画の1日における実車距離は、配置基準に定める限度に違反していないと判断したこと。

2. 1日における運転時間は、配置基準に定める限度に違反していないと判断したこと。

3. 往路運行の実車運行区間の途中における休憩の確保は、配置基準に定める限度に違反していないと判断したこと。

令和元年1回

問30　運行管理者が運転者に対して実施する危険予知訓練に関する次の記述において、問題に示す【交通場面の状況等】を前提に、危険要因などを記載した表中の A、B に最もふさわしいものを【運転者が予知すべき危険要因の例】の①〜⑤の中から、また、C、D に最もふさわしいものを【運行管理者による指導事項】の⑥〜⑩の中からそれぞれ１つ選び、解答用紙の該当する欄にマークしなさい。

【交通場面の状況等】

・信号機のある交差点を右折しようとしている。 ・右折先の道路に駐車車両があり、その陰に歩行者が見える。 ・対向直進車が接近している。	・制限速度：時速60キロ ・路　　面：乾燥 ・天　　候：晴 ・車　　両：乗合バス ・乗　　客：15名 ・運　転　者：年齢58歳 ・運転経験：30年

運転者が予知すべき危険要因の例	運行管理者による指導事項
対向車が交差点に接近しており、このまま右折をしていくと対向車と衝突する危険がある。	C
A	右折の際は、横断歩道の状況を確認し、特に横断歩道の右側から渡ってくる自転車等を見落としやすいので意識して確認をすること。
右折していく道路の先に駐車車両の陰に歩行者が見えるが、この歩行者が横断してくるとはねる危険がある。	D
B	対向車が通過後、対向車の後方から走行してくる二輪車等と衝突する危険があるため、周辺の交通状況をよく見て安全を確認してから右折すること。

【運転者が予知すべき危険要因の例】

① 右折時の内輪差による二輪車・原動機付自転車などの巻き込みの危険がある。

② 横断歩道の右側から自転車又は歩行者が横断歩道を渡ってくることが考えられ、このまま右折をしていくと衝突する危険がある。

③ 車幅が広いため、右折する交差点で対向車線へはみ出して衝突する危険がある。

④ 右折時に対向車の死角に隠れた二輪車・原動機付自転車を見落とし、対向車が通過直後に右折すると衝突する危険がある。

⑤ 急停止すると乗客が転倒するなど車内事故の危険がある。

【運行管理者による指導事項】

⑥ 対向車の速度が遅い時などは、交差点をすばやく右折し、自転車横断帯の自転車との衝突の危険を避けること。

⑦ スピードを十分落として交差点に進入すること。

⑧ 対向車があるときは無理をせず、対向車の通過を待ち、左右の安全を確認してから右折をすること。

令和元年1回

⑨　交差点に接近したときは、特に前車との車間距離を十分にとり、信号や前車の動向に注意しながら走行すること。

⑩　交差点内だけでなく、交差点の右折した先の状況にも十分注意を払い走行すること。

平成30年度 第2回

運行管理者試験問題
〈旅客〉

●試験時間 13：15～14：45（制限時間90分）

● P.294の解答用紙をコピーしてお使いください。
　答え合わせに便利な正答一覧は別冊P.130

	受験者数（人）	合格者数（人）	合格率（％）
令和 4 年度　第2回	4,675	1,651	35.3
令和 4 年度　第1回	5,403	2,167	40.1
令和 3 年度　第2回	5,787	1,999	34.5
令和 3 年度　第1回	6,740	2,196	32.6
令和 2 年度　第2回	7,610	3,604	47.4
令和 2 年度　第1回	9,714	3,026	31.2
令和 元 年度　第1回	8,263	2,624	31.8
★ 平成 30 年度　第2回	7,605	2,868	37.7
平成 30 年度　第1回	8,998	2,856	31.7

1．道路運送法関係

▼
問1　一般旅客自動車運送事業に関する次の記述のうち、誤っているものを１つ選び、解答用紙の該当する欄にマークしなさい。なお、解答にあたっては、各選択肢に記載されている事項以外は考慮しないものとする。（一部改題）

1．一般貸切旅客自動車運送事業者は、輸送の安全を確保するために遵守すべき事項を記載した安全管理規程を定め、法令の規定に定めるところにより、国土交通大臣に届け出なければならない。

2．一般旅客自動車運送事業者（一般乗用旅客自動車運送事業者を除く。）は、国土交通省令で定めるところにより、運賃及び料金並びに運送約款を公示しなければならない。

3．一般旅客自動車運送事業者は、運送約款を定め、又はこれを変更しようとするときは、あらかじめ、その旨を国土交通大臣に届け出なければならない。

4．国土交通大臣は、一般旅客自動車運送事業の許可を受けようとする者が、一般旅客自動車運送事業又は特定旅客自動車運送事業の許可の取消しを受け、その取消しの日から5年を経過していない者（当該許可を取り消された者が法人である場合においては、当該取消しを受けた法人のその処分を受ける原因となった事項が発生した当時現にその法人の業務を執行する役員として在任した者で当該取消しの日から5年を経過していないものを含む。）であるときは、一般旅客自動車運送事業の許可をしてはならない。

問2　道路運送法に定める一般旅客自動車運送事業者の輸送の安全等についての次の文中、A、B、C、D に入るべき字句として<u>いずれか正しいもの</u>を１つ選び、解答用紙の該当する欄にマークしなさい。

1．一般旅客自動車運送事業者は、事業計画（路線定期運行を行う一般乗合旅客自動車運送事業者にあっては、事業計画及び運行計画）の遂行に　A　運転者の確保、事業用自動車の運転者がその休憩又は睡眠のために利用することができる施設の整備、事業用自動車の運転者の適切な勤務時間及び　B　の設定その他の運行の管理その他事業用自動車の運転者の過労運転を防止するために必要な措置を講じなければならない。

2．一般旅客自動車運送事業者は、事業用自動車の運転者が疾病により安全な運転ができないおそれがある状態で事業用自動車を運転することを防止するために必要な　C　に基づく措置を講じなければならない。

3．前2項に規定するもののほか、一般旅客自動車運送事業者は、事業用自動車の運転者、車掌その他旅客又は公衆に接する従業員の適切な指導監督、事業用自動車内における当該事業者の氏名又は名称の掲示その他の旅客に対する適切な情報の提供その他の　D　及び旅客の利便の確保のために必要な事項として国土交通省令で定めるものを遵守しなければならない。

A　1．必要な資格を有する　　2．必要となる員数の
B　1．乗務時間　　　　　　　2．休息期間
C　1．医学的知見　　　　　　2．運行管理規程
D　1．車両の整備　　　　　　2．輸送の安全

問3 次の記述のうち、旅客自動車運送事業者の運行管理者が行わなければならない業務として、<u>正しいものを2つ</u>選び、解答用紙の該当する欄にマークしなさい。なお、解答にあたっては、各選択肢に記載されている事項以外は考慮しないものとする。

1. 一般貸切旅客自動車運送事業において、運転者として新たに雇い入れた者に対して、当該事業用自動車の運転者として選任する前に初任診断（初任運転者のための適性診断として国土交通大臣が認定したもの。）を受診させること。

2. 法令に規定する運行管理者資格者証を有する者又は国土交通大臣が告示で定める運行の管理に関する講習であって国土交通大臣の認定を受けたもの（基礎講習）を修了した者のうちから、運行管理者の業務を補助させるための者（補助者）を選任すること並びにその者に対する指導及び監督を行うこと。

3. 運転者に対し、事故により事業用自動車の運行を中断したときは、当該旅客自動車運送事業者とともに、当該事業用自動車に乗車している旅客のために、運送を継続するか又は出発地まで送還すること、及び旅客を保護することに関して適切な処置をしなければならないことについて、指導及び監督を行うこと。

4. 運行管理者の職務及び権限、統括運行管理者を選任しなければならない営業所にあってはその職務及び権限並びに事業用自動車の運行の安全の確保に関する業務の実行に係る基準に関する規程（運行管理規程）を定めること。

▼

問4　旅客自動車運送事業の事業用自動車の運転者等に対する点呼に関する次の記述のうち、<u>正しいものをすべて選び</u>、解答用紙の該当する欄にマークしなさい。なお、解答にあたっては、各選択肢に記載されている事項以外は考慮しないものとする。（一部改題）

1．業務前の点呼は、対面により、又は対面による点呼と同等の効果を有するものとして国土交通大臣が定める方法（運行上やむを得ない場合は電話その他の方法）により行い、①道路運送車両法の規定による定期点検の実施又はその確認、運転者に対しては、②酒気帯びの有無、③疾病、疲労、睡眠不足その他の理由により安全な運転をすることができないおそれの有無、特定自動運行保安員に対しては、④特定自動運行事業用自動車による運送を行うために必要な自動運行装置の設定の状況に関する確認について報告を求め、及び確認を行い、並びに事業用自動車の運行の安全を確保するために必要な指示を与えなければならない。

2．業務終了後の点呼は、対面により、又は対面による点呼と同等の効果を有するものとして国土交通大臣が定める方法により行い、当該業務に係る事業用自動車、道路及び運行の状況について報告を求め、かつ、運転者に対しては酒気帯びの有無について確認を行わなければならない。この場合において、当該運転者等が他の運転者等と交替した場合にあっては、当該運転者等が交替した運転者等に対して行った法令の規定による通告についても報告を求めなければならない。

3．点呼を行った際に法令の規定により記録しなければならない事項は、運転者等ごとに点呼を行った旨、報告、確認及び指示の内容のほか、①点呼を行った者及び点呼を受けた運転者等の氏名、②点呼の日時である。

4．業務終了後の点呼における運転者の酒気帯びの有無については、当該運転者からの報告と目視等による確認で酒気を帯びていないと判断できる場合は、アルコール検知器を用いての確認は実施する必要はない。

問5 次の自動車事故に関する記述のうち、一般旅客自動車運送事業者が自動車事故報告規則に基づく国土交通大臣への報告を要するものを **2つ** 選び、解答用紙の該当する欄にマークしなさい。なお、解答にあたっては、各選択肢に記載されている事項以外は考慮しないものとする。

1. 大型バスが踏切を通過しようとしたところ、踏切内の施設に衝突して、線路内に車体が残った状態で停止した。ただちに乗務員が踏切非常ボタンを押して鉄道車両との衝突は回避したが、鉄道施設に損傷を与えたため、2時間にわたり本線において鉄道車両の運転を休止させた。

2. 貸切バスが乗客20名を乗せて一般道を目的地に向い走行していたが、カーブでタイヤがスリップし、曲がりきれずに道路から0.6メートル下の空き地に転落した。この事故で、運転者と乗客3名が軽傷を負った。

3. 事業用自動車が走行中、アクセルを踏んでいるものの速度が徐々に落ち、しばらく走行したところでエンジンが停止して走行が不能となった。再度エンジンを始動させようとしたが、燃料装置の故障によりエンジンを再始動させることができず運行ができなくなった。

4. 事業用自動車が左折したところ、左後方から走行してきた自転車を巻き込む事故を起こした。この事故で、当該自転車に乗車していた者に通院による40日間の医師の治療を要する傷害を生じさせた。

▼

問6　旅客自動車運送事業者（以下「事業者」という。）の過労防止等についての法令の定めに関する次の記述のうち、<u>誤っているものを１つ選</u>び、解答用紙の該当する欄にマークしなさい。なお、解答にあたっては、各選択肢に記載されている事項以外は考慮しないものとする。（一部改題）

1. 事業者は、乗務員等が事業用自動車の運行中に疾病、疲労、睡眠不足その他の理由により安全に運行の業務を継続し、又はその補助を継続することができないおそれがあるときは、当該乗務員等に対する必要な指示その他輸送の安全のための措置を講じなければならない。

2. 事業者は、運転者に国土交通大臣が告示で定める基準による１日の勤務時間中に当該運転者の属する営業所で勤務を終了することができない運行を指示する場合は、当該運転者が有効に利用することができるように、勤務を終了する場所の付近の適切な場所に睡眠に必要な施設を整備し、又は確保し、並びにこれらの施設を適切に管理し、及び保守しなければならない。

3. 一般貸切旅客自動車運送事業者は、運転者が長距離運転又は夜間の運転に従事する場合であって、疲労等により安全な運転を継続することができないおそれがあるときは、あらかじめ、交替するための運転者を配置しておかなければならない。

4. 事業者は、乗務員等の生活状況を把握に努め、疾病、疲労、睡眠不足その他の理由により安全に運行の業務を遂行し、又はその補助をすることができないおそれがある乗務員等を事業用自動車の運行の業務に従事させてはならない。

問7 一般旅客自動車運送事業者（以下「事業者」という。）の事業用自動車の運行の安全を確保するために、国土交通省告示に基づき運転者に対して行わなければならない指導監督及び特定の運転者に対して行わなければならない特別な指導に関する次の記述のうち、**誤っているものを1つ選び**、解答用紙の該当する欄にマークしなさい。なお、解答にあたっては、各選択肢に記載されている事項以外は考慮しないものとする。

1. 事業者は、軽傷者（法令で定める傷害を受けた者）を生じた交通事故を引き起こし、かつ、当該事故前の1年間に交通事故を引き起こした運転者に対し、国土交通大臣が告示で定める適性診断であって国土交通大臣の認定を受けたものを受診させること。

2. 一般乗用旅客自動車運送事業者（個人タクシー事業者を除く。）は、運転者として新たに雇い入れた者が当該一般乗用旅客自動車運送事業者の営業区域内において雇入れの日前2年以内に通算90日以上一般乗用旅客自動車運送事業の事業用自動車の運転者であったときは、新たに雇い入れた者に対する特別な指導を行わなくてもよい。

3. 一般貸切旅客自動車運送事業者が貸切バスの運転者に対して行う初任運転者に対する特別な指導は、事業用自動車の安全な運転に関する基本的事項、運行の安全及び旅客の安全を確保するために留意すべき事項等について、10時間以上実施するとともに、安全運転の実技について、20時間以上実施すること。

4. 事業者（個人タクシー事業者を除く。）は、適齢診断（高齢運転者のための適性診断として国土交通大臣が認定したもの。）を運転者が65才に達した日以後1年以内に1回、その後75才に達するまでは3年以内ごとに1回、75才に達した日以後1年以内に1回、その後1年以内ごとに1回受診させること。

問8　次の記述のうち、旅客自動車運送事業者の事業用自動車の運転者が遵守しなければならない事項及び旅客が事業用自動車内でしてはならない行為（事故の場合その他やむを得ない場合を除く。）等として、<u>誤っているものを１つ</u>選び、解答用紙の該当する欄にマークしなさい。なお、解答にあたっては、各選択肢に記載されている事項以外は考慮しないものとする。

1．事業用自動車（乗車定員 11 人以上のものに限る。）の運転者は、旅客の現在する自動車の走行中職務を遂行するために必要な事項以外の事項について話をしてはならない。

2．一般貸切旅客自動車運送事業者の事業用自動車の運転者は、運行中、所定の事項を記載した運行指示書が当該事業用自動車の運行を管理する営業所に備えられ、電話等により必要な指示が行われる場合にあっては、当該運行指示書を携行しなくてもよい。

3．一般貸切旅客自動車運送事業者の事業用自動車の運転者は、夜間において長距離の運行を行うときは、当該乗務の途中において少なくとも一回電話その他の方法による点呼を受け、法令に定めるところにより、報告をしなければならない。

4．一般乗合旅客自動車運送事業者の事業用自動車を利用する旅客は、動物（身体障害者補助犬法による身体障害者補助犬及びこれと同等の能力を有すると認められる犬並びに愛玩用の小動物を除く。）を事業用自動車内に持ち込んではならない。

2. 道路運送車両法関係

問9 自動車の登録等についての次の記述のうち、<u>正しいものを2つ選び</u>、解答用紙の該当する欄にマークしなさい。なお、解答にあたっては、各選択肢に記載されている事項以外は考慮しないものとする。

1. 自動車の所有者は、当該自動車の使用の本拠の位置に変更があったときは、道路運送車両法で定める場合を除き、その事由があった日から30日以内に、国土交通大臣の行う変更登録の申請をしなければならない。

2. 臨時運行の許可を受けた者は、臨時運行許可証の有効期間が満了したときは、その日から15日以内に、当該臨時運行許可証及び臨時運行許可番号標を行政庁に返納しなければならない。

3. 登録自動車の所有者は、当該自動車が滅失し、解体し（整備又は改造のために解体する場合を除く。）、又は自動車の用途を廃止したときは、その事由があった日（使用済自動車の解体である場合には解体報告記録がなされたことを知った日）から15日以内に、永久抹消登録の申請をしなければならない。

4. 登録自動車の所有者は、当該自動車の自動車登録番号標の封印が滅失した場合には、国土交通大臣又は封印取付受託者の行う封印の取付けを受けなければならない。

▼

問 10 自動車の検査等についての次の記述のうち、誤っているものを１つ
　　　選び、解答用紙の該当する欄にマークしなさい。なお、解答にあたっ
　　　ては、各選択肢に記載されている事項以外は考慮しないものとする。
　　　（一部改題）

１．自動車は、指定自動車整備事業者が継続検査の際に交付した有効な保安
　基準適合標章を表示している場合であっても、自動車検査証を備え付け
　なければ、運行の用に供してはならない。

２．自動車の使用者は、継続検査を申請する場合において、道路運送車両法
　第 67 条（自動車検査証記録事項の変更及び構造等変更検査）の規定によ
　る自動車検査証の変更記録の申請をすべき事由があるときは、あらかじ
　め、その申請をしなければならない。

３．国土交通大臣は、一定の地域に使用の本拠の位置を有する自動車の使用
　者が、天災その他やむを得ない事由により、継続検査を受けることがで
　きないと認めるときは、当該地域に使用の本拠の位置を有する自動車の
　自動車検査証の有効期間を、期間を定めて伸長する旨を公示することが
　できる。

４．自動車に表示しなければならない検査標章には、国土交通省令で定める
　ところにより、その交付の際の当該自動車の自動車検査証の有効期間の
　満了する時期を表示するものとする。

問11　道路運送車両法に定める自動車の点検整備等に関する次のア、イ、ウの文中、A、B、C、Dに入るべき字句として<u>いずれか正しいものを1つ選び、解答用紙の該当する欄にマークしなさい。</u>

ア　自動車の　A　は、自動車の点検をし、及び必要に応じ整備をすることにより、当該自動車を道路運送車両の保安基準に適合するように維持しなければならない。

イ　自動車運送事業の用に供する自動車の使用者又は当該自動車を　B　する者は、　C　、その運行の開始前において、国土交通省令で定める技術上の基準により、自動車を点検しなければならない。

ウ　自動車運送事業の用に供する自動車の使用者は、　D　ごとに国土交通省令で定める技術上の基準により、自動車を点検しなければならない。

A　1．所有者　　　　　2．使用者
B　1．運行　　　　　　2．管理
C　1．必要に応じて　　2．1日1回
D　1．3ヵ月　　　　　2．6ヵ月

問 12　道路運送車両の保安基準及びその細目を定める告示についての次の
　　　　記述のうち、誤っているものを 1 つ選び、解答用紙の該当する欄に
　　　　マークしなさい。なお、解答にあたっては、各選択肢に記載されてい
　　　　る事項以外は考慮しないものとする。

1．停止表示器材は、夜間 200 メートルの距離から走行用前照灯で照射した
　場合にその反射光を照射位置から確認できるものであることなど告示で
　定める基準に適合するものでなければならない。

2．自動車（被けん引自動車を除く。）には、警音器の警報音発生装置の音が、
　連続するものであり、かつ、音の大きさ及び音色が一定なものである警
　音器を備えなければならない。

3．自動車（二輪自動車等を除く。）の空気入ゴムタイヤの接地部は滑り止
　めを施したものであり、滑り止めの溝は、空気入ゴムタイヤの接地部の
　全幅にわたり滑り止めのために施されている凹部（サイピング、プラッ
　トフォーム及びウエア・インジケータの部分を除く。）のいずれの部分に
　おいても 1.6 ミリメートル以上の深さを有すること。

4．非常点滅表示灯は、盗難、車内における事故その他の緊急事態が発生し
　ていることを表示するための灯火として作動する場合においても、点滅
　回数の基準に適合する構造としなければならない。

3. 道路交通法関係

問 13 道路交通法に定める合図等についての次の記述のうち、<u>正しいもの</u><u>を２つ選び</u>、解答用紙の該当する欄にマークしなさい。なお、解答にあたっては、各選択肢に記載されている事項以外は考慮しないものとする。

1. 停留所において乗客の乗降のため停車していた乗合自動車が発進するため進路を変更しようとして手又は方向指示器により合図をした場合においては、その後方にある車両は、その速度を急に変更しなければならないこととなる場合にあっても、当該合図をした乗合自動車の進路の変更を妨げてはならない。

2. 車両（自転車以外の軽車両を除く。以下同じ。）の運転者は、左折し、右折し、転回し、徐行し、停止し、後退し、又は同一方向に進行しながら進路を変えるときは、手、方向指示器又は灯火により合図をし、かつ、これらの行為が終わるまで当該合図を継続しなければならない。（環状交差点における場合を除く。）

3. 車両の運転者が同一方向に進行しながら進路を左方又は右方に変えるときの合図を行う時期は、その行為をしようとする地点から30メートル手前の地点に達したときである。

4. 車両の運転者が左折又は右折するときの合図を行う時期は、その行為をしようとする地点（交差点においてその行為をする場合にあっては、当該交差点の手前の側端）から30メートル手前の地点に達したときである。（環状交差点における場合を除く。）

▼

問 14　道路交通法に定める停車及び駐車等についての次の記述のうち、<u>正しいものを 2 つ選び</u>、解答用紙の該当する欄にマークしなさい。なお、解答にあたっては、各選択肢に記載されている事項以外は考慮しないものとする。(一部改題)

1．車両は、交差点の側端又は道路の曲がり角から 5 メートル以内の道路の部分においては、法令の規定若しくは警察官の命令により、又は危険を防止するため一時停止する場合のほか、停車し、又は駐車してはならない。

2．車両は、人の乗降、貨物の積卸し、駐車又は自動車の格納若しくは修理のため道路外に設けられた施設又は場所の道路に接する自動車用の出入口から 5 メートル以内の道路の部分においては、駐車してはならない。

3．車両は、消防用機械器具の置場若しくは消防用防火水槽の側端又はこれらの道路に接する出入口から 5 メートル以内の道路の部分においては、駐車してはならない。

4．車両は、火災報知機から 5 メートル以内の道路の部分においては、駐車してはならない。

問 15　道路交通法に定める交通事故の場合の措置についての次の文中、A、B、C、D に入るべき字句としていずれか正しいものを 1 つ選び、解答用紙の該当する欄にマークしなさい。

　交通事故があったときは、当該交通事故に係る車両等の運転者その他の乗務員は、直ちに車両等の運転を停止して、　A　し、道路における　B　する等必要な措置を講じなければならない。この場合において、当該車両等の運転者（運転者が死亡し、又は負傷したためやむを得ないときは、その他の乗務員）は、警察官が現場にいるときは当該警察官に、警察官が現場にいないときは直ちに最寄りの警察署の警察官に当該交通事故が発生した日時及び場所、当該交通事故における　C　及び負傷者の負傷の程度並びに損壊した物及びその損壊の程度、当該交通事故に係る車両等の積載物並びに　D　を報告しなければならない。

A　1．事故状況を確認　　　　　　2．負傷者を救護
B　1．危険を防止　　　　　　　　2．安全な駐車位置を確保
C　1．死傷者の数　　　　　　　　2．事故車両の数
D　1．当該交通事故について講じた措置　　2．運転者の健康状態

問16 道路交通法に定める自動車の法定速度についての次の記述のうち、**誤っているものを1つ**選び、解答用紙の該当する欄にマークしなさい。なお、解答にあたっては、各選択肢に記載されている事項以外は考慮しないものとする。

1. 旅客自動車運送事業の用に供する乗車定員55人の自動車の最高速度は、道路標識等により最高速度が指定されていない片側一車線の一般道路においては、時速60キロメートルである。

2. 旅客自動車運送事業の用に供する乗車定員47人の自動車の最高速度は、道路標識等により最高速度が指定されていない高速自動車国道の本線車道（政令で定めるものを除く。）においては、時速100キロメートルである。

3. 旅客自動車運送事業の用に供する乗車定員29人の自動車は、法令の規定によりその速度を減ずる場合及び危険を防止するためやむを得ない場合を除き、道路標識等により自動車の最低速度が指定されていない区間の高速自動車国道の本線車道（政令で定めるものを除く。）における最低速度は、時速60キロメートルである。

4. 旅客自動車運送事業の用に供する車両総重量が2,265キログラムの自動車が、故障した車両総重量1,800キログラムの普通自動車をロープでけん引する場合の最高速度は、道路標識等により最高速度が指定されていない一般道路においては、時速30キロメートルである。

問 17 道路交通法に定める乗車等についての次の記述のうち、<u>誤っている</u>ものを 1 つ選び、解答用紙の該当する欄にマークしなさい。なお、解答にあたっては、各選択肢に記載されている事項以外は考慮しないものとする。

1. 車両の運転者は、運転者の視野若しくはハンドルその他の装置の操作を妨げ、後写鏡の効用を失わせ、車両の安定を害し、又は外部から当該車両の方向指示器、車両の番号標、制動灯、尾灯若しくは後部反射器を確認することができないこととなるような乗車をさせて車両を運転してはならない。

2. 自動車を運転する場合においては、当該自動車が停止しているときを除き、当該自動車に取り付けられ若しくは持ち込まれた画像表示用装置（道路運送車両法に規定する速度計等の装置を除く。）に表示された画像を注視してはならない。本規定に違反し、よって道路における交通の危険を生じさせた者は、交通違反の反則行為の処分又は懲役若しくは罰金を受ける。

3. 自動車の運転者は、高速自動車国道に限り、法令で定めるやむを得ない理由があるときを除き、他の者を運転者席の横の乗車装置以外の乗車装置（当該乗車装置につき座席ベルトを備えなければならないこととされているものに限る。）に乗車させて自動車を運転するときは、その者に座席ベルトを装着させなければならない。

4. 車両の運転者は、当該車両の乗車のために設備された場所以外の場所に乗車させ、又は乗車若しくは積載のために設備された場所以外の場所に積載して車両を運転してはならない。ただし、もっぱら貨物を運搬する構造の自動車で貨物を積載しているものにあっては、当該貨物を看守するため必要な最小限度の人員をその荷台に乗車させて運転することができる。

4. 労働基準法関係

問 18　労働基準法（以下「法」という。）に定める労働契約等についての次の記述のうち、<u>誤っているもの</u>を 1 つ選び、解答用紙の該当する欄にマークしなさい。なお、解答にあたっては、各選択肢に記載されている事項以外は考慮しないものとする。

1．使用者は、労働者名簿、賃金台帳及び雇入、解雇、災害補償、賃金その他労働関係に関する重要な書類を 3 年間保存しなければならない。

2．使用者は、労働者が業務上負傷し、又は疾病にかかり療養のために休業する期間及びその後 30 日間並びに産前産後の女性が法第 65 条（産前産後）の規定によって休業する期間及びその後 30 日間は、解雇してはならない。

3．法第 20 条（解雇の予告）の規定は、法に定める期間を超えない限りにおいて、「日日雇い入れられる者」、「3 ヵ月以内の期間を定めて使用される者」、「季節的業務に 6 ヵ月以内の期間を定めて使用される者」又は「試の使用期間中の者」のいずれかに該当する労働者については適用しない。

4．使用者は、労働契約の締結に際し、労働者に対して賃金、労働時間その他の労働条件を明示しなければならない。この明示された労働条件が事実と相違する場合においては、労働者は、即時に労働契約を解除することができる。

問 19　労働基準法（以下「法」という。）に定める労働時間及び休日等に関する次の記述のうち、<u>誤っているものを 1 つ選び</u>、解答用紙の該当する欄にマークしなさい。なお、解答にあたっては、各選択肢に記載されている事項以外は考慮しないものとする。

1．使用者は、労働者に、休憩時間を除き 1 週間について 40 時間を超えて、労働させてはならない。また、1 週間の各日については、労働者に、休憩時間を除き 1 日について 8 時間を超えて、労働させてはならない。

2．使用者は、法令に定める時間外、休日労働の協定をする場合には、時間外又は休日の労働をさせる必要のある具体的事由、業務の種類、労働者の数並びに 1 日及び 1 日を超える一定の期間についての延長することができる時間又は労働させることができる休日について、協定しなければならない。

3．使用者は、災害その他避けることのできない事由によって、臨時の必要がある場合においては、行政官庁の許可を受けて、その必要の限度において法に定める労働時間を延長し、又は休日に労働させることができる。ただし、事態急迫のために行政官庁の許可を受ける暇がない場合においては、事後に遅滞なく届け出なければならない。

4．使用者は、4 週間を通じ 8 日以上の休日を与える場合を除き、労働者に対して、毎週少なくとも 2 回の休日を与えなければならない。

問20 「自動車運転者の労働時間等の改善のための基準」に定める目的等についての次の文中、A、B、C、D に入るべき字句としていずれか正しいものを1つ選び、解答用紙の該当する欄にマークしなさい。

1．この基準は、自動車運転者（労働基準法（以下「法」という。）第9条に規定する労働者であって、　A　の運転の業務（厚生労働省労働基準局長が定めるものを除く。）に主として従事する者をいう。以下同じ。）の労働時間等の改善のための基準を定めることにより、自動車運転者の労働時間等の　B　を図ることを目的とする。

2．労働関係の当事者は、この基準を理由として自動車運転者の労働条件を低下させてはならないことはもとより、その　C　に努めなければならない。

3．使用者は、季節的繁忙期その他の事情により、法第36条第1項の規定に基づき臨時に　D　、又は休日に労働させる場合においても、その時間数又は日数を少なくするように努めるものとする。

A　1．四輪以上の自動車　　2．二輪以上の自動車
B　1．労働契約の遵守　　　2．労働条件の向上
C　1．維持　　　　　　　　2．向上
D　1．休息期間を短縮し　　2．労働時間を延長し

▼

問21 「自動車運転者の労働時間等の改善のための基準」（以下「改善基準
　　　告示」という。）において定めるバス運転者等の拘束時間及び運転時
　　　間等に関する次の記述のうち、正しいものを2つ選び、解答用紙の
　　　該当する欄にマークしなさい。ただし、当該運行は、1人乗務で、隔
　　　日勤務には就いていない場合とする。なお、解答にあたっては、各選
　　　択肢に記載されている事項以外は考慮しないものとする。（一部改題）

1．使用者は、バス運転者等（隔日勤務に就く運転者以外のもの。）の1日
　　（始業時刻から起算して24時間をいう。以下同じ。）についての拘束時間
　　については、13時間を超えないものとし、当該拘束時間を延長する場合
　　であっても、最大拘束時間は、15時間とすること。この場合において、1
　　日についての拘束時間が14時間を超える回数をできるだけ少なくするよ
　　う努めるものとする。

2．使用者は、バス運転者等の運転時間は、2日を平均し1日当たり9時間、
　　4週間を平均し1週間当たり44時間を超えないものとすること。ただし、
　　貸切バス等乗務者については、労使協定により、52週間についての運転
　　時間が2,080時間を超えない範囲内において、52週間のうち16週間までは、
　　4週間を平均し1週間当たり48時間まで延長することができる。

3．使用者は、貸切バス運転者に休日に労働させる場合は、当該労働させる
　　休日は2週間について1回を超えないものとし、当該休日の労働によっ
　　て改善基準告示第5条第1項に定める拘束時間及び最大拘束時間を超え
　　ないものとする。

4．使用者は、バス運転者等の連続運転時間（1回が連続5分以上で、かつ、
　　合計が30分以上の運転の中断をすることなく連続して運転する時間をい
　　う。）は、原則として4時間を超えないものとすること。

▼

問22　下図は、旅客自動車運送事業（一般乗用旅客自動車運送事業を除く。）に従事する自動車運転者の運転時間及び休憩時間の例を示したものであるが、このうち、連続運転の中断方法として「自動車運転者の労働時間等の改善のための基準」に適合しているものを2つ選び、解答用紙の該当する欄にマークしなさい。ただし、問題文に記載されていない事項は考慮しないものとする。（一部改題）

1.

業務開始	運転	休憩	運転	休憩	運転	休憩	運転	休憩	運転	休憩	運転	休憩	運転	業務終了
	30分	10分	2時間	15分	30分	10分	1時間30分	1時間	2時間	15分	1時間30分	10分	1時間	

2.

業務開始	運転	休憩	運転	休憩	運転	休憩	運転	休憩	運転	休憩	運転	休憩	運転	業務終了
	1時間	15分	2時間	10分	1時間	15分	1時間	1時間	1時間30分	10分	1時間	5分	30分	

3.

業務開始	運転	休憩	運転	休憩	運転	休憩	運転	休憩	運転	休憩	運転	休憩	運転	業務終了
	2時間	10分	1時間30分	10分	30分	10分	1時間	1時間	1時間	10分	1時間	10分	2時間	

4.

業務開始	運転	休憩	運転	休憩	運転	休憩	運転	休憩	運転	休憩	運転	休憩	運転	業務終了
	1時間	10分	1時間30分	15分	30分	5分	1時間30分	1時間	2時間	10分	1時間30分	10分	30分	

▼

問23　下図は、一般貸切旅客自動車運送事業に従事する自動車運転者の1週間の勤務状況の例を示したものであるが、「自動車運転者の労働時間等の改善のための基準」（以下「改善基準告示」という。）に定める拘束時間等に関する次の記述のうち、誤っているものを1つ選び、解答用紙の該当する欄にマークしなさい。ただし、すべて1人乗務の場合とする。なお、解答にあたっては、下図に示された内容及び各選択肢に記載されている事項以外は考慮しないものとする。（一部改題）

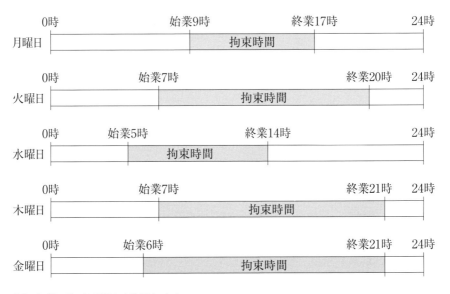

注）土曜日及び日曜日は休日とする。

1．1日についての拘束時間が改善基準告示に定める最大拘束時間に違反する勤務はない。

2．運転者が休日に労働する回数は、改善基準告示に違反していない。

3．勤務終了後の休息期間は、改善基準告示に違反しているものはない。

4．水曜日に始まる勤務の1日についての拘束時間は、この1週間の勤務の中で1日についての拘束時間が最も短い。

5. 実務上の知識及び能力

問24 運行管理の意義、運行管理者の役割等に関する次の記述のうち、適切なものには解答用紙の「適」の欄に、適切でないものには解答用紙の「不適」の欄にマークしなさい。なお、解答にあたっては、各選択肢に記載されている事項以外は考慮しないものとする。

1. 運行管理者は、仮に事故が発生していない場合でも、同業他社の事故防止の取組事例などを参考にしながら、現状の事故防止対策を分析・評価することなどにより、絶えず運行管理業務の改善に向けて努力していくことも重要な役割である。

2. 事業用自動車の点検及び整備に関する車両管理については、整備管理者の責務において行うこととされていることから、運転者が整備管理者に報告した場合にあっては、点呼において運行管理者は事業用自動車の日常点検の実施について確認する必要はない。

3. 運行管理者は、運転者の指導教育を実施していく際、運転者一人ひとりの個性に応じた助言・指導（カウンセリング）を行うことも重要である。そのためには、日頃から運転者の性格や能力、事故歴のほか、場合によっては個人的な事情についても把握し、そして、これらに基づいて助言・指導を積み重ねることによって事故防止を図ることも重要な役割である。

4. 事業者が、事業用自動車の定期点検を怠ったことが原因で重大事故を起こしたことにより、行政処分を受けることになった場合、当該重大事故を含む運行管理業務上に一切問題がなくても、運行管理者は事業者に代わって事業用自動車の運行管理を行っていることから、事業者が行政処分を受ける際に、運行管理者が運行管理者資格者証の返納を命じられる。

問 25　旅客自動車運送事業者が事業用自動車の運転者に対して行う指導・監督に関する次の記述のうち、<u>適切なものをすべて選び</u>、解答用紙の該当する欄にマークしなさい。なお、解答にあたっては、各選択肢に記載されている事項以外は考慮しないものとする。

1．自動車が追越しをするときは、前の自動車の走行速度に応じた追越し距離、追越し時間が必要になる。前の自動車と追越しをする自動車の速度差が小さい場合には追越しに長い時間と距離が必要になることから、無理な追越しをしないよう運転者に対し指導する必要がある。

2．雪道への対応の遅れは、雪道でのチェーンの未装着のため自動車が登り坂を登れないこと等により後続車両が滞留し大規模な立ち往生を発生させることにもつながる。このことから運行管理者は、状況に応じて早めのチェーン装着等を運転者に対し指導する必要がある。

3．運転中の携帯電話・スマートフォンの使用などは運転への注意力を著しく低下させ、事故につながる危険性が高くなる。このような運転中の携帯電話等の操作は法令違反であることはもとより、いかに危険な行為であるかを運行管理者は運転者に対し理解させて、運転中の使用の禁止を徹底する必要がある。

4．平成 28 年中に発生した事業用乗合バス自動車が第 1 当事者となった人身事故の類型別発生状況をみると、「追突」が最も多く、全体の約半分を占めており、続いて「車内事故」の順となっている。このため、運転者に対し、特に、適正な車間距離の確保や前方への注意を怠らないことを指導する必要がある。

▼

問26 事業用自動車の運転者の健康管理及び就業における判断・対処に関する次の記述のうち、適切なものには解答用紙の「適」の欄に、適切でないものには解答用紙の「不適」の欄にマークしなさい。なお、解答にあたっては、各選択肢に記載されている事項以外は考慮しないものとする。（一部改題）

1．事業者は、業務に従事する運転者に対し法令で定める健康診断を受診させ、その結果に基づいて健康診断個人票を作成し３年間保存としている。また、運転者が自ら受けた健康診断の結果を提出したものについても同様に保存している。

2．事業者は、法令により定められた健康診断を実施することが義務づけられているが、運転者が自ら受けた健康診断（人間ドックなど）であっても法令で必要な定期健康診断の項目を充足している場合は、法定健診として代用することができる。

3．送迎業務である早朝の業務前点呼において、これから業務に従事する運転者の目が赤く眠そうな顔つきであったため、本人に報告を求めたところ、連日、就寝が深夜３時頃と遅く寝不足気味ではあるが、何とか業務は可能であるとの申告があった。このため運行管理者は、当該運転者に対し途中で眠気等があったときには、自らの判断で適宜、休憩をとるなどして運行するよう指示し、出庫させた。

4．事業者は、ある高齢運転者が夜間運転業務において加齢に伴う視覚機能の低下が原因と思われる軽微な接触事故が多く見られたため、昼間の運転業務に配置替えをした。しかし、繁忙期であったことから、運行管理者の判断で点呼において当該運転者の健康状態を確認しつつ、以前の夜間運転業務に短期間従事させた。

平成30年2回

問27　自動車の走行時に生じる諸現象とその主な対策に関する次の文中、
　　　A、B、C、D に入るべき字句としていずれか正しいものを 1 つ選び、
　　　解答用紙の該当する欄にマークしなさい。

ア　　A　　とは、路面が水でおおわれているときに高速で走行するとタイ
　　ヤの排水作用が悪くなり、水上を滑走する状態になって操縦不能になる
　　ことをいう。これを防ぐため、日頃よりスピードを抑えた走行に努める
　　べきことや、タイヤの空気圧及び溝の深さが適当であることを日常点検
　　で確認することの重要性を、運転者に対し指導する必要がある。

　　　1．ハイドロプレーニング現象　　2．ウェットスキッド現象

イ　　B　　とは、自動車の夜間の走行時において、自車のライトと対向車
　　のライトで、お互いの光が反射し合い、その間にいる歩行者や自転車が
　　見えなくなることをいう。この状況は暗い道路で特に起こりやすいので、
　　夜間の走行の際には十分注意するよう運転者に対し指導する必要がある。

　　　1．クリープ現象　　2．蒸発現象

ウ　　C　　とは、フット・ブレーキを使い過ぎると、ブレーキ・ドラムや
　　ブレーキ・ライニングなどが摩擦のため過熱してその熱がブレーキ液に
　　伝わり、液内に気泡が発生することによりブレーキが正常に作用しなく
　　なり効きが低下することをいう。これを防ぐため、長い下り坂などでは、
　　エンジン・ブレーキ等を使用し、フット・ブレーキのみの使用を避ける
　　よう運転者に対し指導する必要がある。

　　　1．ベーパー・ロック現象　　2．スタンディングウェーブ現象

エ　　D　　とは、運転者が走行中に危険を認知して判断し、ブレーキ操作
　　に至るまでの間に自動車が走り続けた距離をいう。自動車を運転すると
　　き、特に他の自動車に追従して走行するときは、危険が発生した場合で
　　も安全に停止できるような速度又は車間距離を保って運転するよう運転
　　者に対し指導する必要がある。

　　　1．制動距離　　2．空走距離

問 28　自動車運送事業者において最近普及の進んできたデジタル式運行記録計を活用した運転者指導の取組等に関する次の記述のうち、適切なものには解答用紙の「適」の欄に、適切でないものには解答用紙の「不適」の欄にマークしなさい。なお、解答にあたっては、各選択肢に記載されている事項以外は考慮しないものとする。

1．運行管理者は、デジタル式運行記録計の記録図表（24 時間記録図表や 12 分間記録図表）等を用いて、最高速度記録の▼マークなどを確認することにより最高速度超過はないか、また、急発進、急減速の有無についても確認し、その記録データを基に運転者に対し安全運転、経済運転の指導を行う。

2．運行管理者は、貸切バスに装着された運行記録計により記録される「瞬間速度」、「運行距離」及び「運行時間」等により運行の実態を分析して安全運転等の指導を図る資料として活用しており、この運行記録計の記録を 6 ヵ月間保存している。

3．デジタル式運行記録計は、自動車の運行中、交通事故や急ブレーキ、急ハンドルなどにより当該自動車が一定以上の衝撃を受けると、衝突前と衝突後の前後 10 数秒間の映像などを記録する装置であり、事故防止対策の有効な手段の一つとして活用されている。

4．衝突被害軽減ブレーキは、いかなる走行条件においても前方の車両等に衝突する危険性が生じた場合に確実にレーダー等で検知したうえで自動的にブレーキが作動し、衝突を確実に回避できるものである。当該ブレーキが備えられている自動車に乗務する運転者に対しては、当該ブレーキ装置の故障を検知し表示による警告があった場合の対応を指導する必要がある。

平成30年2回

▼

問29　貸切バス事業の営業所の運行管理者は、旅行会社から運送依頼を受けて、次のとおり運行の計画を立てた。国土交通省で定めた「貸切バスの交替運転者の配置基準」（以下「配置基準」という。）等に照らし、この計画を立てた運行管理者の判断等に関する1～3の記述について、正しいものをすべて選び、解答用紙の該当する欄にマークしなさい。なお、解答にあたっては、＜運行の計画＞及び各選択肢に記載されている事項以外は考慮しないものとする。（一部改題）

（旅行会社の依頼事項）

　　ハイキングツアー客（以下「乗客」という。）39名を乗せ、A地点を22時55分に出発し、D目的地に翌日の3時50分に到着する。その後、E目的地を13時40分に出発し、A地点に18時00分に戻る。

＜運行の計画＞

ア．デジタル式運行記録計を装着した乗車定員45名の貸切バスを使用し、運転者は1人乗務とする。

イ．当該運転者は、本運行の開始前10時間の休息をとった後、始業時刻である22時00分に業務前点呼を受け、点呼後22時30分に営業所を出発する。A地点において乗客を乗せた後22時55分にD目的地に向け出発する。途中の高速自動車国道（法令による最低速度を定めない本線車道に該当しないもの。以下「高速道路」という。）のパーキングエリアにて、2回の休憩をとり業務途中点呼後に、D目的地には翌日の3時50分に到着する。

　　乗客を降ろした後、指定された宿泊所に向かい、当該宿泊所において電話による業務後点呼を受けた後、4時40分に往路の業務を終了する。

　　運転者は、同宿泊所において8時間05分休息する。

ウ．12時45分に同宿泊所において電話による業務前点呼を受け、13時15分に出発する。E目的地において乗客を乗せた後13時40分にA地点に

向け出発する。復路も高速道路等を運転し、2回の休憩をはさみ、A地点には18時00分に到着する。

　乗客を降ろした後、18時20分に営業所に帰庫し、業務後点呼の後、18時50分に終業する。当該運転者は、翌日は休日とする。

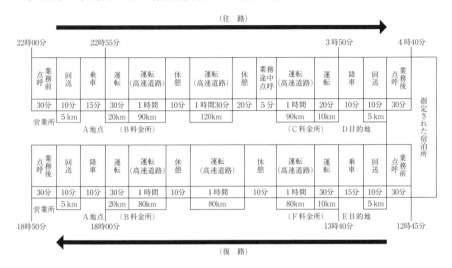

1．当該夜間ワンマン運行における実車運行区間においての休憩は、「配置基準」に定める限度に違反していないと判断したこと。

2．当該運行における実車運行区間においての連続運転時間は、「配置基準」に定める限度に違反していないと判断したこと。

3．1日についての実車距離は「配置基準」に定める限度を超えておらず、また、1日についての運転時間も「配置基準」に定める限度を超えていないと判断したこと。

平成30年2回

問30　運行管理者が次の乗合バスの事故報告に基づき、この事故の要因分析を行ったうえで、同種の事故の再発を防止するための対策として、最も直接的に有効と考えられる組合せを、下の枠内の選択肢（1～8）から1つ選び、解答用紙の該当する欄にマークしなさい。なお、解答にあたっては、【事故の概要】及び【事故の推定原因・事故の要因】に記載されている事項以外は考慮しないものとする。

【事故の概要】

　　当該運転者は、14時00分に運行管理者の点呼を受け、14時35分に出庫し、市内循環バスを運行中、バス停において降車した旅客のキャリーバッグの一部が前扉に挟まれたことに気付かず発車したため旅客が転倒した。当該運転者はこれに気付かずバスを約7メートル前進させ、旅客の左腕を負傷させた。

・事故発生：20時30分
・天候　　：晴れ
・道路　　：幅員6メートル
・運転者　：58歳　運転歴30年　定期健康診断を年2回受診していた。

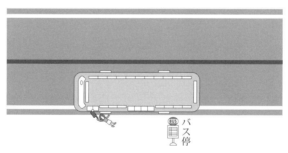

250

【事故の推定原因・事故の要因】

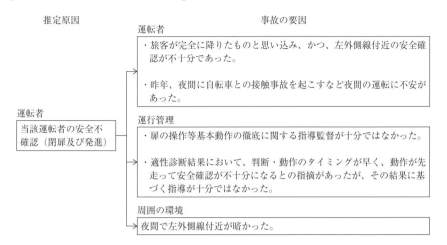

推定原因

運転者

当該運転者の安全不確認（閉扉及び発進）

事故の要因

運転者
・旅客が完全に降りたものと思い込み、かつ、左外側線付近の安全確認が不十分であった。
・昨年、夜間に自転車との接触事故を起こすなど夜間の運転に不安があった。

運行管理
・扉の操作等基本動作の徹底に関する指導監督が十分ではなかった。
・適性診断結果において、判断・動作のタイミングが早く、動作が先走って安全確認が不十分になるとの指摘があったが、その結果に基づく指導が十分ではなかった。

周囲の環境
夜間で左外側線付近が暗かった。

【事故の再発防止対策】

ア　ヒューマンエラーを補完するため、前扉にもアクセルインターロック等を装備する。

イ　運転者に対して、適性診断結果を活用して運転上の弱点を十分理解させ、その弱点を克服していけるよう助言・指導を徹底する。

ウ　運転者に対して、疾病が交通事故の要因となるおそれがあることを正しく理解させ、定期的な健康診断結果に基づき、自ら生活習慣の改善を図るなど、適切な心身の健康管理を行うことの重要性を理解させる。

エ　悪天候や夜間においては、事故発生のリスクが高まることから、どのようなリスクがあるのかを理解、確認させ、危険への配慮とともに、慎重な運転をすることを運転者に対して徹底する。

オ　運転者に対して、発進の際は右後方だけに気を取られず、左外側線付近の安全を十分に確認してから発進するよう徹底する。

カ　点呼において運転者から睡眠不足等により安全な運行ができないおそれがあるかについて報告を受けるとともに、運転者の体調を顔色などから確認し、異常がなければ運転業務につかせる。

キ　乗降口の扉を開閉する装置の不適切な操作により旅客が扉にはさまれる
　　等の危険を予測し回避するため、運転者に対して、指差呼称や安全呼称
　　などを行う習慣を徹底させる。

ク　個々の運転者について、休息期間は通勤時間を考慮して十分な睡眠時間
　　が確保できるように配慮するとともに、乗務時間は運転履歴等を踏まえ
　　た疲労状況や健康状態を考慮する運行計画とする。

1．ア・イ・オ・ク　　　　　2．ア・イ・カ・キ
3．ア・オ・キ・ク　　　　　4．ア・ウ・オ・キ
5．イ・ウ・エ・カ　　　　　6．イ・エ・オ・キ
7．ウ・エ・キ・ク　　　　　8．ウ・エ・オ・カ

平成 30 年度　第 1 回

運行管理者試験問題
〈旅客〉

●試験時間　13：15 〜 14：45（制限時間 90 分）

● P. 295 の解答用紙をコピーしてお使いください。
　答え合わせに便利な正答一覧は別冊 P.131

	受験者数（人）	合格者数（人）	合格率（%）
令和 4 年度　第 2 回	4,675	1,651	35.3
令和 4 年度　第 1 回	5,403	2,167	40.1
令和 3 年度　第 2 回	5,787	1,999	34.5
令和 3 年度　第 1 回	6,740	2,196	32.6
令和 2 年度　第 2 回	7,610	3,604	47.4
令和 2 年度　第 1 回	9,714	3,026	31.2
令和 元 年度　第 1 回	8,263	2,624	31.8
平成 30 年度　第 2 回	7,605	2,868	37.7
★ 平成 30 年度　第 1 回	8,998	2,856	31.7

1. 道路運送法関係

▼

問1 一般旅客自動車運送事業者（以下「事業者」という。）の事業計画の変更等に関する次の記述のうち、<u>誤っているもの</u>を1つ選び、解答用紙の該当する欄にマークしなさい。なお、解答にあたっては、各選択肢に記載されている事項以外は考慮しないものとする。（一部改題）

1. 事業者は、「自動車車庫の位置及び収容能力」の事業計画の変更をしようとするときは、国土交通大臣の認可を受けなければならない。

2. 事業者は、「営業所ごとに配置する事業用自動車の数」の事業計画の変更をしたときは、遅滞なく、その旨を国土交通大臣に届け出なければならない。

3. 事業者は、「営業所の名称」の事業計画の変更をしたときは、遅滞なく、その旨を国土交通大臣に届け出なければならない。

4. 事業者は、発地及び着地のいずれもがその営業区域外に存する旅客の運送（路線を定めて行うものを除く。第二号において「営業区域外旅客運送」という。）をしてはならない。ただし、次に掲げる場合は、この限りでない。

一　災害の場合その他緊急を要するとき。

二　地域の旅客輸送需要に応じた運送サービスの提供を確保することが困難な場合として国土交通省令で定める場合において、地方公共団体、一般旅客自動車運送事業者、住民その他の国土交通省令で定める関係者間において当該地域における旅客輸送を確保するため営業区域外旅客運送が必要であることについて協議が調つた場合であつて、輸送の安全又は旅客の利便の確保に支障を及ぼすおそれがないと国土交通大臣が認めるとき。

問2　道路運送法に定める一般旅客自動車運送事業の運行管理者等の義務についての次の文中、A、B、C、Dに入るべき字句を下の枠内の選択肢（1〜8）から選び、解答用紙の該当する欄にマークしなさい。

1．運行管理者は、　A　にその業務を行わなければならない。

2．一般旅客自動車運送事業者は、運行管理者に対し、法令で定める業務を行うため必要な　B　を与えなければならない。

3．一般旅客自動車運送事業者は、運行管理者がその業務として行う助言を　C　しなければならず、事業用自動車の運転者その他の従業員は、運行管理者がその業務として行う　D　に従わなければならない。

1．指導	2．考慮	3．誠実	4．権限
5．適切	6．地位	7．尊重	8．勧告

問3 次の記述のうち、旅客自動車運送事業の運行管理者の行わなければならない業務として、<u>正しいものを2つ選び</u>、解答用紙の該当する欄にマークしなさい。なお、解答にあたっては、各選択肢に記載されている事項以外は考慮しないものとする。（一部改題）

1. 一般旅客自動車運送事業の運行管理者にあっては、事業計画（路線定期運行を行う一般乗合旅客自動車運送事業者にあっては、事業計画及び運行計画）の遂行に十分な数の事業用自動車の運転者を常時選任しておかなければならない。

2. 一般貸切旅客自動車運送事業の運行管理者にあっては、夜間において長距離の運行を行う事業用自動車の運行の業務に従事する運転者等に対して、当該業務の途中において少なくとも1回電話その他の方法により点呼を行わなければならない。

3. 路線定期運行を行う一般乗合旅客自動車運送事業の運行管理者にあっては、主な停留所の名称、当該停留所の発車時刻及び到着時刻その他運行に必要な事項を記載した運行表を作成し、かつ、これを事業用自動車の運転者等に携行させなければならない。

4. 一般旅客自動車運送事業の運行管理者にあっては、乗務員等が有効に利用することができるように、営業所、自動車車庫その他営業所又は自動車車庫付近の適切な場所に、休憩に必要な施設を整備し、及び乗務員等に睡眠を与える必要がある場合又は乗務員等が勤務時間中に仮眠する機会がある場合は、睡眠又は仮眠に必要な施設を整備しなければならない。

▼

問4 旅客自動車運送事業の事業用自動車の運転者に対する点呼に関する次の記述のうち、<u>正しいものをすべて選び</u>、解答用紙の該当する欄にマークしなさい。なお、解答にあたっては、各選択肢に記載されている事項以外は考慮しないものとする。（一部改題）

1．点呼は、運行管理者と運転者が対面により、又は対面による点呼と同等の効果を有するものとして国土交通大臣が定める方法（運行上やむを得ない場合は電話その他の方法。）により行うこととされているが、運行上やむを得ない場合は電話その他の方法によることも認められている。一般貸切旅客自動車運送事業において、営業所と離れた場所にある当該営業所の車庫から業務を開始する運転者については、運行上やむを得ない場合に該当しないことから、電話による点呼を行うことはできない。

2．業務終了後の点呼においては、「道路運送車両法第47条の2第1項及び第2項の規定による点検（日常点検）の実施又はその確認」について報告を求め、及び確認を行う。

3．運行管理者の業務を補助させるために選任された補助者に対し、点呼の一部を行わせる場合にあっても、当該営業所において選任されている運行管理者が行う点呼は、点呼を行うべき総回数の3分の1以上でなければならない。

4．業務従事前の点呼においては、営業所に備えるアルコール検知器を用いて酒気帯びの有無が確認できる場合にあっては、運転者の状態を目視等で確認する必要はない。

問5　次の自動車事故に関する記述のうち、一般旅客自動車運送事業者が自動車事故報告規則に基づき国土交通大臣への報告を要するものを２つ選び、解答用紙の該当する欄にマークしなさい。なお、解答にあたっては、各選択肢に記載されている事項以外は考慮しないものとする。

１．旅客を降車させる際、事業用自動車の運転者が乗降口の扉を開閉する操作装置の不適切な操作をしたため、旅客１名に11日間の医師の治療を要する傷害を生じさせた。

２．事業用自動車が右折の際、原動機付自転車と接触し、当該原動機付自転車が転倒した。この事故で、原動機付自転車の運転者に通院による30日間の医師の治療を要する傷害を生じさせた。

３．事業用自動車が乗客を乗せ、走行していたところ、運転者は意識がもうろうとしてきたので直近の駐車場に駐車させて乗客を降ろした。しかし、その後も容体が回復しなかったため、運行を中断した。なお、その後、当該運転者は脳梗塞と診断された。

４．事業用自動車が走行中、突然、自転車が道路上に飛び出してきたため急停車したところ、当該事業用自動車及び後続の自動車６台が次々と衝突する事故となり、この事故により８人が負傷した。

▼

問6　旅客自動車運送事業者（以下「事業者」という。）の過労防止等に関する旅客自動車運送事業運輸規則についての次の記述のうち、<u>正しいもの</u>を１つ選び、解答用紙の該当する欄にマークしなさい。（一部改題）

１．事業者は、事業計画（路線定期運行を行う一般乗合旅客自動車運送事業者にあっては、事業計画及び運行計画）の遂行に十分な数の事業用自動車の運転者を常時選任しておかなければならない。この場合、事業者（個人タクシー事業者を除く。）は、日日雇い入れられる者、３ヵ月以内の期間を定めて使用される者及び試みの使用期間中の者（14日を超えて引き続き使用されるに至った者を除く。）を当該運転者等として選任してはならない。

２．事業者は、過労の防止を十分考慮して、国土交通大臣が告示で定める基準に従って、事業用自動車の運転者の勤務日数及び乗務距離を定め、当該運転者にこれらを遵守させなければならない。

３．事業者は、乗務員等の身体に保有するアルコールの程度が、道路交通法施行令第44条の３（アルコールの程度）に規定する呼気中のアルコール濃度１リットルにつき0.15ミリグラム以下であれば事業用自動車の運行の業務に従事させてもよい。

４．交通の状況を考慮して地方運輸局長が指定する地域内に営業所を有する一般乗用旅客自動車運送事業者は、指定地域内にある営業所に属する運転者に、その収受する運賃及び料金の総額が一定の基準に達し、又はこれを超えるように乗務を強制してはならない。

▼

問7 次の記述のうち、旅客自動車運送事業者の事業用自動車の運転者等が遵守しなければならない事項として、誤っているものを1つ選び、解答用紙の該当する欄にマークしなさい。なお、解答にあたっては、各選択肢に記載されている事項以外は考慮しないものとする。(一部改題)

1. 旅客自動車運送事業者の事業用自動車の運転者は、事業用自動車の故障等により踏切内で運行不能となったときは、速やかに旅客を誘導して退避させるとともに、列車に対し適切な防護措置をとること。

2. 一般乗用旅客自動車運送事業者の事業用自動車の運転者は、食事若しくは休憩のため、及び営業区域外から営業区域に戻るため、運送の引受けをすることができない場合又は乗務の終了等のため車庫若しくは営業所に回送しようとする場合には、回送板を掲出すること。

3. 旅客自動車運送事業者の事業用自動車の運転者は、乗務を終了したときは、交替する運転者に対し、乗務中の事業用自動車、道路及び運行状況について通告すること。この場合において、乗務する運転者は、当該事業用自動車の制動装置、走行装置その他の重要な部分の機能について点検をすること。

4. 一般乗合旅客自動車運送事業者の事業用自動車の運転者は、旅客が事業用自動車内において法令の規定又は公の秩序若しくは善良の風俗に反する行為をするときは、これを制止し、又は必要な事項を旅客に指示する等の措置を講ずることにより、輸送の安全を確保し、及び事業用自動車内の秩序を維持するように努めること。

▼

問8 旅客自動車運送事業者（以下「事業者」という。）の事業用自動車の運行に係る記録等に関する次の記述のうち、正しいものを２つ選び、解答用紙の該当する欄にマークしなさい。なお、解答にあたっては、各選択肢に記載されている事項以外は考慮しないものとする。（一部改題）

１．事業者は、事業用自動車の運転者が転任、退職その他の理由により運転者でなくなった場合には、直ちに、当該運転者に係る乗務員等台帳に運転者でなくなった年月日及び理由を記載し、これを３年間保存しなければならない。

２．事業者は、法令の規定により点呼を行い、報告を求め、確認を行い、及び指示をしたときは、運転者等ごとに点呼を行った旨、報告、確認及び指示の内容並びに法令で定める所定の事項を記録し、かつ、その記録を１年間（一般貸切旅客自動車運送事業者にあっては、その内容を記録した電磁的記録を３年間）保存しなければならない。

３．事業者は、事業用自動車に係る事故が発生した場合には、事故の発生日時等所定の事項を記録し、その記録を当該事業用自動車の運行を管理する営業所において１年間保存しなければならない。

４．事業者は、その事業用自動車の運転者に対し、主として運行する路線又は営業区域の状態及びこれに対処することができる運転技術並びに法令に定める自動車の運転に関する事項について、適切な指導監督をしなければならない。この場合においては、その日時、場所及び内容並びに指導監督を行った者及び受けた者を記録し、かつ、その記録を営業所において１年間保存しなければならない。

平成30年1回

2. 道路運送車両法関係

問9 道路運送車両法の自動車の登録等についての次の記述のうち、**誤っているものを1つ**選び、解答用紙の該当する欄にマークしなさい。なお、解答にあたっては、各選択肢に記載されている事項以外は考慮しないものとする。

1. 登録自動車の所有者は、当該自動車の使用者が道路運送車両法の規定により自動車の使用の停止を命ぜられ、自動車検査証を返納したときは、遅滞なく、当該自動車登録番号標及び封印を取りはずし、自動車登録番号標について国土交通大臣の領置を受けなければならない。

2. 自動車登録番号標及びこれに記載された自動車登録番号の表示は、国土交通省令で定めるところにより、自動車登録番号標を自動車の前面及び後面の任意の位置に確実に取り付けることによって行うものとする。

3. 自動車の所有者は、当該自動車の使用の本拠の位置に変更があったときは、道路運送車両法で定める場合を除き、その事由があった日から15日以内に、国土交通大臣の行う変更登録の申請をしなければならない。

4. 道路運送車両法に規定する自動車の種別は、自動車の大きさ及び構造並びに原動機の種類及び総排気量又は定格出力を基準として定められ、その別は、普通自動車、小型自動車、軽自動車、大型特殊自動車、小型特殊自動車である。

▼

問10　自動車の検査等についての次の記述のうち、<u>正しいもの</u>を２つ選び、解答用紙の該当する欄にマークしなさい。なお、解答にあたっては、各選択肢に記載されている事項以外は考慮しないものとする。（一部改題）

1．国土交通大臣の行う自動車（検査対象外軽自動車及び小型特殊自動車を除く。以下同じ。）の検査は、新規検査、継続検査、臨時検査、構造等変更検査及び予備検査の５種類である。

2．自動車検査証の有効期間の起算日については、自動車検査証の有効期間が満了する日の２ヵ月前（離島に使用の本拠の位置を有する自動車を除く。）から当該期間が満了する日までの間に継続検査を行い、当該自動車検査証に有効期間を記録する場合は、当該自動車検査証の有効期間が満了する日の翌日とする。

3．自動車運送事業の用に供する自動車は、自動車検査証を当該自動車又は当該自動車の所属する営業所に備え付けなければ、運行の用に供してはならない。

4．初めて自動車検査証の交付を受ける乗車定員５人の旅客を運送する自動車運送事業の用に供する自動車については、当該自動車検査証の有効期間は１年である。

問11　道路運送車両法に定める自動車の整備命令等についての次の文中、A、B、Cに入るべき字句としていずれか正しいものを1つ選び、解答用紙の該当する欄にマークしなさい。

　地方運輸局長は、自動車が保安基準に適合しなくなるおそれがある状態又は適合しない状態にあるとき（同法第54条の2第1項に規定するときを除く。）は、当該自動車の　A　に対し、保安基準に適合しなくなるおそれをなくするため、又は保安基準に適合させるために必要な整備を行うべきことを　B　ことができる。この場合において、地方運輸局長は、保安基準に適合しない状態にある当該自動車の　A　に対し、当該自動車が保安基準に適合するに至るまでの間の運行に関し、当該自動車の使用の方法又は　C　その他の保安上又は公害防止その他の環境保全上必要な指示をすることができる。

A　1．使用者　　　　2．所有者
B　1．命ずる　　　　2．勧告する
C　1．使用の制限　　2．経路の制限

問 12　道路運送車両の保安基準及びその細目を定める告示についての次の
　　　　記述のうち、正しいものを 2 つ選び、解答用紙の該当する欄にマー
　　　　クしなさい。なお、解答にあたっては、各選択肢に記載されている事
　　　　項以外は考慮しないものとする。

1．乗車定員 10 人以上の自動車、幼児専用車及び危険物の規制に関する政
　　令に掲げる指定数量以上の危険物を運送する自動車（被牽引自動車を除
　　く。）には、消火器を備えなければならない。

2．自動車に備えなければならない後写鏡は、取付部付近の自動車の最外側
　　より突出している部分の最下部が地上 1.8 メートル以下のものは、当該部
　　分が歩行者等に接触した場合に衝撃を緩衝できる構造でなければならな
　　い。

3．非常口を設けた乗車定員 30 人以上の自動車には、非常口又はその附近
　　に、見やすいように、非常口の位置及びとびらの開放の方法が表示され
　　ていなければならない。この場合において、灯火により非常口の位置を
　　表示するときは、その灯光の色は、緑色でなければならない。

4．一般乗用旅客自動車運送事業用自動車には、後方に表示する灯光の色が
　　白色である社名表示灯を備えてはならない。

3. 道路交通法関係

問13 道路交通法に定める車両通行帯等についての次の記述のうち、<u>誤っているものを1つ</u>選び、解答用紙の該当する欄にマークしなさい。なお、解答にあたっては、各選択肢に記載されている事項以外は考慮しないものとする。

1. 車両は、車両通行帯の設けられた道路においては、道路の左側端から数えて1番目の車両通行帯を通行しなければならない。ただし、自動車（小型特殊自動車及び道路標識等によって指定された自動車を除く。）は、当該道路の左側部分（当該道路が一方通行となっているときは、当該道路）に3以上の車両通行帯が設けられているときは、政令で定めるところにより、その速度に応じ、その最も右側の車両通行帯以外の車両通行帯を通行することができる。

2. 一般乗合旅客自動車運送事業者による路線定期運行の用に供する自動車（以下「路線バス等」という。）の優先通行帯であることが道路標識等により表示されている車両通行帯が設けられている道路においては、自動車（路線バス等を除く。）は、路線バス等が後方から接近してきた場合に当該道路における交通の混雑のため当該車両通行帯から出ることができないこととなるときであっても、路線バス等が実際に接近してくるまでの間は、当該車両通行帯を通行することができる。

3. 車両（トロリーバスを除く。）は、車両通行帯の設けられた道路を通行する場合を除き、自動車は道路の左側に寄って、当該道路を通行しなければならない。ただし、追越しをするとき、法令の規定により道路の中央若しくは右側端に寄るとき、又は道路の状況その他の事情によりやむを得ないときは、この限りでない。

4. 車両は、道路の中央から左の部分の幅員が6メートルに満たない道路において、他の車両を追い越そうとするとき（道路の中央から右の部分を見とおすことができ、かつ、反対の方向からの交通を妨げるおそれがない場合に限るものとし、道路標識等により追越しのため右側部分にはみ

出して通行することが禁止されている場合を除く。）は、法令の規定にかかわらず、道路の中央から右の部分にその全部又は一部をはみ出して通行することができる。

問14　道路交通法に定める追越し等についての次の記述のうち、<u>正しいものを２つ選び</u>、解答用紙の該当する欄にマークしなさい。なお、解答にあたっては、各選択肢に記載されている事項以外は考慮しないものとする。

1．車両は、トンネル内の車両通行帯が設けられている道路の部分（道路標識等により追越しが禁止されているものを除く。）においては、他の車両を追い越すことができる。

2．車両は、他の車両を追い越そうとするときは、その追い越されようとする車両（以下「前車」という。）の右側を通行しなければならない。ただし、前車が法令の規定により右折をするため道路の中央又は右側端に寄って通行しているときは、前車を追越してはならない。

3．車両は、法令の規定若しくは警察官の命令により、又は危険を防止するため、停止し、若しくは停止しようとして徐行している車両等に追いついたときは、その前方にある車両等の側方を通過して当該車両等の前方に割り込み、又はその前方を横切ってはならない。

4．車両は、進路を変更した場合にその変更した後の進路と同一の進路を後方から進行してくる車両等の速度又は方向を急に変更させることとなるおそれがあるときは、速やかに進路を変更しなければならない。

▼

問 15 道路交通法に定める停車及び駐車等についての次の記述のうち、<u>誤っているもの</u>を **1** つ選び、解答用紙の該当する欄にマークしなさい。なお、解答にあたっては、各選択肢に記載されている事項以外は考慮しないものとする。（一部改題）

1．車両は、交差点の側端又は道路の曲がり角から 5 メートル以内の道路の部分においては、法令の規定若しくは警察官の命令により、又は危険を防止するため一時停止する場合のほか、停車し、又は駐車してはならない。

2．車両は、法令の規定により駐車しようとする場合には、当該車両の右側の道路上に 3 メートル（道路標識等により距離が指定されているときは、その距離）以上の余地があれば駐車してもよい。

3．車両は、踏切の前後の側端からそれぞれ前後に 10 メートル以内の道路の部分においては、法令の規定若しくは警察官の命令により、又は危険を防止するため一時停止する場合のほか、停車し、又は駐車してはならない。

4．交通整理の行われている交差点に入ろうとする車両等は、その進行しようとする進路の前方の車両等の状況により、交差点に入った場合においては当該交差点内で停止することとなり、よって交差道路における車両等の通行の妨害となるおそれがあるときは、当該交差点に入ってはならない。

問 16　道路交通法に定める運転者及び使用者の義務等についての次の記述のうち、<u>正しいものを 2 つ</u>選び、解答用紙の該当する欄にマークしなさい。なお、解答にあたっては、各選択肢に記載されている事項以外は考慮しないものとする。

1．自動車の使用者等が法令の規定に違反し、当該違反により自動車の運転者が道路交通法第 66 条（過労運転等の禁止）に掲げる行為をした場合において、自動車の使用者がその者の業務に関し自動車を使用することが著しく道路における交通の危険を生じさせるおそれがあると認めるときは、当該違反に係る自動車の使用の本拠の位置を管轄する都道府県公安委員会は、当該自動車の使用者に対し、6 ヵ月を超えない範囲内で期間を定めて、当該違反に係る自動車を運転してはならない旨を命ずることができる。

2．自動車を運転する場合においては、当該自動車が停止しているときを除き、携帯電話用装置、自動車電話用装置その他の無線通話装置（その全部又は一部を手で保持しなければ送信及び受信のいずれをも行うことができないものに限る。）を通話（傷病者の救護等のため当該自動車の走行中に緊急やむを得ずに行うものを除く。）のために使用してはならない。

3．自動車の運転者は、負傷若しくは障害のため座席ベルトを装着させることが健康保持上適当でない者であっても、座席ベルトを装着させなければ運転者席以外の乗車装置に乗車させて自動車を運転してはならない。

4．車両等の運転者は、高齢の歩行者、身体の障害のある歩行者その他の歩行者でその通行に支障のあるものが通行しているときは、必ず一時停止しなければならない。

問 17 車両等の運転者が道路交通法に定める規定に違反した場合等の措置についての次の文中、A、B、C に入るべき字句として<u>いずれか正しいものを 1 つ</u>選び、解答用紙の該当する欄にマークしなさい。

　車両等の運転者が道路交通法若しくは同法に基づく命令の規定又は同法の規定に基づく ☐ A ☐ した場合において、当該違反が当該違反に係る車両等の ☐ B ☐ の業務に関してなされたものであると認めるときは、都道府県公安委員会は、内閣府令で定めるところにより、当該車両等の使用者が道路運送法の規定による自動車運送事業者、貨物利用運送事業法の規定による第二種貨物利用運送事業を経営する者であるときは当該事業者及び当該事業を監督する行政庁に対し、当該車両等の使用者がこれらの事業者以外の者であるときは当該車両等の使用者に対し、当該 ☐ C ☐ を通知するものとする。

A　1．処分に違反　　2．指示に違反

B　1．運行管理者　　2．使用者

C　1．違反の内容　　2．指示の理由

4. 労働基準法関係

問 18　労働基準法（以下「法」という。）の定めに関する次の記述のうち、<u>正しいものを 2 つ選び</u>、解答用紙の該当する欄にマークしなさい。なお、解答にあたっては、各選択肢に記載されている事項以外は考慮しないものとする。

1．法で定める労働条件の基準は最低のものであるから、労働関係の当事者は、当事者間の合意がある場合を除き、この基準を理由として労働条件を低下させてはならないことはもとより、その向上を図るように努めなければならない。

2．労働契約は、期間の定めのないものを除き、一定の事業の完了に必要な期間を定めるもののほかは、3 年（法第 14 条（契約期間等）第 1 項各号のいずれかに該当する労働契約にあっては、5 年）を超える期間について締結してはならない。

3．労働者は、労働契約の締結に際し使用者から明示された賃金、労働時間その他の労働条件が事実と相違する場合においては、少なくとも 30 日前に使用者に予告したうえで、当該労働契約を解除することができる。

4．法第 106 条に基づき使用者は、この法律及びこれに基づく命令の要旨、就業規則、時間外労働・休日労働に関する協定等を、常時各作業場の見やすい場所へ掲示し、又は備え付けること、書面を交付することその他の厚生労働省令で定める方法によって、労働者に周知させなければならない。

問 19 労働基準法に定める就業規則についての次の記述のうち、誤っているものを 1 つ選び、解答用紙の該当する欄にマークしなさい。なお、解答にあたっては、各選択肢に記載されている事項以外は考慮しないものとする。

1．常時 10 人以上の労働者を使用する使用者は、始業及び終業の時刻、休憩時間、休日、休暇等法令に定める事項について就業規則を作成し、行政官庁に届け出なければならない。

2．就業規則で、労働者に対して減給の制裁を定める場合においては、その減給は、1 回の額が平均賃金の 1 日分の半額を超え、総額が一賃金支払期における賃金の総額の 10 分の 1 を超えてはならない。

3．使用者は、就業規則の作成又は変更について、当該事業場に、労働者の過半数で組織する労働組合がある場合においてはその労働組合、労働者の過半数で組織する労働組合がない場合においては労働者の過半数を代表する者と協議し、その内容について同意を得なければならない。

4．就業規則は、法令又は当該事業所について適用される労働契約に反してはならない。また、行政官庁は、法令又は労働協約に抵触する就業規則の変更を命ずることができる。

▼

問20 「自動車運転者の労働時間等の改善のための基準」に定める一般乗
用旅客自動車運送事業に従事する自動車運転者（隔日勤務に就く運転
者及びハイヤーに乗務する運転者以外のもの。）の拘束時間及び休息
期間についての次の文中、A、B、C、D に入るべき字句を下の枠内
の選択肢（1 ～ 8）から選び、解答用紙の該当する欄にマークしなさい。
（一部改題）

　1日（始業時刻から起算して24時間をいう。以下同じ。）について
の拘束時間は、　A　を超えないものとし、当該拘束時間を延長す
る場合であっても、1日についての拘束時間の限度（最大拘束時間）
は、　B　とすること。ただし、車庫待ち等の自動車運転者について、
次に掲げる要件を満たす場合には、この限りでない。

イ　勤務終了後、継続　C　以上の休息期間を与えること。

ロ　1日についての拘束時間が、16時間を超える回数が、1ヵ月について
　　7回以内であること。

ハ　1日についての拘束時間が　D　を超える場合には、夜間4時間以
　　上の仮眠時間を与えること。

ニ　1回の勤務における拘束時間が、24時間を超えないこと。

1．13時間	2．14時間	3．15時間	4．16時間
5．17時間	6．18時間	7．20時間	8．21時間

▼

問21 「自動車運転者の労働時間等の改善のための基準」に関する次の記述のうち、誤っているものを1つ選び、解答用紙の該当する欄にマークしなさい。なお、隔日勤務には就いていない場合とする。また、解答にあたっては、各選択肢に記載されている事項以外は考慮しないものとする。（一部改題）

1．休息期間とは、勤務と次の勤務との間にあって、休息期間の直前の拘束時間における疲労の回復を図るとともに、睡眠時間を含む労働者の生活時間として、その処分は労働者の全く自由な判断にゆだねられる時間をいう。

2．労使当事者は、時間外労働協定において一般乗用旅客自動車運送事業以外の事業に従事する自動車運転者（以下「バス運転者」という。）に係る一定期間についての延長時間について協定するに当たっては、当該一定期間は、2週間及び1ヵ月以上6ヵ月以内の一定の期間とするものとする。

3．使用者は、バス運転者が同時に1台の自動車に2人以上乗務する場合であって、車両内に身体を伸ばして休息できる設備がバス運転者等の専用の座席であり、厚生労働省労働基準局長が定める要件を満たす場合、又は当該設備としてベッドが設けられている場合その他バス運転者等の休息のための措置として厚生労働省労働基準局長が定める措置が講じられている場合には、最大拘束時間を延長し、休息期間を短縮することができる。

4．使用者は、バス運転者等の休息期間については、当該バス運転者等の住所地における休息期間がそれ以外の場所における休息期間より長くなるように努めるものとする。

▼

問22　下表の 1 ～ 4 は、貸切バスの運転者の 52 週間における各 4 週間を平均し 1 週間当たりの拘束時間の例を示したものである。下表の空欄 A、B、C、D について、次の選択肢ア～ウの拘束時間の組み合わせをあてはめた場合、「自動車運転者の労働時間等の改善のための基準」に適合するものを 1 つ選び、解答用紙の該当する欄にマークしなさい。なお、「4 週間を平均し 1 週間当たりの拘束時間の延長に関する労使協定」及び「52 週間の拘束時間の延長に関する労使協定」があるものとする。（一部改題）

1.

	1週~4週	5週~8週	9週~12週	13週~16週	17週~20週	21週~24週	25週~28週	29週~32週	33週~36週	37週~40週	41週~44週	45週~48週	49週~52週	Aを除く52週までの合計
拘束時間（時間）	58	67	A	66	65	60	56	54	63	57	58	68	64	2,944

2.

	1週~4週	5週~8週	9週~12週	13週~16週	17週~20週	21週~24週	25週~28週	29週~32週	33週~36週	37週~40週	41週~44週	45週~48週	49週~52週	Bを除く52週までの合計
拘束時間（時間）	68	59	58	59	B	59	66	58	65	54	56	60	67	2,916

3.

	1週~4週	5週~8週	9週~12週	13週~16週	17週~20週	21週~24週	25週~28週	29週~32週	33週~36週	37週~40週	41週~44週	45週~48週	49週~52週	Cを除く52週までの合計
拘束時間（時間）	67	63	56	68	59	62	C	66	68	59	54	59	59	2,960

4.

	1週~4週	5週~8週	9週~12週	13週~16週	17週~20週	21週~24週	25週~28週	29週~32週	33週~36週	37週~40週	41週~44週	45週~48週	49週~52週	Dを除く52週までの合計
拘束時間（時間）	59	65	60	66	67	56	58	61	D	67	58	68	59	2,974

		A（時間）	B（時間）	C（時間）	D（時間）
選択肢	ア	62	72	63	60
	イ	66	63	65	64
	ウ	64	68	64	69

問23 下表は、貸切バスの運転者の4週間の勤務状況の例を示したものであるが、「自動車運転者の労働時間等の改善のための基準」に定める拘束時間及び運転時間等に照らし、次の1〜4の中から違反している事項を1つ選び、解答用紙の該当する欄にマークしなさい。なお、1人乗務とし、「4週間を平均し1週間当たりの拘束時間の延長に関する労使協定」、「4週間を平均し1週間当たりの運転時間の延長に関する労使協定」及び「時間外労働及び休日労働に関する労使協定」があり、下表の4週間は、当該協定により、拘束時間及び運転時間を延長することができるものとする。（一部改題）

（起算日）

第1週		1日	2日	3日	4日	5日	6日	7日	週の合計時間
	各日の運転時間	6	8	5	7	9	8	休日	43
	各日の拘束時間	9	13	10	11	12	13		68

第2週		8日	9日	10日	11日	12日	13日	14日 休日労働	週の合計時間
	各日の運転時間	5	4	5	8	10	8	5	45
	各日の拘束時間	8	8	8	14	14	10	8	70

第3週		15日	16日	17日	18日	19日	20日	21日	週の合計時間
	各日の運転時間	4	4	4	9	10	9	休日	40
	各日の拘束時間	8	8	8	11	15	12		62

第4週		22日	23日	24日	25日	26日	27日	28日 休日労働	週の合計時間
	各日の運転時間	9	8	9	4	6	5	5	46
	各日の拘束時間	13	12	13	10	13	9	9	79

4週間の合計時間	
運転時間	174
拘束時間	279

（注1）7日、14日、21日及び28日は法定休日とする。
（注2）法定休日労働に係る2週間及び運転時間に係る4週間の起算日は1日とする。
（注3）各労働日の始業時刻は午前8時とする。
（注4）当該4週間を含む52週間の運転時間は、2080時間を超えないものとする。

1．1日の最大拘束時間
2．4週間を平均し1週間当たりの運転時間
3．当該4週間のすべての日を特定日とした2日を平均した1日当たりの運転時間

4．2週間における休日に労働させる回数

5. 実務上の知識及び能力

▼

問24 運行管理者の日常業務の記録等に関する次の記述のうち、適切なものには解答用紙の「適」の欄に、適切でないものには解答用紙の「不適」の欄にマークしなさい。なお、解答にあたっては、各選択肢に記載されている事項以外は考慮しないものとする。（一部改題）

1．運行管理者は、選任された運転者ごとに採用時に提出させた履歴書が、法令で定める乗務員等台帳の記載事項の内容を概ね網羅していることから、これを当該台帳として使用し、索引簿なども作成のうえ、営業所に備え管理している。

2．運行管理者は、事業者が定めた勤務時間及び乗務時間の範囲内で、運転者が過労とならないよう十分考慮しながら、天候や道路状況などを勘案しつつ、乗務割を作成している。なお、乗務については、早めに運転者に知らせるため、事前に予定を示すことにしている。

3．運行管理者は、事業用自動車の運行中に暴風雪等に遭遇した場合、運転者から迅速に状況を報告させるとともに、その状況に応じて、運行休止を含めた具体的な指示を行うこととしている。また、報告を受けた事項や指示した内容については、異常気象時等の措置として、詳細に記録している。

4．運行管理者は、運転者に法令に基づく運行指示書を携行させ、運行させている途中において、自然災害により運行経路の変更を余儀なくされた。このため、当該運行管理者は、当該運転者に対して電話等により変更の指示を行ったが、携行させている運行指示書については帰庫後提出させ、運行管理者自ら当該変更内容を記載のうえ保管し、運行の安全確保を図った。

問25　旅客自動車運送事業者が事業用自動車の運転者に対して行う指導・監督に関する次の記述のうち、<u>適切なものをすべて選び</u>、解答用紙の該当する欄にマークしなさい。なお、解答にあたっては、各選択肢に記載されている事項以外は考慮しないものとする。

1．飲酒は、速度感覚の麻痺、視力の低下、反応時間の遅れ、眠気が生じるなど自動車の運転に極めて深刻な影響を及ぼす。個人差はあるものの、体内に入ったビール500ミリリットル（アルコール5％）が分解処理されるのに概ね2時間が目安とされていることから、乗務前日の飲酒・酒量については、運転に影響のないよう十分気をつけることを運転者に指導している。

2．他の自動車に追従して走行するときは、常に「秒」の意識をもって自車の速度と制動距離（ブレーキが効きはじめてから止まるまでに走った距離）に留意し、前車への追突の危険が発生した場合でも安全に停止できるよう、制動距離と同程度の車間距離を保って運転するよう指導している。

3．平成28年中に発生したハイヤー・タクシーが第1当事者となった人身事故の類型別発生状況をみると、「追突」は「出合い頭衝突」と同程度に多く、全体の約2割を占めている。この事実を踏まえ、運転者に対しては日頃より適正な車間距離の確保や前方への注意を怠らないことを指導している。

4．平成28年における交通事故統計によれば、人口10万人当たり死者数については、65歳以上の高齢者層は全年齢層の約2倍となっており、高齢者が事故により死亡するリスクが特に高いので、運行する際に、歩道や路肩に高齢歩行者を発見したときは、その動静に注意をはらって、運転を行うよう運転者に指導している。

問26　事業用自動車の運転者の健康管理に関する次の記述のうち、適切なものには解答用紙の「適」の欄に、適切でないものには解答用紙の「不適」の欄にマークしなさい。なお、解答にあたっては、各選択肢に記載されている事項以外は考慮しないものとする。

1．事業者は、業務に従事する運転者に対し法令で定める健康診断を受診させ、その結果に基づいて健康診断個人票を作成して5年間保存している。また、運転者が自ら受けた健康診断の結果を提出したものについても同様に保存している。

2．事業者や運行管理者は、点呼等の際に、運転者が意識や言葉に異常な症状があり普段と様子が違うときには、すぐに専門医療機関で受診させている。また、運転者に対し、脳血管疾患の症状について理解させ、そうした症状があった際にすぐに申告させるように努めている。

3．事業者は、深夜（夜11時出庫）を中心とした業務に常時従事する運転者に対し、法令に定める定期健康診断を1年に1回、必ず、定期的に受診させるようにしている。

4．事業者は、脳血管疾患の予防のため、運転者の健康状態や疾患につながる生活習慣の適切な把握・管理に努めるとともに、これらの疾患は定期健康診断において容易に発見することができることから、運転者に確実に受診させている。

問27　自動車の運転に関する次の記述のうち、適切なものには解答用紙の「適」の欄に、適切でないものには解答用紙の「不適」の欄にマークしなさい。なお、解答にあたっては、各選択肢に記載されている事項以外は考慮しないものとする。

1．四輪車を運転する場合、二輪車との衝突事故を防止するための注意点として、①二輪車は死角に入りやすいため、その存在に気づきにくく、また、②二輪車は速度が実際より速く感じたり、距離が近くに見えたりする特性がある。したがって、運転者に対してこのような点に注意するよう指導する必要がある。

2．前方の自動車を大型車と乗用車から同じ距離で見た場合、それぞれの視界や見え方が異なり、大型車の場合には運転席が高いため、車間距離をつめてもあまり危険に感じない傾向となるので、この点に注意して常に適正な車間距離をとるよう運転者を指導する必要がある。

3．夜間等の運転において、①見えにくい時間帯に自車の存在を知らせるため早めの前照灯の点灯、②より広範囲を照射する走行用前照灯（ハイビーム）の積極的な活用、③他の道路利用者をげん惑させないよう適切なすれ違い用前照灯（ロービーム）への切替えの励行、を運転者に対し指導する必要がある。

4．衝突被害軽減ブレーキについては、同装置が正常に作動していても、走行時の周囲の環境によっては障害物を正しく認識できないことや、衝突を回避できないことがあるため、当該装置が備えられている自動車の運転者に対し、当該装置を過信せず、細心の注意をはらって運転するよう指導する必要がある。

問28 交通事故防止対策に関する次の記述のうち、適切なものには解答用紙の「適」の欄に、適切でないものには解答用紙の「不適」の欄にマークしなさい。なお、解答にあたっては、各選択肢に記載されている事項以外は考慮しないものとする。

1. 適性診断は、運転者の運転能力、運転態度及び性格等を客観的に把握し、運転の適性を判定することにより、運転に適さない者を運転者として選任しないようにするためのものであり、ヒューマンエラーによる交通事故の発生を未然に防止するための有効な手段となっている。

2. ドライブレコーダーは、事故時の映像だけでなく、運転者のブレーキ操作やハンドル操作などの運転状況を記録し、解析することにより運転のクセ等を読み取ることができるものがあり、運行管理者が行う運転者の安全運転の指導に活用されている。

3. 平成28年中の自動車乗車中死者のシートベルト着用状況を座席別に見てみると、後部座席は運転席や助手席と比べて非着用の割合が高い。非着用時の致死率は、着用時の10倍以上と極めて高いことから、後部座席のシートベルトの確実な着用は死亡事故防止の有効な手段となっている。

4. 交通事故の多くは、見かけ上運転者の運転操作ミスや交通違反等の人的要因によって発生しているが、その背景には、運転操作を誤ったり、交通違反せざるを得なかったりすることに繋がる背景要因が潜んでいることが少なくない。したがって、事業用自動車による事故防止を着実に推進するためには、事故の背景にある運行管理その他の要因を総合的に調査・分析することが重要である。

問29　旅行業者から貸切バス事業者に対し、早朝Ｂ駅にてツアー客を乗車させ、Ｃ観光地及びＤ観光地を経て、夕刻Ｂ駅に帰着させるよう運送の依頼があった。これを受けて運行管理者は、次に示す「当日の運行計画」を立てた。この事業用自動車の運行に関する次のア〜ウについて解答しなさい。なお、解答にあたっては、「当日の運行計画」及び各選択肢に記載されている事項以外は考慮しないものとする。

「当日の運行計画」

往路

○　Ａ営業所を8時00分に出庫し、15キロメートル離れたＢ駅まで平均時速30キロメートルで走行する。

○　Ｂ駅にて、ツアー客がバスへの乗車を要する時間を10分間とする。

○　Ｂ駅から150キロメートル離れたＣ観光地までの間、一部高速自動車国道を利用し、平均時速45キロメートルで走行して、Ｃ観光地に12時00分に到着する。

○　Ｃ観光地にて2時間待機し、その内1時間の休憩をとる。

復路

○　休憩後、Ｄ観光地に向かうため、Ｃ観光地を14時00分に出発し、60キロメートル離れたＤ観光地まで平均時速30キロメートルで走行する。

○　Ｄ観光地にて、20分間待機する。

○　Ｄ観光地から80キロメートル離れたＢ駅まで平均時速30キロメートルで走行する。

○　Ｂ駅にて、ツアー客を10分間で降車させた後、帰庫のため15キロメートル離れたＡ営業所まで平均時速30キロメートルで走行し、Ａ営業所には19時40分に帰庫する。

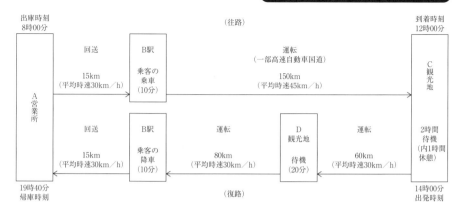

ア　B駅とC観光地の間の運転時間について、次の1～3の中から<u>正しい</u>
　　<u>ものを1つ選び</u>、解答用紙にマークしなさい。

　　　　1．2時間40分　　　2．3時間20分　　　3．4時間

イ　当該運転者の前日の運転時間は9時間であり、また、当該運転者の翌日
　　の運転時間は8時間50分と予定した。当日を特定日とした場合の2日を
　　平均した1日当たりの運転時間は、「自動車運転者の労働時間等の改善の
　　ための基準」（以下「改善基準」という。）に照らし、違反しているか否
　　かについて、次の1～2の中から<u>正しいものを1つ選び</u>、解答用紙にマー
　　クしなさい。

　　　　1．違反している

　　　　2．違反していない

ウ　当日の全運行において、連続運転時間は「改善基準」に照らし、違反し
　　ているか否かについて、次の1～2の中から<u>正しいものを1つ選び</u>、解
　　答用紙にマークしなさい。

　　　　1．違反している

　　　　2．違反していない

▼

問30　運行管理者が、次の乗合バスの車内事故報告に基づき、この事故の
要因分析を行い、<u>同種の事故の再発を防止する対策として、最も直接
的に有効と考えられる組合せを、下の枠内の選択肢（1〜8）から1
つ選び</u>、解答用紙の該当する欄にマークしなさい。なお、解答にあたっ
ては、＜事故の概要＞及び＜事故関連情報＞に記載されている事項以
外は考慮しないものとする。（一部改題）

＜事故の概要＞

　当該運転者は、午前5時に出勤し日常点検を終え、点呼を受けてから定
刻どおりに出庫した。

　その後、路線運行の途中において、前夜の睡眠不足による疲労と注意力
の低下を感じながら、見通しの悪いバス停にさしかかったので、時速30
キロメートル程度でバス停に接近した。降車する乗客もなく、バス停に
も乗車する客が見あたらなかったので、そのまま通過しようとしたとこ
ろ、電柱と街路樹の陰で合図をする客の姿が見えたので、あわてて強め
のブレーキをかけて停車した。

　そのとき、最後部の座席の中央に着座していた高齢の乗客が、急ブレー
キの反動で座席から通路に転がり落ちて負傷した。

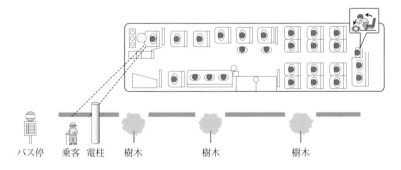

バス停　乗客　電柱　樹木　　　　樹木　　　　樹木

＜事故関連情報＞

○　当該運転者は、28歳で運転経験3年、過去3年間無事故無違反の運転者である。

○　当該運転者は、頻繁に夜遅くまで友人たちと遊興することがあり、事故前夜も夜更しをしたため、事故当日は、睡眠不足の状態であった。

○　業務前点呼時、運行管理者は運転者が睡眠不足気味に見えたものの、本人から特に申し出がなかったので、疲労の状態には問題がないと判断した。

○　当該運転者は、事故発生後直ちに当該バスを路側に寄せ、負傷した乗客を介護した後、救急車を手配した。

○　当該運転者の事故日前1ヵ月間の勤務において、拘束時間や休息期間等について、「自動車運転者の労働時間等の改善のための基準」の違反はみられなかった。

○　当該バス会社では、乗合バスにドライブレコーダーは未装着であり、営業状況を勘案した上で導入を検討しているところであった。

○　同社では毎月運転者の集合教育を実施しているが、管理者の講話が中心で、運行時のヒヤリ・ハット体験などが教育に活用されていないため、運転者の間でそれらの情報が共有化されていなかった。

○　当該運転者は、適性診断結果において「判断動作のタイミング」の項目で、動作が不安定になりやすいという結果となっていた。

○　同社の定期健康診断は、年に2回実施しており、当該運転者は受診結果に問題はなかった。

＜事故の再発防止対策＞

ア　運行管理者は、運転者の生活状況を把握して、点呼時に疲労状況、睡眠不足や健康状態をしっかりとチェックするとともに、必要な助言・指導を行う。

イ　「自動車運転者の労働時間等の改善のための基準」告示に定められた休息期間について確認し、乗務割の見直しを行う。

ウ　事故が発生した場合には、直ちに車両を停止して負傷者を救護し、道路における危険を防止する等必要な措置を講じるよう再徹底する。

エ　実際に事故が発生した地点の情報や、ヒヤリ・ハット情報に基づく危険予知トレーニングを速やかに全社的に実施し、運転者がこれらの地点において安全運転の基本動作を確実に実施するよう指導する。

オ　運行の安全を確保するため、身体機能が変化しつつある高齢運転者を対象に、適性診断結果に基づき、日頃の運転で特に留意すべき事項を指導する。

カ　急停止や急発進等の走行に関するさまざまなデータの把握が行えるドライブレコーダーを速やかに導入し、運転者ごとの運転特性を的確に把握して、これを基に各運転者を指導する。

キ　通常の定期健康診断を確実に実施することに加えて、疲労が蓄積しないような責任ある自己管理を指導する。

ク　バスの全運行経路において、見通しの悪いバス停をリストアップして、安全確保のための改善対策を速やかに講じ、運転者に周知する。

1．ア・イ・エ・キ	2．ア・イ・カ・キ
3．ア・ウ・オ・ク	4．ア・エ・カ・ク
5．イ・ウ・カ・キ	6．イ・エ・オ・カ
7．ウ・エ・オ・ク	8．ウ・オ・キ・ク

memo

道路運送法関係	／8問	労働基準法関係	／6問
道路運送車両法関係	／4問	実務上の知識及び能力	／7問
道路交通法関係	／5問	正解数	／30問

☞ 原則として、正解数が30問中18問以上、かつ、各分野1問（実務上の知識及び能力は2問）以上で合格!

問題	1	2 A	2 B	2 C	3	4	5	6	7	8	9	10	11 A	11 B	12	13
解答欄	①②③④	①②	①②	①②	①②③④	①②③④	①②③④	①②③④	①②③④	①②③④	①②③④	①②③④	①②	①②	①②③④	①②③④

11 C ①② 11 D ①②

問題	14	15 A	15 B	15 C	16	17	18	19	20 A	20 B	21	22	23	24	25	26
解答欄	①②③④	①②	①②	①②	①②③④	①②③④	①②③④	①②③④	①②	①②	①②③④	①②③④	㋐㋑㋒	①②③④	①②③④	①②③④

20 C ①② 20 D ①②

問題	27	28	29 1	29 2	29 3	30
解答欄	①②③④	①②③④	①②	①②	①②	①②③④⑤⑥

答え合わせに便利な正答一覧は、別冊 p.124

道路運送法関係	／8問	労働基準法関係	／6問
道路運送車両法関係	／4問	実務上の知識及び能力	／7問
道路交通法関係	／5問	正解数	／30問

 原則として、正解数が30問中18問以上、かつ、各分野1問（実務上の知識及び能力は2問）以上で合格!

解答欄

問題	1	2	3	4	5	6	7 A	7 B	8	9	10	11 A	11 B	12	13	14
	①②③④	①②③④	①②③④	①②③④	①②③④	①②③④	①②③④	①②③④	①②③④	①②③④	①②③④	①②③④	①②③④	①②③④	①②③④	①②③④
							C①②	D①②				C①②	D①②			

問題	15 A	15 B	16	17	18	19	20 A	20 B	21	22	23	24 A	24 B	24 C	25	26
	①②	①②	①②③④	①②③④	①②③④	①②③④	①②③④	①②③④	①②③④	①②③④	①②③④	①②③④⑤⑥⑦⑧	①②③④⑤⑥⑦⑧	①②③④⑤⑥⑦⑧	①②③④	①②③④
	C①②	D①②					C①②	D①②								

問題	27	28 A	28 B	29 1	29 2	29 3	30
	①②③④	①②③④	①②③④	①②③	①②③④	①②③④	①②③④⑤⑥⑦⑧
		C①②	D①②				

答え合わせに便利な正答一覧は、別冊 p.125

道路運送法関係	／8問	労働基準法関係	／6問
道路運送車両法関係	／4問	実務上の知識及び能力	／7問
道路交通法関係	／5問	正解数	／30問

 原則として、正解数が30問中18問以上、かつ、各分野1問
（実務上の知識及び能力は2問）以上で合格！

問題	1	2			3	4	5	6	7	8	9	10	11		12	13
		A	B	C									A	B		
解答欄	①②③④	①②	①②	①②	①②③④	①②③④	①②③④	①②③④	①②③④	①②③④	①②③④	①②③④	①②	①②	①②③④	①②③④
													C	D		
													①②	①②		

問題	14	15			16	17	18	19	20		21	22	23	24	25	26
		A	B	C					A	B						
解答欄	①②③④	①②	①②	①②	①②③④	①②③④	①②③④	①②③④	①②	①②	①②③④	①②③④	①②③④	①②③④	①②③④	①②③④
									C	D						
									①②	①②						

問題	27	28	29			30	
			1	2	3		
解答欄	①②③④	①②③④	①②③	①②	①②	①②③④⑤	⑥⑦⑧⑨⑩

答え合わせに便利な正答一覧は、別冊 p.126

令和２年度第２回　解答用紙

道路運送法関係	／8問	労働基準法関係	／6問
道路運送車両法関係	／4問	実務上の知識及び能力	／7問
道路交通法関係	／5問	正解数	／30問

 原則として、正解数が30問中18問以上、かつ、各分野1問
（実務上の知識及び能力は2問）以上で合格!

問題	1	2	3 A	3 B	4	5	6	7	8	9	10	11 A	11 B	12	13	14
解答欄	①②③④	①②③④	①②	①②	①②③④	①②③④	①②③④	①②③④	①②③④	①②③④	①②③④	①②③④	①②③④	①②③④	①②③④	①②③④
			C ①②	D ①②								C ①②	D ①②			

問題	15 A	15 B	15 C	15 D	16	17	18	19	20 A	20 B	21	22	23	24 適	24 不適	25
解答欄	①②③④⑤	①②③④⑤	①②③④⑤	①②③④⑤	①②③④	①②③④	①②③④	①②③④	①②	①②	①②③④	①②③④	①②③④	①②③④	①②③④	①②③④
									C ①②	D ①②						

問題	26 適	26 不適	27 適	27 不適	28 A	28 B	28 C	29 ア	29 イ	30
解答欄	①②③④	①②③④	①②③④	①②③④	①②	①②	①②	①②③	①②③	①②③④

答え合わせに便利な正答一覧は、別冊 p.127

令和２年度第１回　解答用紙

道路運送法関係	／8問	労働基準法関係	／6問
道路運送車両法関係	／4問	実務上の知識及び能力	／7問
道路交通法関係	／5問	正解数	／30問

 原則として、正解数が30問中18問以上、かつ、各分野1問
（実務上の知識及び能力は2問）以上で合格!

問題	1	2	3	4	5	6	7 A	7 B	7 C	8	9	10	11 A	11 B	11 C	11 D
解答欄	①②③④	①②③④	①②③④	①②③④	①②③④	①②③④	①②	①②	①②	①②③④	①②③④	①②③④	①②③④⑤⑥	①②③④⑤⑥	①②③④⑤⑥	①②③④⑤⑥

問題	12	13	14	15 A	15 B	15 C	16	17	18	19	20 A	20 B	21	22	23
解答欄	①②③④	①②③④	①②③④	①②	①②	①②	①②③④	①②③④	①②③④	①②③④	①②	①②	①②③④	①②③④	①②③④
											20 C ①②	20 D ①②			

問題	24 適	24 不適	25	26 適	26 不適	27 適	27 不適	28 ア	28 イ	28 ウ	29 ア	29 イ	29 ウ	30 A	30 B	30 C
解答欄	①②③④	①②③④	①②③④	①②③④	①②③④	①②③④	①②③④	①②	①②	①②	①②	①②	①②	①②③④⑤⑥⑦⑧	①②③④⑤⑥⑦⑧	①②③④⑤⑥⑦⑧

答え合わせに便利な正答一覧は、別冊 p.128

道路運送法関係	／8問	労働基準法関係	／6問
道路運送車両法関係	／4問	実務上の知識及び能力	／7問
道路交通法関係	／5問	正解数	／30問

 原則として、正解数が30問中18問以上、かつ、各分野1問（実務上の知識及び能力は2問）以上で合格!

問題	1	2	3	4 A	4 B	4 C	5	6	7	8	9	10	11 A	11 B	12	13
解答欄	①②③④	①②③④	①②③④	①②③④⑤⑥	①②③④⑤⑥	①②③④⑤⑥	①②③④	①②③④	①②③④	①②③④	①②③④	①②③④	①②③④	①②③④	①②③④	①②③④
													11 C ①②	11 D ①②		

問題	14 A	14 B	15	16	17	18	19	20 A	20 B	20 C	21	22	23	24 適	24 不適	25
解答欄	①②③④	①②③④	①②③④	①②③④	①②③④	①②③④	①②③④	①②③	①②③	①②③	①②③④	①②③④	①②③④	①②③④	①②③④	①②③④
	14 C ①②③	14 D ①②③														

問題	26 適	26 不適	27 適	27 不適	28 適	28 不適	29	30 A	30 B	30 C	30 D
解答欄	①②③④	①②③④	①②③④	①②③④	①②③④	①②③④	①②③④	①②③④⑤	①②③④⑤	⑥⑦⑧⑨⑩	⑥⑦⑧⑨⑩

答え合わせに便利な正答一覧は、別冊 p.129

平成 30 年度第 2 回　解答用紙

道路運送法関係	／8 問	労働基準法関係	／6 問
道路運送車両法関係	／4 問	実務上の知識及び能力	／7 問
道路交通法関係	／5 問	正解数	／30 問

☞ 原則として、正解数が30問中18問以上、かつ、各分野1問
（実務上の知識及び能力は2問）以上で合格！

問題	1	2 A	2 B	2 C	2 D	3	4	5	6	7	8	9	10	11 A	11 B	12
解答欄	①②③④	①②	①②	①②	①②	①②③④	①②③④	①②③④	①②③④	①②③④	①②③④	①②③④	①②③	①②③	①②③	①②③④
														11 C ①②	11 D ①②	

問題	13	14	15 A	15 B	16	17	18	19	20 A	20 B	20 C	20 D	21	22	23
解答欄	①②③④	①②③④	①②③	①②③	①②③④	①②③④	①②③④	①②③④	①②	①②	①②	①②	①②③④	①②③④	①②③④
			15 C ①②	15 D ①②											

問題	24 適	24 不適	25	26 適	26 不適	27 A	27 B	27 C	27 D	28 適	28 不適	29	30
解答欄	①②③④	①②③④	①②③④	①②③④	①②③④	①②	①②	①②	①②	①②③④	①②③④	①②③	①⑤②⑥③⑦④⑧

答え合わせに便利な正答一覧は、別冊 p.130

道路運送法関係	／8問	労働基準法関係	／6問
道路運送車両法関係	／4問	実務上の知識及び能力	／7問
道路交通法関係	／5問	正解数	／30問

 原則として、正解数が30問中18問以上、かつ、各分野1問（実務上の知識及び能力は2問）以上で合格!

問題	1	2 A	2 B	2 C	2 D	3	4	5	6	7	8	9	10	11 A	11 B	11 C
解答欄	①②③④	①②③④⑤⑥⑦⑧	①②③④⑤⑥⑦⑧	①②③④⑤⑥⑦⑧	①②③④⑤⑥⑦⑧	①②③④	①②③④	①②③④	①②③④	①②③④	①②③④	①②③④	①②③④	①②	①②	①②

問題	12	13	14	15	16	17 A	17 B	17 C	18	19	20 A	20 B	20 C	20 D	21	22
解答欄	①②③④	①②③④	①②③④	①②③④	①②③④	①②	①②	①②	①②③④	①②③④	①②③④⑤⑥⑦⑧	①②③④⑤⑥⑦⑧	①②③④⑤⑥⑦⑧	①②③④⑤⑥⑦⑧	①②③④	㋐㋑㋒

問題	23	24 適	24 不適	25	26 適	26 不適	27 適	27 不適	28 適	28 不適	29 ア	29 イ	29 ウ	30
解答欄	①②③④	①②③④	①②③④	①②③④	①②③④	①②③④	①②③④	①②③④	①②③④	①②③④	①②	①②	①②③	①②③④⑤⑥⑦⑧

答え合わせに便利な正答一覧は、別冊 p.131

本書の正誤情報や、本書編集時点から令和6年度第2回試験の出題法令基準日（試験期間初日の6か月前予定）までに施行される法改正情報等は、下記のアドレスでご確認ください。
http://www.s-henshu.info/ukrkm2405/

上記掲載以外の箇所で正誤についてお気づきの場合は、**書名・発行日・質問事項（該当ページ・行数・問題番号**などと**誤りだと思う理由）・氏名・連絡先**を明記のうえ、お問い合わせください。
・web からのお問い合わせ：上記アドレス内【正誤情報】へ
・郵便または FAX でのお問い合わせ：下記住所または FAX 番号へ
※電話でのお問い合わせはお受けできません。

[宛先] コンデックス情報研究所
　　　　『詳解　運行管理者〈旅客〉　過去問題集 '24-'25 年版』係
　　住所　　　〒359-0042　埼玉県所沢市並木 3-1-9
　　FAX 番号　04-2995-4362　（10:00 ～ 17:00　土日祝日を除く）

※本書の正誤以外に関するご質問にはお答えいたしかねます。また受験指導などは行っておりません。
※ご質問の受付期限は、令和6年度実施の各試験日の10日前必着といたします。
※回答日時の指定はできません。また、ご質問の内容によっては回答まで10日前後お時間をいただく場合があります。
あらかじめご了承ください。

編著：コンデックス情報研究所
1990年6月設立。法律・福祉・技術・教育分野において、書籍の企画・執筆・編集、大学および通信教育機関との共同教材開発を行っている研究者・実務家・編集者のグループ。

詳解 運行管理者〈旅客〉過去問題集 '24-'25年版

2024年8月20日発行

編　著　コンデックス情報研究所

発行者　深見公子

発行所　成美堂出版
　　　　〒162-8445　東京都新宿区新小川町1-7
　　　　電話(03)5206-8151　FAX(03)5206-8159

印　刷　大盛印刷株式会社

詳解 '24-'25年版
運行管理者
〈旅客〉過去問題集

別冊

正答・解説編

※矢印の方向に引くと
　正答・解説編が取り外せます。

別冊
正答・解説編

成美堂出版

目　次

略語一覧

道路運送法………………………………………	運送法	
道路運送車両法…………………………………	車両法	
旅客自動車運送事業運輸規則…………………	運輸規則	
旅客自動車運送事業者が事業用自動車の運転者に		
対して行う指導及び監督の指針		
（平成13年国土交通省告示第1676号）………	指導監督指針	
自動車運転者の労働時間等の改善のための基準		
（平成元年労働省告示第7号）………………	改善基準	
自動車事故報告規則……………………………	事故報告規則	
道路運送車両の保安基準………………………	保安基準	
道路運送車両の保安基準の細目を定める告示		
（平成14年国土交通省告示第619号）…………	細目告示	
道路交通法………………………………………	道交法	
労働基準法………………………………………	労基法	
貸切バスの交替運転者の配置基準……………………	配置基準	

【本書ご利用上の注意点】
①法令等改正により、選択肢の内容の正誤が変わり正答となる肢がなくなるなど、問題として成立しないもの → 問題編の問題番号に★をつけ、正答は出題当時のものを掲載し、解説は出題当時の法令等に基づいた解説をしたのち、※以下に、現在の法令等に照らした解説を加えました。
②法令等改正により、選択肢の文言の一部が変更、追加、削除されたもの →問題編の問題番号に▼をつけ、問題文に「（一部改題）」と記しました。解説は改題（改正後）の内容に沿って説明しています。

本書は令和6年度第1回試験の出題法令基準日である令和6年2月2日現在で施行されている法令等に基づいて作成しております。ただし、令和6年4月1日施行の**改善基準告示**の改正については、改正後の改善基準告示をもとに出題されることから、改正を反映して**改題**しています。
令和6年度第2回試験の出題法令基準日（試験期間初日の6か月前予定）までの法改正等については、問題編の最終ページに記載してある本書専用ブログアドレスから閲覧してください。

正答解説

令和４年度 CBT 試験出題例

1．道路運送法関係

問1　　　　　　　正答 1、2
旅客自動車運送事業

1．○　運送法第4条第1項及び第2項により正しい。

2．○　運送法第15条第1項により正しい。

3．×　一般貸切旅客自動車運送事業者は、**営業区域**に係る事業計画の変更をしようとするときは、国土交通大臣の**認可**を受けなければならない（運送法第15条第1項）。

4．×　一般乗合旅客自動車運送事業者は、「**停留所又は乗降地点の名称及び位置並びに停留所間又は乗降地点間のキロ程**」に係る事業計画の変更をしたときは、**遅滞なく**、その旨を国土交通大臣に届け出なければならない（運送法第15条第4項、同法施行規則第15条の2第1項第3号）。

■事業計画の変更■

原則	➡	認可
例外 事業用自動車の数 営業所の名称	➡	届出

問2　　　正答 A ① B ② C ②
安全管理規程等及び輸送の安全

1．運輸規則第47条の2第1項によ

ると、運送法第22条の2第1項の規定により一般乗用旅客自動車運送事業の用に供する事業用自動車の保有車両数が 200 両以上の事業者は、安全管理規程を定めて国土交通大臣に届け出なければならない。

　よって、A には「① 200 両」が入る。

2．道路運送法第22条の2第5項によると、一般旅客自動車運送事業者は、安全統括管理者を選任し、又は解任したときは、国土交通省令で定めるところにより、**遅滞なく**、その旨を国土交通大臣に届け出なければならない。

　よって、B には「②遅滞なく」が入る。

3．運輸規則第47条の7第1項によると、旅客自動車運送事業者は、毎事業年度の経過後 100 日以内に、輸送の安全に関する基本的な方針その他の輸送の安全にかかわる情報であって国土交通大臣が告示で定める事項について、インターネットの利用その他の適切な方法により公表しなければならない。

　よって、C には「② 100 日」が入る。

問3　　　　　　　正答 1、4
運行管理者の業務

1．○　運輸規則第48条第1項第16号及び第38条第1項により正しい。

2．×　運輸規則第47条の9第3項によると、**事業者**は、運行管理者資格者証を有する者又は国土交通大臣

が告示で定める運行の管理に関する講習であって国土交通大臣の認定を受けたもの（基礎講習）を修了した者のうちから、**運行管理者の業務を補助させるための者（補助者）を選任することができる。**なお、運輸規則第48条第1項第19号によると、補助者に対する指導及び監督を行うことは、運行管理者の業務とされている。

3．× 運輸規則第48条第1項第9号の2及び第26条の2によると、運行管理者は、事業用自動車に係る事故が発生した場合には、事故の発生日時等所定の事項を記録し、その記録を当該事業用自動車の運行を管理する営業所において**3年間保存し**なければならない。

4．○ 運輸規則第48条第1項第10号及び第27条第1項により正しい。

問4	正答1、3
点呼	

1．○ 運輸規則第24条第2項により正しい。

2．× 通達「旅客自動車運送事業運輸規則の解釈及び運用について」第24条（1）④によると、IT点呼が認められる「輸送の安全及び旅客の利便の確保に関する取組が優良であると認められる営業所」とは、次のいずれにも該当する旅客自動車運送事業者の営業所をいうとされている。
①開設されてから**3年**を経過していること。
②過去**3年間**所属する旅客自動車運

送事業の用に供する事業用自動車の運転者が自らの責に帰する自動車事故報告規則第2条に規定する事故を発生させていないこと。
③過去**3年間**自動車その他の輸送施設の使用の停止処分、事業の停止処分又は警告を受けていないこと。

3．○ 運輸規則第48条第1項第6号及び第24条第3項により正しい。

4．× 通達「旅客自動車運送事業運輸規則の解釈及び運用について」第24条（2）③によると、運輸規則第24条第4項に規定する「アルコール検知器を営業所ごとに備え」とは、営業所若しくは営業所の車庫に設置され、営業所に備え置き（**携帯型アルコール検知器等**）、又は営業所に属する事業用自動車に設置されているものをいうとされている。よって、携帯型アルコール検知器も**含まれる**ので誤り。

問5	正答3、4
事故の速報	

1．**速報を要しない** 事故報告規則第4条第1項第1号及び第2条第1号により、自動車の転落事故は運輸支局長等への速報を要する。ここでいう「転落」とは、自動車が道路外に転落し、その落差が**0.5メートル**以上の場合である。よって、本選択肢では道路と畑の落差が0.3メートルなので、速報を要する「転落」にあたらない。

2．**速報を要しない** 事故報告規則第

4条第1項第2号ロ及びハによると、5人以上の**重傷者**を生じた事故又は旅客に**1人以上の重傷者**を生じた事故については、運輸支局長等に速報を要する。本問の「30日間の通院による医師の治療を要する傷害」は、重傷にあたらないので、速報を要しない。また、同規則第4条第1項第3号によると、**10人以上の負傷者**を生じた事故についても、運輸支局長等に速報を要する。しかし、本問の場合、負傷者は3人なのでやはり速報を要しない。

3. **速報を要する**　事故報告規則第4条第1項第2号ハ及び第2条第3号によると、**旅客に1人以上の重傷者を生じた事故**については、運輸支局長等への速報を要する。

4. **速報を要する**　事故報告規則第4条第1項第2号ハ及び第2条第3号によると、**旅客に1人以上の重傷者を生じた事故**については、運輸支局長等への速報を要する。

速報を要するもの
① 自動車の転覆、転落、火災
② 鉄道車両と衝突・接触
③ ①、②又は自動車その他の物件と衝突・接触したことにより消防法に規定する危険物、火薬類取締法に規定する火薬類などが飛散又は漏えいしたもの
④ 2人以上の死者を生じたもの（旅客自動車運送事業者等の場合は1人以上）
⑤ 5人以上の重傷者を生じたもの
⑥ 旅客に1人以上の重傷者を生じたもの
⑦ 10人以上の負傷者を生じたもの
⑧ 酒気帯び運転によるもの
※①と②に関しては、旅客自動車運送事業者及び自家用有償旅客運送者が使用する自動車が引き起こしたものに限る。

問6　　正答 1
過労運転防止等

1. ×　配置基準に定める夜間ワンマン運行（1人乗務）の実車運行区間においては、連続運転時間は、運行指示書上、概ね**2時間**までとする。

2. ○　配置基準に定める夜間ワンマン運行（1人乗務）の実車運行区間においては、運行指示書上、実車運行区間における運転時間概ね2時間毎に連続**20分**以上（1運行の実車距離が400キロメートル以下の場合にあっては、実車運行区間における運転時間概ね2時間毎に連続15分以上）の休憩を確保しなければならない。

3. ○　運輸規則第21条第1項により正しい。

4. ○　運輸規則第21条第2項及び通達「旅客自動車運送事業運輸規則の解釈及び運用について」第21条（2）①イにより正しい。

問7　　正答 1
運転者に対する特別な指導

1. ×　指導監督指針第二章2（2）によると、一般貸切旅客自動車運送事業者は、初任運転者に対して、実際に事業用自動車を運転させ、安全運転の実技に関し、**20時間**以上指導することとされている。

2. ○　指導監督指針第二章3（1）①により正しい。

3. ○　指導監督指針第一章2（1）⑤により正しい。

4. ○　指導監督指針第二章4（3）に

より正しい。

運転者の遵守事項等

1. ✕　運輸規則第50条第1項第8号によると、旅客自動車運送事業者の事業用自動車の運転者は、乗務を終了したときは、交替する運転者に対し、乗務中の事業用自動車、道路及び運行の状況について通告することとされており、この場合において、乗務する運転者は、当該事業用自動車の制動装置、走行装置その他の重要な部分の機能について点検をすることとされている。つまり、「**必要に応じて**」ではなく、常にこの点検をしなければならない。したがって、本肢は後半が誤っている。

2. ○　運輸規則第49条第4項により正しい。

3. ✕　運輸規則第48条第1項第14号によると、一般乗用旅客自動車運送事業の運行管理者にあっては、事業用自動車の運転者が乗務する場合には、タクシー業務適正化特別措置法の規定により運転者証を表示するときを除き、運輸規則に定める乗務員証を携行させ、及びその者が乗務を終了した場合には、当該乗務員証を**返還**させることとされている。

4. ○　運輸規則第50条第6項により正しい。

2．道路運送車両法関係

自動車の登録等

1. ○　車両法第15条第1項により正しい。

2. ✕　車両法第35条第6項によると、臨時運行許可証の有効期間が満了したときは、その日から**5日以内**に、当該臨時運行許可証及び臨時運行許可番号標を行政庁に返納しなければならない。「15日以内」ではないので誤り。

3. ✕　車両法第20条第2項によると、登録自動車の所有者は、当該自動車の使用者が道路運送車両法の規定により自動車の使用の停止を命ぜられ、同法の規定により自動車検査証を返納したときは、**遅滞なく、**当該自動車登録番号標及び封印を取りはずし、自動車登録番号標について国土交通大臣の**領置を受けなければならない**。本肢においては、「その事由があった日から30日以内に」と「（国土交通大臣に）届け出なければならない」の部分が誤っている。

4. ○　車両法第12条第1項により正しい。

自動車の検査等

1. ✕　車両法第66条第1項によると、自動車は、**自動車検査証**を備え付け、かつ、国土交通省令で定めるところにより検査標章を表示しなければ、運行の用に供してはならない。「自動

車検査証の写し」では足りないので誤り。

2. ○　車両法第62条第5項により正しい。

　　なお、令和5年1月1日施行の車両法の改正により、第67条の「自動車検査証の記載事項」とされていた部分が「自動車検査証記録事項」に、第62条第5項の自動車検査証の「記入」とされていた部分が「変更記録」となった。

3. ○　車両法第59条第1項により正しい。

4. ○　車両法第61条第1項によると、自動車検査証の有効期間は、旅客を運送する自動車運送事業の用に供する自動車、貨物の運送の用に供する自動車及び国土交通省令で定める自家用自動車であって、検査対象軽自動車以外のものにあっては1年、その他の自動車にあっては2年とされている。本問に挙げられている「乗車定員5人の旅客を運送する自動車運送事業の用に供する自動車」の場合、自動車検査証の有効期間は1年となる。

問11　正答A① B② C② D①
自動車の点検整備等

1. 車両法第47条の2第1項及び第2項によると、自動車運送事業の用に供する自動車の使用者又は当該自動車を運行する者は、1日1回、その運行の**開始前**において、国土交通省令で定める技術上の基準により、灯火装置の点灯、**制動装置**の作動その

他の日常的に点検すべき事項について、目視等により自動車を点検しなければならない。

　　よって、Aには「①開始前」、Bには「②制動装置」がそれぞれ入る。

2. 車両法第47条の2第3項によると、自動車運送事業の用に供する自動車の使用者は、点検の結果、当該自動車が保安基準に適合しなくなるおそれがある状態又は適合しない状態にあるときは、保安基準に適合しなくなるおそれをなくするため、又は保安基準に適合させるために当該自動車について必要な**整備**をしなければならない。

　　よって、Cには「②整備」が入る。

3. 車両法第48条第1項第1号によると、自動車運送事業の用に供する自動車の使用者は、国土交通省令で定める技術上の基準により、当該事業用自動車を**3ヵ月毎**に点検しなければならない。

　　よって、Dには「①3ヵ月毎」が入る。

問12　正答3
保安基準及び細目告示

1. ○　保安基準第43条の4第1項及び細目告示第222条第1項第2号により、停止表示器材は**夜間200メートル**の距離から走行用前照灯で照射した場合にその反射光を照射位置から確認できるものなど告示で定める基準に適合しなければならないので正しい。

2. ○　保安基準第43条第2項及び

細目告示第141条第1項により正しい。

3．×　保安基準第9条第2項及び細目告示第89条第4項第2号によると、自動車の空気入ゴムタイヤの接地部は、滑り止めを施したものであり、滑り止めの溝は、空気入ゴムタイヤの接地部の全幅にわたり滑り止めのために施されている凹部（サイピング、プラットフォーム及びウエア・インジケータの部分を除く。）のいずれの部分においても1.6ミリメートル（二輪自動車及び側車付二輪自動車に備えるものにあっては、0.8ミリメートル）以上の深さを有することとされている。

4．○　保安基準第43条の7により正しい。

3．道路交通法関係

問13　　　　　　正答2
用語の定義等

1．○　道交法第2条第1項第3号の4により正しい。

2．×　道交法第2条第1項第6号によると、安全地帯とは、路面電車に乗降する者若しくは横断している歩行者の安全を図るため道路に設けられた島状の施設又は道路標識及び道路標示により安全地帯であることが示されている道路の部分をいうとされている。

3．○　道交法第2条第1項第8号により正しい。

4．○　道交法第2条第1項第9号により正しい。

より正しい。

問14　　　　　　正答1、4
灯火及び合図等

1．○　道交法第52条第1項及び同法施行令第18条第1項により正しい。

2．×　道交法第31条の2によると、停留所において乗客の乗降のため停車していた乗合自動車が発進するため進路を変更しようとして手又は方向指示器により合図をした場合においては、その後方にある車両は、その速度又は方向を急に変更しなければならないこととなる場合を除き、当該合図をした乗合自動車の進路の変更を妨げてはならない。「その速度を急に変更しなければならないこととなる場合にあっても」、乗合自動車の進路の変更を妨げてはならないという点が誤り。

3．×　道交法第54条第1項第2号によると、車両等の運転者は、山地部の道路その他曲折が多い道路について道路標識等により指定された区間における左右の見とおしのきかない交差点、見とおしのきかない道路のまがりかど又は見とおしのきかない上り坂の頂上を通行しようとするときにおいては、警音器を鳴らさなければならないとされている。道路標識等により指定された区間以外では、警音器を鳴らさなくても良いので誤り。

4．○　道交法施行令第21条第1項により正しい。

問 15　　正答A ② B ① C ①
酒気帯び運転等の禁止等

本問の（1）〜（4）は、道交法第65条第1項から第4項の規定である。

（1）　何人も、酒気を帯びて車両等を運転してはならない。

（2）　何人も、酒気を帯びている者で、前項の規定に違反して車両等を運転することとなるおそれがあるものに対し、**車両等を提供**してはならない。

　　したがって、Aには「**②車両等を提供**」が入る。

（3）　何人も、（1）の規定に違反して車両等を運転することとなるおそれがある者に対し、酒類を提供し、又は飲酒をすすめてはならない。

（4）　何人も、車両（トロリーバス及び旅客自動車運送事業の用に供する自動車で当該業務に従事中のものその他の政令で定める自動車を除く。）の運転者が酒気を帯びていることを知りながら、当該運転者に対し、当該車両を運転して自己を運送することを要求し、又は依頼して、当該運転者が（1）の規定に違反して運転する**車両に同乗**してはならない。

　　したがって、Bには「**①車両に同乗**」が入る。

　　また、（5）は、道交法第117条の2の2第1項第3号及び同法施行令第44条の3の規定である。

（5）　上記（1）の規定に違反して車両等（軽車両を除く。）を運転した者で、その運転をした場合において身体に血液1ミリリットルにつき0.3ミリグラム又は呼気1リットルにつき0.15ミリグラム以上にアルコールを保有する状態にあったものは、3年以下の懲役又は50万円以下の罰金に処する。

　　したがって、Cには「**① 0.15**」が入る。

問 16　　　　　　　　正答4
自動車の交通方法等

1．○　道交法第75条の4、同法施行令第27条の2、第27条の3により正しい。

2．○　道交法第75条の8第1項第2号により正しい。

3．○　道交法第75条の6第1項により正しい。

4．×　道交法第75条の7第2項によると、自動車は、その通行している本線車道から出ようとする場合においては、あらかじめその前から出口に接続する車両通行帯を通行しなければならないとされている。また、この場合において、減速車線が設けられているときは、その減速車線を通行しなければならない。よって、**本肢ただし書きのような規定は設けられていないので誤り。**

問 17　　　　　　　　正答3
運転者の遵守事項等

1．○　道交法第71条第2号及び同条第2号の2により正しい。

2．○　道交法第71条第5号の4により正しい。

3．×　道交法第71条の3第3項によると、自動車の運転者は、原則と

して、幼児用補助装置を使用しない幼児を乗車させて自動車を運転してはならない。ただし、疾病のため幼児用補助装置を使用させることが療養上適当でない幼児を乗車させるとき、その他政令で定めるやむを得ない理由があるときは、この限りでない。ここで、道交法施行令第26条の3の2第3項第6号を見ると、道路運送法第3条第1号に掲げる**一般旅客自動車運送事業**の用に供される自動車の運転者が当該事業に係る旅客である幼児を乗車させるときは、道交法第71条の3第3項ただし書の**「政令で定めるやむを得ない理由」に該当する**とされている。したがって、本肢は誤っている。

4．○　道交法第71条の3第2項及び同法施行令第26条の3の2第2項第2号により正しい。

4．労働基準法関係

問18	正答2、3
労働契約等	

1．×　労基法第16条によると、使用者は、労働契約の不履行について**違約金を定め**、又は**損害賠償額を予定する契約をしてはならない。**
2．○　労基法第25条により正しい。
3．○　労基法第3条により正しい。

（右段に続く）

社会的身分を理由とした差別はダメ！　労働者
待遇は均等に　使用者

4．×　労基法第21条によると、同法第20条（解雇の予告）の規定は、法に定める期間を超えない限りにおいて、「日日雇い入れられる者」、「**2ヵ月以内の期間を定めて使用される者**」、「季節的業務に**4ヵ月以内の期間**を定めて使用される者」、「試の使用期間中の者」のいずれかに該当する労働者については適用しないものとされている。

問19	正答2
労働時間及び休日等	

1．○　労基法第33条第1項により正しい。
2．×　労基法第34条第1項によると、使用者は、労働時間が6時間を超える場合においては少なくとも**45分**、8時間を超える場合においては少なくとも**1時間**の休憩時間を労働時間の途中に与えなければならない。
3．○　労基法第35条により正しい。
4．○　労基法第36条第1項により正しい。

問20　正答A②B①C①D②
自動車運転者の拘束時間等

改善基準第5条第4項第1号による

と、業務の必要上、勤務の終了後継続9時間以上の**休息期間**を与えることが困難な場合、当分の間、一定期間（1ヵ月を限度とする。）における全勤務回数の2分の1を限度に、休息期間を拘束時間の途中及び拘束時間の経過直後の2回に分割して与えることができるものとする。この場合において、分割された休息期間は、1日において1回当たり継続4時間以上、合計11時間以上でなければならないものとする。

したがって、Aには「②休息期間」、Bには「①2分の1」、Cには「①4時間」、Dには「②11時間」が入る。

問21　　　　　　　　正答1、4
自動車運転者の拘束時間等

1．○　改善基準第5条第2項により正しい。

2．×　改善基準第5条第4項第3号によると、使用者は、業務の必要上やむを得ない場合には、当分の間、2暦日についての拘束時間が21時間を超えず、かつ、勤務終了後、継続20時間以上の休息期間を与える場合に限り、バス運転者等を隔日勤務に就かせることができる。

3．×　出題時の改善基準第5条第4項によると、労使当事者は、時間外労働協定においてバス運転者に係る一定期間についての延長時間について協定するに当たって、当該一定期間は2週間及び1ヵ月以上3ヵ月以内の一定の期間とするものとする。

改善基準の改正（令和6年4月1日施行）により、旧改善基準第5条第4項の規定は削除されたため、現在では本肢のような規定は存在しない。

4．○　改善基準第5条第4項第4号により正しい。

問22　　　　　　　　正答2、4
運転時間及び休憩時間

本問においては、「連続運転時間が改善基準に違反していないか」及び「2日を平均した1日当たりの運転時間」が問われている。以下、これらを順に考察する。

連続運転時間が改善基準に違反していないか

連続運転時間が改善基準に違反しているかどうかは、**運転開始後4時間以内又は4時間経過直後に、30分以上の「運転の中断」をしているかどうか**で判断する。なお、この30分以上の「運転の中断」については、少なくとも1回につき10分以上（10分未満の場合、運転の中断時間としてカウントされない）とした上で分割することもできる。

以上を前提に問題の4日間を検討する。

まず、1日目について。ポイントは、**運転の中断時間が30分に満たない場合、中断時間の合計が30分になるまでの運転時間を合計して、4時間を超えてはならない**ということである。この点を踏まえて1日目の勤務状況を見てみると、1時間の大休憩を挟んだ後の運転中断時間が合計25分（休憩10分＋休憩15分）しかないにもかかわ

らず、運転時間が4時間10分（1時間30分＋1時間40分＋1時間）と4時間を超えているため、**基準に違反している**。

次に、**2日目**について。こちらについては、上述した判断基準に照らすと、**基準に違反している箇所は見られない**。

次に、**3日目**について。こちらについても、上述した判断基準に照らすと、**基準に違反している箇所は見られない**。

最後に、**4日目**について。こちらについても、ポイントは、1日目と同様、**運転の中断時間が30分に満たない場合、中断時間の合計が30分になるまでの運転時間を合計して、4時間を超えてはならない**ということである。この点を踏まえて1日の勤務状況を見てみると、1時間の大休憩を挟んだ後の運転中断時間が合計25分（休憩10分＋休憩15分）しかないにもかかわらず、運転時間が4時間40分（1時間20分＋1時間＋2時間20分）と4時間を超えているため、**基準に違反している**。

以上より、選択肢2が正しいことが分かる。

2日を平均した1日当たりの運転時間

改善基準第5条第1項第5号によると、運転時間は、2日（始業時刻から起算して48時間をいう）を平均し1日当たり9時間を超えないこととされている。そして、1日の運転時間の計算に当たっては、「特定日の前日と特定日の運転時間の平均」と「特定日と特定日の翌日の運転時間の平均」を算出し、どちらも9時間を超える場合は基準違反と判断される。

以上を前提に本問の4日間を検討すると、2日目を特定日とした場合、「特定日の前日（1日目）と特定日（2日目）の運転時間の平均」、「特定日（2日目）と特定日の翌日（3日目）の運転時間の平均」は、ともに**9.5時間**であり、**基準に違反している**。

ちなみに、3日目を特定日とした場合においても、「特定日の前日（2日目）と特定日（3日目）の運転時間の平均」、「特定日（3日目）と特定日の翌日（4日目）の運転時間の平均」は、ともに**9.5時間**であり、やはり**基準に違反している**。

以上より、選択肢4が正しいことが分かる。

問23　　　正答　イ
拘束時間

改善基準第5条第1項第1号ロによると、バス運転者の拘束時間は、**4週間を平均し1週間当たり65時間を超えず、かつ、52週間について3,300時間を超えない**ものとすることとされている。ただし、貸切バス等乗務者の拘束時間は、労使協定により、**52週間のうち24週間までは4週間を平均し1週間当たり68時間まで延長することができ、かつ、52週間について3,400時間まで延長することができる**。また、同条同項第2号によると、上記但書の場合においては、**4週間を平均した1週間当たりの拘束時間が65時間を超える週が16週間を超えて連続しない**ものとする必要がある。

以上を前提に、本問を検討する。

まず、**選択肢ウ**に注目すると、**C**が69時間となっており、68時間を超えているため、この時点で改善基準に違反する。

次に、**選択肢ア**に注目すると、Aが66時間となっている。そこで、問題文の1を見てみると、「1週〜4週」、「5週〜8週」、「13週〜16週」、「25週〜28週」、「33週〜36週」、「49週〜52週」の計24週において、拘束時間が65時間を超えている。したがって、Aに66時間を入れてしまうと、上記改善基準における延長の許容範囲を超えてしまうので、選択肢アは改善基準に違反する。

最後に、**選択肢イ**を見てみると、改善基準に違反している箇所はない。

以上より、**選択肢イが正解となる。**

5．実務上の知識及び能力

問24	正答2、3、4

日常業務の記録等

1．**不適**　運輸規則第37条第2項によると、運転者が転任、退職その他の理由により運転者でなくなった場合には、直ちに、乗務員等台帳に運転者でなくなった年月日及び理由を記載し、これを**3年間**保存しなければならない。

2．**適**　運行記録計には、瞬間速度、運行距離、運行時間のほか、急発進、急ブレーキ、速度超過時間等の運行データが記録される。これらのデータを分析して、運転者の日常の業務を把握し、過労運転防止及び運行適正化の資料として活用することは、適切である。また、運輸規則第48条第1項第8号及び第26条によると、運行記録計の保存期間は**1年間**であり、この点も適切である。

なお、令和6年4月1日施行の運輸規則改正により、運行記録計の記録の保存期間は、1年間（**一般貸切旅客事業者運送事業者**にあっては、原則として、内容を記録した電磁的記録を**3年間**）となった。※よって、**令和6年度第2回試験からは不適**となる。

3．**適**　指導監督指針第一章柱書及び第一章1に照らし、本肢における運行管理者の措置は適切である。

4．**適**　運輸規則第21条第1項により、事業者は運転者の勤務時間及び乗務時間を定めることとされている。そして、同規則第48条第1項第3号により運行管理者は、この勤務時間及び乗務時間の範囲内において乗務割を作成することとされているが、その際、**運転者が過労とならないよう十分考慮**するほか、**天候や道路状況**などをあわせて考えることは、事故防止のために適切な対応である。また、**乗務割の予定を運転者に事前に示す**ことも、運転者が休みの予定を早めに立てることができるようになるため、適切である。

問25	正答2、4

運転者に対して行う指導・監督

1．**不適**　空走距離とは、危険を認知してからブレーキが効き始めるまで

の距離であり、**制動距離**とは、ブレーキを踏んでから停止するまでの走行距離である。そして、**停止距離**とは、運転者が危険を認知してから車が停止するまでに走行した距離であり、**空走距離と制動距離の和**で求められる。

　以上の知識を前提に、本問を検討する。まず、36キロメートル/時を秒速に直すと、1時間は3600秒だから、自動車の速さは36000÷3600＝10メートル/秒である。そして、空走時間は1秒間であるから、その間の自動車の空走距離は10×1＝10メートルである。また、制動距離は8メートルであるから、**停止距離は10＋8＝18メートル**である。

2．**適**　本肢の記述のとおりであり、適切である。

3．**不適**　運輸規則第49条第1項によると、旅客自動車運送事業者の事業用自動車の運転者、車掌その他の乗務員は、事業用自動車の運行を中断し、又は旅客が死傷したときは、当該旅客自動車運送事業者とともに、法令に規定されている事項を実施しなければならない。この場合において、**旅客の生命を保護するための処置は、他の処置に先んじてしな**

ければならない。また、道交法第72条第1項によると、交通事故があったときは、当該交通事故に係る車両等の運転者は、**直ちに車両等の運転を停止して、負傷者を救護し、道路における危険を防止する等必要な措置を講じなければならない**。

　これらの規定から分かるように、交通事故を起こした際、まずすべきことは「運行管理者への連絡」ではなく、「**負傷者の救護等**」である。したがって、本肢のような指導は適切なものとはいえない。

4．**適**　本肢の記述のとおりであり、適切である。

問26	正答 1、2、4
運転者の健康管理	

1．**適**　労働安全衛生規則第51条によると、事業者は、労働者が受診した健康診断の結果に基づき、健康診断個人票を作成して、これを**5年間**保存しなければならない。また、当該「健康診断」には、法令で定めるものに加え、労働者が自ら受診したものも含まれる。よって、本肢の対応は適切である。

2．**適**　本肢の記述のとおりであり、適切である。

3．**不適**　運輸規則第20条によると、事業者は、天災その他の理由により輸送の安全の確保に支障が生ずるおそれがあるときは、事業用自動車の**乗務員等に対する必要な指示その他輸送の安全のための措置を講じなければ**ならない。本肢の場合、「運転者

が運転中に体調の異常を感じたときには、運行継続の可否を自らの判断で行うよう指導している」という事業者の対応は上記規定に違反しており、適切でない。

4．適 本肢の記述のとおりであり、適切である。

問27　　　　　正答3
交通事故防止対策

1．不適 たしかに、交通事故のほとんどは運転者等のヒューマンエラーが直接の原因となっているが、そうしたヒューマンエラーの背後には、車両の構造上の問題、天候や道路などの走行環境、会社の運行管理上の問題などが伏在している可能性がある。有効な交通事故防止対策のためにはそうした**伏在する原因の追究も必要**であり、ヒューマンエラーの再発防止ばかりに注力するのは適切ではない。

2．不適 アンチロック・ブレーキシステム（ABS）は、急ブレーキをかけた時などにタイヤがロック（回転が止まること）するのを防ぐことにより、車両の進行方向の安定性を保ち、また、ハンドル操作で障害物を回避できる可能性を高める装置である。ABSを効果的に作動させるためには、**できるだけ強くブレーキペダルを踏み続ける**ことが重要であり、この点を運転者に指導する必要がある。

3．適 本肢の記述のとおりであり、適切である。

4．不適 適性診断の目的は、「運転に適さない者を運転者として選任しない」ことではなく、**運転者に自分の運転の傾向や事故を起こす危険性を客観的に知ってもらうことで、安全な運転を目指すようその自覚を促す**ことにある。

問28　　　正答2、4
自動車の運転等

1．不適 自動車の夜間の走行時において、自車のライトと対向車のライトで、お互いの光が反射し合い、その間にいる歩行者や自転車が見えなくなることを**蒸発現象**という。

2．適 本肢の記述のとおりであり、適切である。

3．不適 遠心力は速度の2乗に比例して大きくなる。よって、自動車の重量及びカーブの半径が同一の場合に、自動車の速度を2分の1に落として走行すると遠心力の大きさは4分の1になる。

4．適 衝撃力は、速度の2乗に比例して大きくなる。よって、自動車が衝突するときの衝撃力は、速度が2倍になると4倍になる。

問29　　正答1①2②3②
運行計画

1． 配置基準によると、実車距離とは、実車運行する区間の距離をいうこととされており、実車運行とは、旅客の乗車の有無にかかわらず、旅客の乗車が可能として設定した区間の運行をいい、**回送運行は実車運行には**

含まないとされている。また、1人の運転者の1日の乗務のうち、**回送運行を含む運転を開始してから運転を終了するまでの一連の乗務を一運行**というとされており、1人の運転者が同じ1日の乗務の中で、2つ以上の運行に乗務する場合には、**1日の合計実車距離は600kmを超えないものとする**とされている。以上を前提に、本問を検討する。

まず、往路、復路各々の運行は「一運行」の定義を満たしている。また、本問の往路における実車距離は295km（20km＋180km＋80km＋15km）であり、復路における実車距離は275km（15km＋80km＋80km＋80km＋20km）である。したがって、**合計で600kmを超えていないため、配置基準には違反していない。**

2. 配置基準によると、最初の旅客が乗車する時刻若しくは最後の旅客が降車する時刻（運転を交替する場合にあっては実車運行を開始する時刻若しくは実車運行を終了する時刻）が**午前2時から午前4時まで**の間にあるワンマン運行又は当該時刻をまたぐワンマン運行を**夜間ワンマン運行**というとされている。そして、**夜間ワンマン運行**の実車運行区間においては、運行指示書上、実車運行区間における運転時間概ね2時間毎に連続20分以上（**一運行の実車距離が400km以下の場合にあっては、実車運行区間における運転時間概ね2時間毎に連続15分以上**）の休憩を確保していなければならないとされ

ている。以上を前提に、本問を検討する。

本問の運行は夜間ワンマン運行の定義を満たしており、往路における実車距離は295km（400km以下）であるため、上述したように、**実車運行区間における運転時間概ね2時間毎に連続15分以上の休憩を確保し**ていなければならないところ、乗車後すぐに「**運転（一般道）30分**」→「**運転（高速道路）2時間10分**」→「**休憩10分**」となっており、**配置基準に違反している**ことが分かる。

3. 改善基準第5条第1項第6号によると、**連続運転時間**（1回が連続10分以上で、かつ、合計が30分以上の運転の中断をすることなく連続して運転する時間をいう。）は、**4時間を超えないものとすること**とされている。以上を前提に、本問を検討する。

本問のタイムスケジュールを整理すると、次のようになる。

往路：業務前点呼30分→回送運転10分→乗車30分→運転（一般道）30分→運転（高速道路）2時間10分→休憩10分→運転（高速道路）1時間→運転（一般道）30分→降車15分→回送運転10分→業務後点呼20分

復路：業務前点呼30分→回送運転10分→乗車30分→運転（一般道）30分→運転（高速道路）1時間→休憩10分→運転（高速道路）1時間10分→休憩10分→運転（高速道路）1時間→運転（一般道）30分→降車

15分→回送運転10分→業務後点呼30分

　ここで注目すべきは、往路における「運転（一般道）30分→運転（高速道路）2時間10分→休憩10分→運転（高速道路）1時間→運転（一般道）30分」の箇所である。この箇所においては、**運転中断時間が10分しかないにもかかわらず、連続運転時間が4時間を超えている**。よって、**改善基準に違反している**。

　なお、復路における「運転（一般道）30分→運転（高速道路）1時間→休憩10分→運転（高速道路）1時間10分→休憩10分→運転（高速道路）1時間→運転（一般道）30分」の箇所も、運転中断時間が20分しかないにもかかわらず、連続運転時間が4時間を超えている。よって、当該箇所も改善基準に違反している。

問30　　　　　正答①、③、⑤
事故の再発防止対策

① **直接的に有効**　本問の場合、運転者が所属する営業所においては、**交通事故を惹起した場合の社会的影響の大きさや、疲労などの生理的要因による交通事故の危険性などについて理解させる指導・教育が不足して**いた。また、本問における事故は、運転者の**居眠り運転**が原因の一つであると考えられる。したがって、本選択肢は、同種事故の再発防止策として直接的に有効といえる。

② **直接的に有効ではない**　本問の場合、運転者は、事業者が行う定期健

康診断において、特に指摘はなかった。また、**運転者が疾病を患っていたという事実は記載されていない**。したがって、本選択肢は同種事故の再発防止対策としては直接的に有効とはいえない。

③ **直接的に有効**　本問の場合、運転者は、事故日前1ヵ月間の勤務において、拘束時間及び休息期間について複数回の「自動車運転者の労働時間等の改善のための基準」違反があった。そして、事故当日においても、**休息期間を7時間しかとらない状態で運転をしており、改善基準違反がみられる**。したがって、本選択肢は、同種事故の再発防止策として直接的に有効といえる。

④ **直接的に有効ではない**　適齢診断を受診すべき運転者は、少なくとも**65歳以上**の者である。本問の場合、運転者は**35歳**であるため、適齢診断の受診義務はない。したがって、本選択肢は同種事故の再発防止対策としては直接的に有効とはいえない。

⑤ **直接的に有効**　本問の場合、運転者は、事故日前日運行先に積雪があり、帰庫時間が5時間程度遅くなって業務を早朝5時に終了し、事故当日の正午に業務前点呼を受け出庫している。このことから、**運転者には疲労が蓄積しており、安全な運転を継続することができないおそれがあった**と予想される。また、**業務前点呼の際、本来であれば確認が必要となる、睡眠不足等の運転者の体調確**

認が行われていなかった。したがっ
て、本選択肢の措置は、同種事故の
再発防止策として直接的に有効とい
える。

⑥ **直接的に有効ではない** 本問の場
合、**法令で定められた日常点検及び
定期点検を実施していなかったとい
う事実や、速度抑制装置が正常に作
動しなかったという事実は記載され
ていない。**したがって、本選択肢は
同種事故の再発防止対策としては直
接的に有効とはいえない。

以上より、直接的に有効と考えら
れる選択肢は、①、③、⑤となる。

正答・解説
令和3年度
CBT試験出題例

1. 道路運送法関係

問1　　　　　　　　正答2、4
旅客自動車運送事業

1．×　運送法第4条第1項及び第2項によると、一般旅客自動車運送事業を経営しようとする者は、一般乗合旅客自動車運送事業、一般貸切旅客自動車運送事業、一般乗用旅客自動車運送事業の種別ごとに国土交通大臣の**許可**を受けなければならない。

2．○　運送法第15条第1項により正しい。

3．×　運送法第15条第3項によると、一般旅客自動車運送事業者は、「営業所ごとに配置する事業用自動車の数」に関する事業計画の変更をしようとするときは、**あらかじめ**、その旨を国土交通大臣に届け出なければならない。

4．○　運送法第11条第1項により正しい。

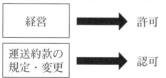

問2　　　　　　　　正答4
道路運送法における定義等

1．○　運送法第2条第1項により正しい。

2．○　運送法第2条第3項及び第3条により正しい。

3．○　運送法第3条第1号ロ及び同法施行規則第3条の2により正しい。

4．×　運送法第3条第1号によると、一般旅客自動車運送事業の種別は、一般乗合旅客自動車運送事業、一般貸切旅客自動車運送事業及び一般乗用旅客自動車運送事業である。**特定旅客自動車運送事業は含まれない**ので、誤り。

問3　　　　　　　　正答1、4
運行管理者の業務

1．○　運輸規則第48条第1項第17号及び第38条第2項第1号により正しい。

2．×　運輸規則第47条の9第3項によると、**事業者**は、運行管理者資格者証を有する者又は国土交通大臣が告示で定める運行の管理に関する講習であって国土交通大臣の認定を受けたもの（基礎講習）を修了した者のうちから、**運行管理者の業務を補助させるための者（補助者）を選任**することができる。なお、運輸規則第48条第1項第19号によると、補助者に対する指導及び監督を行うことは、運行管理者の業務とされている。

3．×　運輸規則第38条第6項によると、**事業者**は、従業員に対し、効

果的かつ適切に指導監督を行うため、輸送の安全に関する基本的な方針を策定しなければならない。

4．○　運輸規則第48条第1項第9号の2及び第26条の2により正しい。

問4　　　　　　　　正答1、2
点呼

令和4年4月1日より、3つの要件（①使用する機器・システムの要件、②実施する施設・環境の要件、③運用上の遵守事項）を満たす営業所において、営業所の優良性にかかわらず、遠隔点呼が実施できるようになった。また、令和5年1月1日から、点呼機器により、自動で点呼を行う認定制度が創設され、業務終了後の運転者に対する点呼を自動で実施（「業務後自動点呼」）できるようになった。

1．○　通達「旅客自動車運送事業運輸規則の解釈及び運用について」第24条（1）①により正しい。

2．○　運輸規則第24条第2項により正しい。

3．×　通達「旅客自動車運送事業運輸規則の解釈及び運用について」第24条（1）④によると、IT点呼が認められる「輸送の安全及び旅客の利便の確保に関する取組が優良であると認められる営業所」とは、次のいずれにも該当する旅客自動車運送事業者の営業所をいうとされている。
①開設されてから3年を経過していること。
②過去3年間所属する旅客自動車運

送事業の用に供する事業用自動車の運転者が自らの責に帰する自動車事故報告規則第2条に規定する事故を発生させていないこと。
③過去3年間自動車その他の輸送施設の使用の停止処分、事業の停止処分又は警告を受けていないこと。

4．×　通達「旅客自動車運送事業運輸規則の解釈及び運用について」第24条（2）③によると、運輸規則第24条第4項に規定する「アルコール検知器を営業所ごとに備え」とは、営業所若しくは営業所の車庫に設置され、営業所に備え置き（**携帯型アルコール検知器等**）、又は営業所に属する事業用自動車に設置されているものをいうとされている。よって、携帯型アルコール検知器も**含まれる**ので誤り。

問5　　　　　　　　正答1、4
事故の速報

1．**速報を要する**　事故報告規則第4条第1項第5号によると、事業用自動車の運転者に**酒気帯び運転**があった場合は、運輸支局長等に速報することを要する。

2．**速報を要しない**　事故報告規則第4条第1項第2号ロ及びハによると、**5人以上の重傷者**を生じた事故又は**旅客に1人以上の重傷者**を生じた事故については、運輸支局長等に速報を要する。本問の「10日間医師の治療を要する傷害」は、重傷にあたらないので、速報を要しない。また、

同規則第4条第1項第3号によると、**10人以上の負傷者**を生じた事故についても、運輸支局長等に速報を要する。しかし、本問の場合、負傷者は8人なのでやはり速報を要しないこととなる。

3. **速報を要しない**　①10台以上の自動車の衝突又は接触を生じた事故、②**10人以上の負傷者**を生じた事故、③高速自動車国道又は自動車専用道路において、**3時間以上自動車の通行を禁止させた事故**は、国土交通大臣への報告対象にはなるものの（事故報告規則第3条第1項及び第2条第2号、第4号、第14号）、運輸支局長等への速報の必要はない（同規則第4条第1項参照）。ちなみに、本肢における事故は、衝突した自動車数が10台未満であり、負傷者数が10人未満であって、高速自動車国道において自動車の通行を休止させた時間も2時間にとどまるため、国土交通大臣への報告対象にもならない。

4. **速報を要する**　事故報告規則第4条第1項第2号イによると、**1人以上の死者**を生じた事故については、運輸支局長等に速報を要する。

速報を要するもの
① 自動車の転覆、転落、火災
② 鉄道車両と衝突・接触
③ ①、②又は自動車その他の物件と衝突・接触したことにより消防法に規定する危険物、火薬類取締法に規定する火薬類などが飛散又は漏えいしたもの
④ 2人以上の死者を生じたもの（旅客自動車運送事業者等の場合は1人以上）
⑤ 5人以上の重傷者を生じたもの
⑥ 旅客に1人以上の重傷者を生じたもの
⑦ 10人以上の負傷者を生じたもの
⑧ 酒気帯び運転によるもの
※①と②に関しては、旅客自動車運送事業者及び自家用有償旅客運送者が使用する自動車が引き起こしたものに限る。

問6　　　　　　　正答3
過労運転の防止等

1. ○　運輸規則第21条第6項により正しい。
2. ○　運輸規則第21条第7項により正しい。
3. ×　配置基準に定める夜間ワンマン運行（1人乗務）の1運行の運転時間は、運行指示書上、**9時間**を超えないものとする。
4. ○　運輸規則第35条、第36条第1項第1号、第2号、第3号により正しい。

問7　正答A②B②C①D①
運行の安全確保

1. 指導監督指針第二章4（1）①によると、軽傷者（法令で定める傷害を受けた者）を生じた交通事故を引き起こし、かつ、当該事故前の**3年間**に交通事故を引き起こしたことがある運転者に対しては、国土交通大臣が告示で定める適性診断であって国土交通大臣の認定を受けたものを受診させなければならない。

　　したがって、Aには「②3年」が入る。

2. 指導監督指針第二章2（2）によると、貸切バス以外の一般旅客自動車

の運転者として新たに雇い入れた者
又は選任した者にあっては、雇入れ
の日又は選任される日前3年間に他
の旅客自動車運送事業者において当
該旅客自動車運送事業者と同一の種
類の事業の事業用自動車の運転者と
して選任されたことがない者に対し
て、特別な指導を行わなければなら
ない。

したがって、Bには「②3年」が
入る。

3. 指導監督指針第二章2（3）による
と、一般貸切旅客自動車運送事業者
は、初任運転者以外の者であって、
直近1年間に当該一般貸切旅客自動
車運送事業者において運転の経験（
実技の指導を受けた経験を含む。）の
ある貸切バスより大型の車種区分の
貸切バスに乗務しようとする運転者
（準初任運転者）に対して、特別な指
導を行わなければならない。

したがって、Cには「①1年」が
入る。

4. 指導監督指針第二章4（3）によ
ると、一般貸切旅客自動車運送事業
者は、適齢診断（高齢運転者のための
適性診断として国土交通大臣が認定
したものをいう。）を原則として、
65才に達した日以後1年以内に1回
受診させ、その後3年以内ごとに1
回受診させなければならない。

したがって、Dには「①65」が入
る。

問8　　　　　　　正答1、3

運行基準図等及び運行指示書による指示等

1. ○　運輸規則第27条第1項によ
り正しい。

2. ×　運輸規則第50条第11項によ
ると、一般貸切旅客自動車運送事業
者の運転者は、乗務中、**運行指示書
を携行**しなければならない。

3. ○　運輸規則第28条により正し
い。

4. ×　運輸規則第28条の2第2項
によると、一般貸切旅客自動車運送
事業者は、法令の規定により作成し
た運行指示書を、**運行の終了の日か
ら1年間保存**しなければならない。

なお、令和6年4月1日施行の運
輸規則改正により、運行指示書の
保存期間は、運行の終了の日から
3年間となった。**令和6年度第2
回試験から出題範囲となる。**

2．道路運送車両法関係

問9　　　　　　　正答1、4

自動車の登録等

1. ○　車両法第16条第2項第1号
により正しい。

2. ×　車両法第69条第1項第1号
によると、自動車の使用者は、当該
自動車が滅失し、解体し（整備又は
改造のために解体する場合を除
く。）、又は自動車の用途を廃止した
ときは、その事由があった日（当該
事由が使用済自動車の解体である場
合にあっては、解体報告記録がなさ
れたことを知った日）から**15日以**

内に、当該自動車検査証を国土交通大臣に返納しなければならない。

3．× 車両法施行規則第8条の2第1項によると、自動車登録番号標の取付は、自動車の前面及び後面の**見やすい位置**に確実に行うものとされている。見やすい位置に取り付けなければならないのであって、「任意の位置」に取り付けるというのは誤り。

4．○ 車両法第5条により正しい。

問10　　　　　　　　正答4
自動車の検査等

1．○ 車両法第66条第1項により、原則として、自動車検査証を備え付けなければ、自動車を運行の用に供してはならない。しかし、指定自動車整備事業者（いわゆる民間車検場）が交付した**有効な保安基準適合標章**を表示しているときは、自動車検査証を備え付けていなくても、**例外的**に自動車を運行の用に供することができる（同法第94条の5第11項）。

■自動車検査証の代用■

自動車検査証 — 国しか発行できない。

保安基準適合標章 — 民間車検場で車検を行った場合、国から左の発行を受けるまで、代わりとして一定期間の使用ができる。

2．○ 車両法施行規則第44条第1項により正しい。

なお、令和5年1月1日施行の車両法施行規則の改正により、自動

車検査証に「記入」とされていた部分が「記録」となった。

3．○ 車両法第67条第1項本文及び同法施行規則第35条の3第1項第6号により正しい。

長さ、幅、高さを変更

15日以内

自動車検査証の変更記録

なお、車両法第67条第1項の改正（令和5年1月1日施行）により、自動車検査証の「記入」とされていた箇所は「変更記録」となった。

4．× 車両法第66条第1項によると、自動車検査証を備え付けなければならない場所は**当該自動車のみ**であり、当該自動車の所属する営業所は入らない。

TAXI

自動車検査証

必ず当該自動車に備え付ける！

問11　　正答A①B②C②D②
自動車の点検整備等

1．車両法第61条第1項によると、自動車検査証の有効期間は、**旅客を運送する自動車運送事業の用に供する自動車**、貨物の運送の用に供する

自動車及び国土交通省令で定める自家用自動車であって、**検査対象軽自動車以外のものにあっては1年、その他の自動車にあっては2年**とされている。本問に挙げられている「乗車定員5人の旅客を運送する自動車運送事業の用に供する自動車」の場合、自動車検査証の有効期間は**1年**となる。

　　したがって、Aには「①1年」が入る。

2．車両法第47条の2及び自動車点検基準別表第1によると、車両総重量**8トン以上又は乗車定員30人以上**の自動車は、日常点検において「ディスク・ホイールの取付状態が不良でないこと。」について点検しなければならない。

　　したがって、Bには「②30人」が入る。

3．車両法第50条第2項、同法施行規則第32条第1項第2号によると、日常点検の結果に基づく運行可否の決定は、自動車の使用者より与えられた権限に基づき、**整備管理者**が行わなければならない。

　　したがって、Cには「②整備管理者」が入る。

4．車両法第47条の2第3項によると、自動車の使用者は、点検の結果、当該自動車が保安基準に適合しなくなるおそれがある状態又は適合しない状態にあるときは、保安基準に適合しなくなるおそれをなくするため、又は保安基準に適合させるために当該自動車について必要な**整備**をしな

ければならない。

　　したがって、Dには「②整備」が入る。

問12　　　　　　　　　正答3
保安基準及び細目告示

1．○　保安基準第20条第1項により正しい。

2．○　保安基準第44条第1項及び第2項、細目告示第224条第2項第2号により正しい。

3．×　保安基準第26条第1項及び細目告示第36条第1項第1号によると、旅客自動車運送事業の用に供する乗車定員30人以上の自動車（すべての座席が乗降口から直接着席できる自動車を除く。）の非常口は、客室の**右側面**の後部又は後面に設けられていなければならない。

4．○　保安基準第41条の3及び細目告示第217条第3項第1号により正しい。

3．道路交通法関係

問13　　　　　　　　　正答3
自動車の種類

1．○　道交法施行規則第2条によると、**大型自動車**とは、大型特殊自動車、大型自動二輪車、普通自動二輪車及び小型特殊自動車以外の自動車で、車両総重量が**11,000キログラム以上**のもの、最大積載量が6,500キログラム以上のもの又は乗車定員が**30人以上**のものをいう。本問の自動車は乗車定員が55人、車両総重量が

別冊　正答・解説

11,580 キログラムなので、大型自動車に該当する。

2．〇　道交法施行規則第 2 条によると、**中型自動車**とは、大型自動車、大型特殊自動車、大型自動二輪車、普通自動二輪車及び小型特殊自動車以外の自動車で、車両総重量が **7,500 キログラム以上 11,000 キログラム未満のもの**、最大積載量が **4,500 キログラム以上 6,500 キログラム未満のもの**又は乗車定員が **11 人以上 29 人以下**のものをいう。本問の自動車は乗車定員が 29 人、車両総重量が 7,510 キログラムなので、中型自動車に該当する。

3．✕　道交法施行規則第 2 条によると、**準中型自動車**とは、大型自動車、中型自動車、大型特殊自動車、大型自動二輪車、普通自動二輪車及び小型特殊自動車以外の自動車で、車両総重量が **3,500 キログラム以上 7,500 キログラム未満のもの**又は最大積載量が **2,000 キログラム以上 4,500 キログラム未満のもの**をいう。本問の自動車は車両総重量が 4,000 キログラムなので、車両総重量のみに着目すると準中型自動車に該当するようにも思えるが、**乗車定員が 15 人**で、**中型自動車**の要件（11 人以上 29 人以下）に該当しているので、準中型自動車には該当しない。

4．〇　道交法施行規則第 2 条によると、**普通自動車**とは、車体の大きさ等が、大型自動車、中型自動車、準中型自動車、大型特殊自動車、大型自動二輪車、普通自動二輪車又は小

型特殊自動車について定められた車体の大きさ等のいずれにも該当しない自動車をいう。具体的には、車両総重量が **3,500 キログラム未満のもの**であり、最大積載量が 2,000 キログラム未満のものであって、乗車定員が **10 人以下**のものである。本問の自動車は乗車定員が 10 人、車両総重量が 3,400 キログラムなので、普通自動車に該当する。

問 14　　　　　　　　正答 2、4
車両の交通方法等

1．✕　道交法第 8 条第 1 項から第 4 項によると、車両は、道路標識等によりその通行を禁止されている道路又はその部分を通行してはならない。ただし、警察署長が政令で定めるやむを得ない理由があると認めて許可をしたときは、道路標識等によりその通行を禁止されている道路又はその部分を通行することができる。その際、警察署長から許可証の交付を受けた車両の運転者は、当該許可に係る通行中、当該**許可証**を携帯していなければならない。「許可証の写し」ではなく原本を携帯する必要があるので誤り。

2．〇　道交法第 17 条第 5 項第 4 号により正しい。

3．✕　道交法第 17 条第 1 項及び第 2 項によると、車両は、道路外の施設又は場所に出入するためやむを得ない場合において歩道等を横断するとき、又は法令の規定により歩道等で停車し、若しくは駐車するため必要

令和3年度CBT

な限度において歩道等を通行するときは、**歩道等に入る直前で一時停止**し、かつ、歩行者の通行を妨げないようにしなければならない。よって、誤り。

歩道直前で
一時停止

4．○　道交法第20条第1項により正しい。

問15　正答A①B②C②D②
横断歩行者等の保護のための通行方法

1．道交法第38条第1項によると、車両等は、横断歩道等に接近する場合には、当該横断歩道等を通過する際に当該横断歩道等によりその進路の前方を横断しようとする歩行者がないことが明らかな場合を除き、当該横断歩道等の直前で**停止することができるような速度で進行**しなければならない。この場合において、横断歩道等によりその進路の前方を横断し、又は横断しようとする歩行者等があるときは、当該横断歩道等の直前で**一時停止**し、かつ、その通行を妨げないようにしなければならない。

　したがって、Aには「①停止することができるような速度で進行」、Bには「②一時停止し」が入る。

2．道交法第38条第2項によると、車両等は、横断歩道等（当該車両等が通過する際に信号機の表示する信号又は警察官等の手信号等により当該横断歩道による歩行者等の横断が禁止されているものを除く。）又はその手前の直前で停止している車両等がある場合において、当該停止している車両等の側方を通過してその前方に出ようとするときは、**その前方に出る前に一時停止**しなければならない。

　したがって、Cには「②その前方に出る前に一時停止」が入る。

3．道交法第38条第3項によると、車両等は、横断歩道等及びその手前の側端から前に30メートル以内の道路の部分においては、法第30条（追越しを禁止する場所）第3号の規定に該当する場合のほか、その前方を進行している他の車両等（特定小型原動機付自転車等を除く。）の側方を通過してその前方に出てはならない。

　したがって、Dには「②30メートル」が入る。

　なお、令和5年7月1日施行の道交法の改正により、「軽車両」とされていた部分が「特定小型原動機付自転車等」に変更された。

問16　　　　　　正答1、4
高速自動車国道等における自動車の交通方法等

1．○　道交法第75条の6第1項により正しい。

2．×　道交法第75条の4、同法施行令第27条の2、第27条の3によると、

24

自動車は、高速自動車国道の本線車道（往復の方向にする通行が行われている本線車道で、本線車線が道路の構造上往復の方向別に分離されていないものを除く。）においては、道路標識等により自動車の最低速度が指定されている区間にあってはその最低速度に、その他の区間にあっては時速50キロメートルの最低速度に達しない速度で進行してはならない。

3．×　道交法第75条の7第1項によると、自動車は、本線車道に入ろうとする場合において、加速車線が設けられているときは、その加速車線を通行しなければならない。**例外規定はないので誤り。**

4．○　道交法第75条の8第1項第2号により正しい。

問17　　　　　　　　　正答3
運転者の遵守事項等

1．○　道交法第71条第2号の3及び同法施行令第26条の3第2項により正しい。

2．○　道交法第71条第3号により正しい。

3．×　道交法第71条の3第1項によると、自動車の運転者は、原則として、**座席ベルトを装着しないで自動車を運転してはならない。**ただし、疾病のため座席ベルトを装着することが療養上適当でない者が自動車を運転するとき、緊急自動車の運転者が当該緊急自動車を運転するとき、その他**政令で定めるやむを得ない理**

由があるときは、この限りでないとされている。ここで、道路交通法施行令第26条の3の2第1項第3号によると、道交法第71条の3第1項にいうところの「政令で定めるやむを得ない理由があるとき」には、**自動車を後退させるため当該自動車を運転するときが含まれている。**よって、本選択肢は誤り。

4．○　道交法第101条の4第1項及び第108条の2第1項第12号により正しい。

4．労働基準法関係

問18　　　　　　　　　正答1、2
労働契約等

1．○　労基法第20条第1項により正しい。

2．○　労基法第14条第1項により正しい。

3．×　労基法第15条第1項及び第2項によると、労働者は、労働契約の締結に際し使用者から明示された賃金、労働時間その他の労働条件が事実と相違する場合においては、**即時に当該労働契約を解除することができる。**「少なくとも30日前に予告」する必要はないので、誤り。

労働条件が違うので労働契約を解除します！

しまった！

4．×　労基法第23条第1項による

と、使用者は、労働者の死亡又は退職の場合において、権利者の請求があった場合においては、**7日以内に**賃金を支払い、積立金、保証金、貯蓄金その他名称の如何を問わず、労働者の権利に属する金品を返還しなければならない。

問19　　　　　　　正答1
労働時間及び休日等

1．×　労基法第39条第1項によると、使用者は、その雇入れの日から起算して**6ヵ月間**継続勤務し全労働日の**8割以上**出勤した労働者に対して、継続し、又は分割した**10労働日**の有給休暇を与えなければならない。

6ヵ月間継続勤務しなきゃダメ！　　使用者

有給休暇ください　　労働者

2．○　労基法第32条により正しい。

3．○　労基法第37条第1項本文により正しい。

4．○　労基法第61条第1項により正しい。

問20　　正答A①B②C①D①
改善基準告示

1．改善基準第5条第5項によると、使用者は、バス運転者に休日に労働させる場合は、当該労働させる休日は**2週間**について1回を超えないも

のとし、当該休日の労働によって改善基準第5条第1項に定める拘束時間及び**最大拘束時間**の限度を超えないものとするとされている。

したがって、Aには「①2週間」、Bには「②最大拘束時間」が入る。

2．出題時の改善基準第5条第4項によると、労使当事者は、時間外労働協定においてバス運転者に係る一定期間についての延長時間について協定するに当たっては、当該一定期間は、**2週間**及び**1ヵ月以上3ヵ月以内の一定の期間**とするものとされている。

したがって、Cには「①2週間」、Dには「①1ヵ月以上3ヵ月」が入る。
※改善基準の改正（令和6年4月1日施行）により、旧改善基準第5条第4項の規定は**削除**されたため、**現在では本肢は成立せず、本問自体も成立しない。**

問21　　　　　　正答2、3
拘束時間等

1．×　改善基準第5条第1項第6号によると、使用者は、バス運転者等の連続運転時間（1回が連続**10分以上**で、かつ、合計が30分以上の運転の中断をすることなく連続して運転する時間をいう。）は、原則として**4時間**を超えないものとすることとされている。

2．○　改善基準第5条第1項第3号により正しい。

3．○　改善基準第5条第4項第1号により正しい。

4．× 改善基準第5条第1項第5号によると、使用者は、バス運転者等の運転時間は、2日を平均し1日当たり9時間、4週間を平均し1週間当たり40時間を超えないものとすることとされている。ただし、貸切バス等乗務者については、労使協定により、52週間についての運転時間が2,080時間を超えない範囲内において、52週間のうち16週間までは、4週間を平均し1週間当たり44時間まで延長することができる。

問22　　　　　　　　　正答2、3
運転時間及び休憩時間

改善基準第5条第1項第6号によると、使用者は、バス運転者等の連続運転時間（1回が連続10分以上で、かつ、合計が30分以上の運転の中断をすることなく連続して運転する時間をいう。）は、原則として4時間を超えないものとすることとされている。

以上を前提に、各肢を検討する。

1．適合していない 休憩時間が30分に満たない場合、休憩時間の合計が30分になるまでの運転時間を合計して、4時間を超えてはならない。本肢の場合、5回目と6回目の休憩時間が合計25分（15分＋10分）しかないにもかかわらず、運転時間が4時間30分（2時間＋1時間30分＋1時間）と4時間を超えているため、基準に適合していない。

2．適合している 本肢の場合、1回目から3回目までの休憩時間の合計は40分（15分＋10分＋15分）で

あり、その時点での運転時間は4時間（1時間＋2時間＋1時間）である。その後、1時間の運転と1時間の休憩を挟み、合計3時間の運転（1時間30分＋1時間＋30分）を行っている。以上により、連続運転時間が4時間を超えている箇所はないため、基準に適合している。

3．適合している 本肢の場合、1回目から3回目までの休憩時間の合計は30分（10分＋10分＋10分）であり、その時点での運転時間は4時間（2時間＋1時間30分＋30分）である。その後、1時間の運転と1時間の休憩を挟み、合計4時間の運転（1時間＋1時間＋2時間）を行っている。以上により、連続運転時間が4時間を超えている箇所はないため、基準に適合している。

4．適合していない 改善基準第5条第1項第6号においては、10分に満たない休憩時間は、有効な休憩時間とは認められない。本肢の場合、3回目の休憩時間（5分）は有効な休憩時間とは認められないため、1回目と2回目の休憩時間が合計25分（10分＋15分）しかないにもかかわらず、運転時間が4時間30分（1時間＋1時間30分＋30分＋1時間30分）と4時間を超えることとなり、基準に適合していない。

問23　　　　　　　　　正答3
拘束時間等

改善基準第5条第1項第1号ロによると、バス運転者等の拘束時間は、4

週間を平均し1週間当たり65時間を超えず、かつ、52週間について3,300時間を超えないものとすることとされている。ただし、貸切バス等乗務者の拘束時間は、労使協定により、52週間のうち24週間までは、4週間を平均し1週間当たり68時間まで延長することができ、かつ、52週間について3,400時間まで延長することができる。また、同条同項第2号によると、上記但書の場合においては、4週間を平均した1週間当たりの拘束時間が65時間を超える週が16週間を超えて連続しないものとする必要がある。

以上を前提に、本問を検討する。

1. **適合していない** 本選択肢においては、「49週〜52週」において、4週間を平均した1週間当たりの拘束時間が70時間となっており、68時間を超えている。よって、本選択肢は改善基準に適合していない。

2. **適合していない** 本選択肢においては、「37週〜40週」における4週間を平均した1週間当たりの拘束時間が72時間となっており、68時間を超えている。よって、本選択肢は改善基準に適合していない。

3. **適合している** 本選択肢においては、4週間を平均した1週間当たりの拘束時間が65時間を超えているのが「13週〜16週」、「37週〜40週」、「45週〜48週」、「49週〜52週」の計16週間である。また、4週間を平均した1週間当たりの拘束時間が68時間を超えている箇所もない。そして、52週間の合計拘束時間も

3,400時間を超えていない。加えて、4週間を平均した1週間当たりの拘束時間が65時間を超える週が、16週間を超えて連続している箇所もない。よって、本選択肢は改善基準に適合している。

4. **適合していない** 本選択肢においては、52週間の合計拘束時間が3,404時間となっており、3,400時間を超えている。よって、本選択肢は改善基準に適合していない。

5. 実務上の知識及び能力

問24	正答A⑥ B⑧ C④
記録表	

運輸規則第24条第1項によると、旅客自動車運送事業者は、事業用自動車の運行の業務に従事しようとする運転者又は特定自動運行保安員(以下「運転者等」という。)に対して対面により、又は対面による点呼と同等の効果を有するものとして国土交通大臣が定める方法(運行上やむを得ない場合は電話その他の方法。)により点呼を行い、次の各号に掲げる事項について報告を求め、及び確認を行い、並びに事業用自動車の運行の安全を確保するために必要な指示を与えなければならないとされている。

1 道路運送車両法第47条の2第1項及び第2項の規定による点検の実施又はその確認

2 運転者に対しては、酒気帯びの有無

3 運転者に対しては、疾病、疲労、

睡眠不足その他の理由により安全な運転をすることができないおそれの有無

4　特定自動運行保安員に対しては、特定自動運行事業用自動車による運送を行うために必要な自動運行装置の設定の状況に関する確認

まず注目すべきは、本問は「運転者」ごとに行う点呼の記録表についての出題であるという点である。そのため、「特定自動運行保安員」について規定した上記4は考慮する必要がない。次に、点呼記録表中、「業務前点呼」の欄に注目すると、上述の事項のうち「道路運送車両法第47条の2第1項及び第2項の規定による点検の実施又はその確認」が欠損していることが分かる。よって、**A**には「**⑥日常点検の状況**」が入る。

運輸規則第24条第3項によると、一般貸切旅客自動車運送事業者は、夜間において長距離の運行を行う事業用自動車の運行の業務に従事する運転者等に対して当該業務の途中において少なくとも1回電話その他の方法により点呼を行い、当該業務に係る事業用自動車、道路及び運行の状況、運転者に対しては、**疾病、疲労、睡眠不足その他の理由により安全な運転をすることができないおそれの有無**について報告を求め、及び確認を行い、並びに事業用自動車の運行の安全を確保するために必要な指示を与えなければならないとされている。

ここで、点呼記録表中、「業務途中点呼」の欄に注目すると、上述の事項のうち「疾病、疲労、睡眠不足その他の理由により安全な運転をすることができないおそれの有無」が欠損していることが分かる。よって、**B**には「**⑧疾病・疲労・睡眠不足等の状況**」が入る。

運輸規則第24条第2項によると、旅客自動車運送事業者は、事業用自動車の運行の業務を終了した運転者等に対して対面により、又は対面による点呼と同等の効果を有するものとして国土交通大臣が定める方法により点呼を行い、当該業務に係る事業用自動車、道路及び運行の状況について報告を求め、かつ、運転者に対しては、酒気帯びの有無について確認を行わなければならない。この場合において、当該運転者等が他の運転者等と交替した場合にあっては、**当該運転者等が交替した運転者等に対して行った運輸規則第15条の2第8項第10号又は第50条第1項第8号の規定による通告**についても報告を求めなければならないとされている。

ここで、点呼記録表中、「業務後点呼」の欄に注目すると、上述の事項のうち「交替した運転者等に対して行った運輸規則第15条の2第8項第10号又は第50条第1項第8号の規定による通告」が欠損していることが分かる。よって、**C**には「**④運転者交替時の通告内容**」が入る。

問25　　　　　　正答1、3
運転者に対して行う指導・監督

1. **適**　本肢の記述のとおりであり、適切である。

2. **不適**　他の自動車に追従して走行するときに運転者が常に「秒」の意識をもって留意しなければならないのは、自車の速度と**停止距離**である。事業者及び運行管理者は運転者に対し、前車との追突等の危険が発生した場合でも安全に停止できるよう、少なくとも**停止距離と同程度の車間距離**を保って運転するように指導する必要がある。

　　空走距離とは、危険を認知してからブレーキが効き始めるまでの距離であり、**制動距離**とは、ブレーキを踏んでから停止するまでの走行距離である。そして、**停止距離**とは、運転者が危険を認知してから車が停止するまでに走行した距離であり、**空走距離と制動距離の和**で求められる。

停止距離と同程度の
車間距離を保つ

3. **適**　本肢の記述のとおりであり、適切である。

4. **不適**　適性診断の目的は、「運転業務に適さない者を選任しない」ことではなく、**運転者に自分の運転の傾向や事故を起こす危険性を客観的に知ってもらうことで、安全な運転を目指すようその自覚を促すこと**にあ

る。

問26　　　　　　正答3、4
運転者の健康管理

1. **不適**　労働安全衛生法第66条第5項によると、労働者は、事業者が行う健康診断を受けなければならない。ただし、事業者の指定した医師又は歯科医師が行う健康診断を受けることを希望しない場合において、**他の医師又は歯科医師の行うこれらの規定による健康診断に相当する健康診断を受け、その結果を証明する書面を事業者に提出したときは、この限りでない**とされている。よって、本選択肢は適切でない。

2. **不適**　脳血管疾患を定期健康診断で発見するのは困難である。発見するためには、**専門医療機関を受診すること**等が必要になる。

3. **適**　事業者や運行管理者は、点呼等の際に、運転者の意識や言葉に異常な症状があり、普段と様子が違うときには、すぐに**専門医療機関で受診させるべき**である。また、運転者に対しては、脳血管疾患の症状について理解させ、そうした症状があった際にはすぐに申告させるように努めるべきである。

4. **適**　本肢の記述のとおりであり、適切である。

問27　　　　　　正答1、2、3
交通事故防止対策

1. **適**　本肢の記述のとおりであり、適切である。

2．**適**　本肢の記述のとおりであり、適切である。

3．**適**　本肢の記述のとおりであり、適切である。

4．**不適**　指差呼称は、運転者の錯覚、誤判断、誤操作等を防止するための手段であり、道路の信号や標識などを指で差し、その対象が持つ名称や状態を声に出して確認することをいい、安全確認に重要な運転者の意識レベルを高めるなど**交通事故防止対策に有効な手段の一つとして活用**されている。

問28　正答A② B② C② D①
自動車の運転

1．急なハンドル操作や積雪がある路面の走行などを原因とした横転の危険を、運転者へ警告するとともに、エンジン出力やブレーキ力を制御し、横転の危険を軽減させる装置は、**車両安定性制御装置**である。

したがって、**Aには「②車両安定性制御装置」**が入る。

2．自動車がカーブを走行するとき、自動車の重量及び速度が同一の場合には、遠心力の大きさはカーブの半径に**反比例**する。つまり、カーブの半径が2倍になると遠心力の大きさは2分の1になる。

したがって、**Bには「②2分の1」**が入る。

3．長い下り坂などでフット・ブレーキを使い過ぎると、ブレーキ・ドラムやブレーキ・ライニングなどが摩擦のため過熱することによりドラム

とライニングの間の摩擦力が減り、制動力が低下することを、**フェード現象**という。

したがって、**Cには「②フェード現象」**が入る。

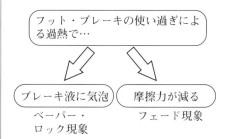

ベーパー・　　　　　　フェード現象
ロック現象

4．路面が水でおおわれているときに高速で走行するとタイヤの排水作用が悪くなり、水上を滑走する状態になって操縦不能になることを、**ハイドロプレーニング現象**という。

したがって、**Dには「①ハイドロプレーニング現象」**が入る。

なお、ウェット・スキッド現象とは、雨の降り始めに、路面の油や土砂などの微粒子が雨と混じって滑りやすい膜を形成するため、タイヤと路面との摩擦係数が低下し急ブレーキをかけたときなどにスリップすることをいう。

問29　　　　正答1③ 2② 3①
運行計画

1．本問の場合、C観光地で待機（休憩を含む）を終えて15時30分にD観光地へ向けて出発する予定となっており、C観光地からD観光地までは30kmの距離を平均時速30kmで運転する予定である。したがって、C

観光地からD観光地までの予定運転時間は30（km）÷30（km／時）＝1時間であり、D観光地に到着するのは15時30分＋1時間＝16時30分の予定である。また、D観光地では1時間の待機を行う予定であるため、D観光地を出発するのは16時30分＋1時間＝17時30分の予定であることが分かる。そして、E駅には19時50分に到着する予定となっているため、**D観光地からE駅までの運転時間は19時50分－17時30分＝2時間20分**である。さらに、**D観光地からE駅までは平均時速30kmで運転する予定となっているため、両地点間の距離は、30（km／時）×2時間20分＝70km**であり、**③が正解**となる。

2．本問の場合、E駅には19時50分に到着することを予定しており、E駅では10分間の降車時間を見込んでいる。よって、**E駅を出発するのは20時**であり、また、E駅からA営業所までは15kmの距離を平均時速30kmで運転する予定である。したがって、**E駅からA営業所までの予定運転時間は15（km）÷30（km／時）＝30分**であり、A営業所への予定帰庫時刻は20時＋30分＝**20時30分**である。よって、**②が正解**となる。

3．連続運転時間が改善基準に違反しているかどうかは、**運転開始後4時間又は4時間経過直後に、30分以上の運転の中断をしているか**で判断する（休憩だけでなく、乗客の乗車や

乗客の降車も運転の中断に含まれる）。

本問のタイムスケジュールを整理すると、次のようになる。

往路：出庫→**運転20分→乗車10分→運転4時間**→待機2時間→休憩1時間

復路：運転1時間→待機1時間→運転2時間20分→降車10分→運転30分→帰庫

このタイムスケジュールを上記の判断基準に照らすと、往路における「**運転20分→乗車10分→運転4時間**」の箇所が、**運転中断時間が10分しかないのにもかかわらず連続運転時間が4時間を超えている**。なお、復路については、改善基準に違反している箇所はない。

以上より、正解は①となる。

問30　　　　　　　　　　正答②
事故の再発防止対策

ア **直接的に有効**　本問の場合、タクシーの運転者が他の車両に対し停止していることを知らせることなく、**その場で自転車の運転者の救護措置を行っていたことが、新たな事故を誘発し、死傷者を増やす要因となっている。**よって、本選択肢は、同種の事故の再発を防止する対策として直接的に有効である。

イ **直接的に有効**　本問の場合、**運転者は、普段からスピード超過の傾向があり、事故当時も制限速度を大きく超過して走行していた。**また、事業者は、運転者に対する集合教育は

実施していたものの、**個別指導を行っていたという事実は記載されていない**。よって、本選択肢は、同種の事故の再発を防止する対策として直接的に有効である。

ウ　**直接的に有効ではない**　本問の場合、運転者は健康診断を適正に受診しており、持病があったが、重度のものではないため、経過観察としていたとされている。以上を踏まえると、本選択肢は、同種の事故の再発を防止する対策として直接的に有効とはいえない。

エ　**直接的に有効ではない**　本問の場合、事故発生時にタクシーの運転者が制限速度を25キロメートル超過して走行していたこと等の事実から、**事故の要因分析が行われている**。そのため、本選択肢は、同種の事故の再発を防止する対策として直接的に有効とはいえない。

オ　**直接的に有効ではない**　本問の場合、営業所では**点呼が適正に実施**されていた。また、営業所には複数の運行管理者が選任されており、24時間点呼が実施できる体制がとられていた。以上を踏まえると、本選択肢は、同種の事故の再発を防止する対策として直接的に有効とはいえない。

カ　**直接的に有効**　本問の場合、運転者は、満67歳になっており、**適齢診断において動体視力に問題ありと判定された他、過去の診断結果と比較して動作の正確さに大きな低下が認められていた**。また、本人は、加

齢に伴う身体能力の衰えを十分自覚しておらず、これらのことが安全運転に悪影響を及ぼしていた可能性が高い。よって、本選択肢は、同種の事故の再発を防止する対策として直接的に有効である。

キ　**直接的に有効**　本問の場合、運転者は、事故時回送運行ということもあり、**考え事をしながら運転をしており、緊張感が薄れていた**ことが想像できる。よって、本選択肢は、同種の事故の再発を防止する対策として直接的に有効である。

ク　**直接的に有効ではない**　本問の場合、運転者は、事故日前1ヵ月の勤務において、**拘束時間、連続運転時間にかかる違反はなかった**とされている。よって、本選択肢は、同種の事故の再発を防止する対策として直接的に有効とはいえない。

　以上より、最も直接的に有効と考えられる組合せは、ア・イ・カ・キであり、正解は②となる。

令和2年度 CBT試験出題例

1. 道路運送法関係

問1　　　　　正答2、3
旅客自動車運送事業

1. ✕　運送法第2条第2項によると、「自動車運送事業」とは、旅客自動車運送事業及び貨物自動車運送事業をいうとされている。**自動車道事業は含まれないので誤り。**

2. ○　運送法第2条第3項及び第3条により正しい。

3. ○　運送法第8条第1項により正しい。

4. ✕　運送法第7条第2号によると、一般旅客自動車運送事業の許可の取消しを受けた者は、その取消しの日から**5年**を経過しなければ、新たに一般旅客自動車運送事業の許可を受けることができない。

問2　　　　正答A2 B1 C1
輸送の安全等

1. 運送法第27条第1項によると、一般旅客自動車運送事業者は、事業計画（路線定期運行を行う一般乗合旅客自動車運送事業者にあっては、事業計画及び運行計画）の遂行に**必要となる員数**の運転者の確保、事業用自動車の運転者がその休憩又は睡眠のために利用することができる施設の整備、事業用自動車の運転者の

適切な勤務時間及び**乗務時間**の設定その他の運行の管理その他事業用自動車の運転者の過労運転を防止するために必要な措置を講じなければならない。

したがって、Aには「2. 必要となる員数の」、Bには「1. 乗務時間」が入る。

2. 運送法第27条第2項によると、一般旅客自動車運送事業者は、事業用自動車の運転者が疾病により安全な運転ができないおそれがある状態で事業用自動車を運転することを防止するために必要な**医学的知見**に基づく措置を講じなければならない。

したがって、Cには「1. 医学的知見」が入る。

問3　　　　　　正答4
運行管理者の業務

1. ○　運輸規則第48条第1項第13号により正しい。

2. ○　運輸規則第48条第1項第6号及び第24条第3項により正しい。

3. ○　運輸規則第48条第1項第17号及び第38条第2項により正しい。

4. ✕　運輸規則第48条第1項第6号によると、運行管理者は、法令の規定により、運転者等に対し、点呼を行い、報告を求め、確認を行い、指示を与え、記録し、及びその記録を保存し、並びに運転者に対して使用するアルコール検知器を**常時有効に保持**することとされている。アルコール検知器を**備え置くのは事業者の義務**である（運輸規則第24条第4

別冊　正答・解説

項)。

問4　　　　正答 1、2
点呼

令和4年4月1日より、3つの要件（①使用する機器・システムの要件、②実施する施設・環境の要件、③運用上の遵守事項）を満たす営業所において、営業所の優良性にかかわらず、遠隔点呼が実施できるようになった。また、令和5年1月1日から、点呼機器により、自動で点呼を行う認定制度が創設され、業務終了後の運転者に対する点呼を自動で実施（「業務後自動点呼」）できるようになった。

1．○　運輸規則第24条第1項により正しい。

2．○　運輸規則第24条第2項により正しい。

3．×　通達「旅客自動車運送事業運輸規則の解釈及び運用について」第24条（1）③、④によると、次のいずれにも該当する一般旅客自動車運送事業者の営業所にあっては、当該営業所と当該営業所の車庫間で点呼を行う場合は、対面による点呼と同等の効果を有するものとして国土交通大臣が定めた機器による点呼を行うことができる。

①開設されてから**3年**を経過していること。

②過去**3年間**所属する旅客自動車運送事業の用に供する事業用自動車の運転者が自らの責に帰する自動車事故報告規則第2条に規定する

事故を発生させていないこと。

③過去**3年間**自動車その他の輸送施設の使用の停止処分、事業の停止処分又は警告を受けていないこと。

この点、本選択肢は、①と②の「3年」が「1年」になっていることに加え、③の要件が書かれていないので誤っている。

4．×　通達「旅客自動車運送事業運輸規則の解釈及び運用について」第24条（2）③によると、運輸規則第24条第4項に規定する「アルコール検知器を営業所ごとに備え」の「アルコール検知器」とは、営業所若しくは営業所の車庫に設置され、営業所に備え置き（**携帯型アルコール検知器等**）、又は営業所に属する事業用自動車に設置されているものをいうとされている。よって、携帯型アルコール検知器も運輸規則第24条第4項に規定する「アルコール検知器」に含まれるので誤り。

問5　　　　正答 1、3
事故の報告

1．**報告を要する**　事故報告規則第3条第1項及び第2条第7号によると、操縦装置又は乗降口の扉を開閉する操作装置の**不適切な操作**により、旅客に**11日以上**医師の治療を要する傷害が生じた事故については、国土交通大臣への報告を要する。

2．**報告を要しない**　事故報告規則第3条第1項、第2条第2号及び同条第4号によると、**10台以上**の自動車

＊ 35　◀◀ **問題** ◀問題編 p.82〜86

の衝突又は接触を生じた事故又は**10人以上の負傷者を生じた事故**については、国土交通大臣への報告を要する。本肢の場合、衝突した自動車は5台であり、負傷者は6人であるため、国土交通大臣への報告を要しない。

3．**報告を要する** 事故報告規則第3条第1項及び第2条第9号によると、運転者等の**疾病**により、事業用自動車の運行を継続することができなくなったものについては、国土交通大臣への報告を要する。

4．**報告を要しない** 事故報告規則第3条第1項及び第2条第13号によると、橋脚、架線その他の鉄道施設を損傷し、**3時間以上本線において鉄道車両**の運転を休止させた事故については、国土交通大臣への報告を要する。本肢の場合、本線において鉄道車両の運転を休止させたのは2時間であるため、報告を要しない。

問6　　　　　　　　　正答4
過労運転の防止等

1．○ 運輸規則第21条第2項及び通達「旅客自動車運送事業運輸規則の解釈及び運用について」第21条(2)①イにより正しい。

2．○ 運輸規則第21条第6項により正しい。

3．○ 通達「旅客自動車運送事業運輸規則の解釈及び運用について」第21条の2(2)②により正しい。

4．× 運輸規則第21条第1項によると、事業者は、過労の防止を十分考慮して、国土交通大臣が告示で定

める基準に従って、事業用自動車の運転者の**勤務時間及び乗務時間**を定め、当該運転者にこれらを遵守させなければならない。

問7　　　　　　　　　正答2
運転者に対する特別な指導

1．○ 運輸規則第38条第1項により正しい。

2．× 指導監督指針第二章2(2)によると、一般貸切旅客自動車運送事業者が貸切バスの運転者に対して行う初任運転者に対する特別な指導は、事業用自動車の安全な運転に関する基本的事項、運行の安全及び旅客の安全を確保するために留意すべき事項等について、**10時間以上実施**するとともに、安全運転の実技について、**20時間以上実施**することとされている。

3．○ 運輸規則第50条第1項第8号により正しい。

4．○ 指導監督指針第二章3(1)①により正しい。

問8　　　　　　　　　正答1
運行管理者の選任等

1．× 運輸規則第47条の9第1項によると、一般貸切旅客自動車運送事業者は、事業用自動車20両以上99両以下の運行を管理する営業所においては、当該営業所が運行を管理する**事業用自動車の数を20で除して得た数**（1未満の端数があるときは、これを切り捨てるものとする。）**に1を加算して得た数以上の運行管**

理者を選任しなければならない。

本問の場合、事業用自動車の数は60両なので、60÷20＋1＝4人以上の運行管理者を選任する必要がある。

2．○ 運送法第23条の3及び第23条の2第2項第1号により正しい。

3．○ 「旅客自動車運送事業運輸規則第48条の4第1項、第48条の5第1項及び第48条の12第2項の運行の管理に関する講習の種類等を定める告示」第4条第1項により正しい。

4．○ 運輸規則第47条の9第3項により正しい。

2．道路運送車両法関係

問9　　　　正答4
自動車の登録等

1．○ 車両法第19条により正しい。

2．○ 車両法第35条第6項により正しい。

3．○ 車両法第69条第1項第1号により正しい。

4．× 車両法第12条第1項によると、自動車の所有者は、当該自動車の使用の本拠の位置に変更があったときは、その事由があった日から15日以内に、国土交通大臣の行う変更登録の申請をしなければならない。「30日以内」ではないので、誤り。

問10　　　　正答3、4
自動車の検査等

1．× 車両法第66条第1項により、

原則として、自動車検査証を備え付けなければ、自動車を運行の用に供してはならない。しかし、指定自動車整備事業者（いわゆる民間車検場）が交付した有効な保安基準適合標章を表示しているときは、自動車検査証を備え付けていなくても、例外的に自動車を運行の用に供することができる（同法第94条の5第11項）。

■自動車検査証の代用■

自動車検査証	保安基準適合標章
国しか発行できない。	民間車検場で車検を行った場合、国から左の発行を受けるまで、代わりとして一定期間の使用ができる。

2．× 車両法第61条第1項によると、自動車検査証の有効期間は、旅客を運送する自動車運送事業の用に供する自動車、貨物の運送の用に供する自動車及び国土交通省令で定める自家用自動車であって、検査対象軽自動車以外のものにあっては1年、その他の自動車にあっては2年とされている。本肢に挙げられている「乗車定員5人の旅客を運送する自動車運送事業の用に供する自動車」の場合、自動車検査証の有効期間は1年となる。

3．○ 車両法第62条第1項によると、登録自動車等の使用者は、自動車検査証の有効期間の満了後も当該自動車を使用しようとするときは、原則として当該自動車を提示し、国

土交通大臣の行う**継続検査**を受けなければならない。ただし、一定の地域に使用の本拠の位置を有する自動車の使用者が、天災その他やむを得ない事由により、継続検査を受けることができないと認めるときは、国土交通大臣は、当該地域に使用の本拠の位置を有する自動車の自動車検査証の有効期間を、期間を定めて伸長する旨を公示することができる（同法第61条の2第1項）。

4. ○ 車両法第67条第1項本文及び同法施行規則第35条の3第1項第6号により正しい。

自動車検査証の変更記録

なお、車両法67条1項の改正（令和5年1月1日施行）により、自動車検査証の「記入」とされていた箇所は「変更記録」となった。

問11　正答A①B①C②D②
自動車の点検整備等

1. 車両法第47条の2第1項及び第2項によると、自動車の使用者又は自動車を運行する者は、**1日1回**、その運行の開始前において、国土交通省令で定める技術上の基準により、自動車を点検しなければならない。

　したがって、Aには「①1日1回」が入る。

2. 車両法第48条第1項第1号によ

ると、自動車運送事業の用に供する自動車の使用者は、**3ヵ月**ごとに、国土交通省令で定める技術上の基準により自動車を点検しなければならない。

　したがって、Bには「①3ヵ月」が入る。

3. 車両法第50条第1項によると、自動車の使用者は、自動車の点検及び整備並びに自動車車庫の管理に関する事項を処理させるため、車両総重量8トン以上の自動車その他の国土交通省令で定める自動車であって国土交通省令で定める台数以上のものの使用の本拠ごとに、自動車の点検及び整備に関する実務の経験その他について国土交通省令で定める一定の要件を備える者のうちから、**整備管理者**を選任しなければならない。

　したがって、Cには「②整備管理者」が入る。

4. 車両法第54条第2項によると、地方運輸局長は、自動車の**使用者**が同条第1項（整備命令等）の規定による命令又は指示に従わない場合において、当該自動車が保安基準に適合しない状態にあるときは、当該自動車の使用を停止することができる。

　したがって、Dには「②使用者」が入る。

問12　　　　　　　正答2
保安基準及び細目告示

1. ○ 保安基準第29条第3項及び細目告示第195条第3項により正し

い。

2．×　保安基準第 26 条第 1 項によると、幼児専用車及び乗車定員 30 人以上の自動車（緊急自動車を除く。）には、非常時に容易に脱出できるものとして、設置位置、大きさ等に関し告示で定める基準に適合する非常口を設けなければならない。ただし、すべての座席が乗降口から直接着席できる自動車にあっては、この限りでない。

3．○　保安基準第 47 条第 1 項により正しい。

4．○　保安基準第 2 条第 1 項により正しい。

3．道路交通法関係

問 13	正答 2
車両の交通方法等	

1．○　道交法第 53 条第 1 項及び第 2 項により正しい。

2．×　道交法第 20 条の 2 第 1 項によると、路線バス等の優先通行帯であることが道路標識等により表示されている車両通行帯が設けられている道路においては、自動車（路線バス等を除く。）は、後方から路線バス等が接近してきた場合に当該道路における交通の混雑のため当該車両通行帯から出ることができないこととなるときは、当該車両通行帯を通行してはならず、また、当該車両通行帯を通行している場合において、後方から路線バス等が接近してきたときは、その正常な運行に支障を及ぼ

さないように、すみやかに当該車両通行帯の外に出なければならない。

3．○　道交法第 17 条第 1 項及び第 2 項により正しい。

歩道直前で一時停止

4．○　道交法第 75 条の 4 及び同法施行令第 27 条の 3 により正しい。

問 14	正答 1、4
停車及び駐車等	

1．○　道交法第 45 条第 1 項第 2 号により正しい。

2．×　道交法第 45 条第 1 項第 1 号により、駐車してはならないのは、**3 メートル以内**の道路の部分である。「5 メートル以内」ではないので、誤り。

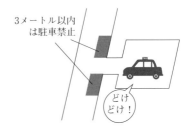

3 メートル以内は駐車禁止

どけどけ！

3．×　道交法第 45 条第 2 項及び第 3 項によると、車両は、公安委員会が交通がひんぱんでないと認めて指定した区域を除き、法令の規定により駐車する場合に当該車両の右側の道路上に **3.5 メートル**（道路標識等に

令和 2 年度 CBT

より距離が指定されているときは、その距離）以上の余地がないこととなる場所においては、駐車してはならない。

4．○　道交法第45条第1項第3号により正しい。

問15　　　正答A②B①C①
交通事故の場合の措置

道交法第72条第1項の交通事故の場合の措置の知識を問う問題である。同条項には「交通事故があったときは、当該交通事故に係る車両等の運転者その他の乗務員は、直ちに車両等の運転を停止して、**負傷者を救護し**、道路における危険を防止する等必要な措置を講じなければならない。この場合において、当該車両等の運転者（運転者が死亡し、又は負傷したためやむを得ないときは、その他の乗務員）は、警察官が現場にいるときは当該警察官に、警察官が現場にいないときは直ちに最寄りの警察署（派出所又は駐在所を含む。）の警察官に当該交通事故が発生した日時及び場所、当該交通事故における**死傷者の数**及び負傷者の負傷の程度並びに損壊した物及びその損壊の程度、当該交通事故に係る車両等の積載物並びに**当該交通事故について講じた措置**を報告しなければならない。」と規定されている。

したがって、Aには「**②負傷者を救護**」、Bには「**①死傷者の数**」、Cには「**①当該交通事故について講じた措置**」が入る。

問16　　　正答3
標識

1．○　道交法施行令第2条第2項により正しい。

2．○　**車両横断禁止の標識**なので、正しい。

3．×　**大型乗用自動車等通行止め**の**標識**である。本問の「乗車定員が18人の中型乗用自動車」は「**特定中型自動車**」（最大積載量5トン以上6.5トン未満、車両総重量8トン以上11トン未満、乗車定員11人以上29人未満）に当たり、**特定中型自動車は大型自動車等に含まれる**ため、**通行できない**。

4．○　駐停車禁止の標識に、8時から20時までの間という時間制限が示されており、正しい。

問17　　　正答4
運転者の遵守事項等

1．○　道交法第71条第5号の5により正しい。

2．○　道交法第101条の4第1項及び第108条の2第1項第12号により正しい。

3．○　道交法第71条の3第3項によると、自動車の運転者は、原則として、幼児用補助装置を使用しない幼児を乗車させて自動車を運転してはならない。ただし、疾病のため幼児用補助装置を使用させることが療養上適当でない幼児を乗車させるとき、その他政令で定めるやむを得ない理由があるときは、この限りでない。ここで、道交法施行令第26条

の3の2第3項第6号を見ると、道路運送法第3条第1号に掲げる**一般旅客自動車運送事業**の用に供される自動車の運転者が当該事業に係る旅客である幼児を乗車させるときは、道交法第71条の3第3項ただし書の「**政令で定めるやむを得ない理由**」に該当するとされている。

4．×　道交法第75条の11第1項によると、自動車の運転者は、故障その他の理由により本線車道若しくはこれに接する加速車線、減速車線若しくは登坂車線（以下「本線車道等」という。）又はこれらに接する**路肩若しくは路側帯**において当該自動車を運転することができなくなったときは、政令で定めるところにより、当該自動車が故障その他の理由により停止しているものであることを表示しなければならない。

4．労働基準法関係

問18　　　　　　　正答2、4
労働契約

1．×　労基法第19条第1項本文によると、使用者は、労働者が業務上負傷し、又は疾病にかかり療養のために休業する期間及びその後**30日間**並びに産前産後の女性が労基法第65条の規定によって休業する期間及びその後**30日間**は、解雇してはならない。

2．○　労基法第22条第1項により正しい。

3．×　労基法第20条第1項本文に

よると、使用者は、労働者を解雇しようとする場合においては、少なくとも30日前にその予告をしなければならない。30日前に予告をしない使用者は、30日分以上の平均賃金を支払わなければならない。

4．○　労基法第21条により正しい。

問19　　　　　　　正答2
労働時間及び休日等

1．○　労基法第38条第1項により正しい。

2．×　労基法第34条第1項によると、使用者は、労働時間が6時間を超える場合においては少なくとも**45分**、8時間を超える場合においては少なくとも**1時間**の休憩時間を労働時間の途中に与えなければならない。

3．○　労基法第35条により正しい。

4．○　労基法第39条第1項により正しい。

問20　正答A②B①C②D①
拘束時間等

1．改善基準第5条第4項第1号によると、業務の必要上、勤務の終了後継続9時間以上の休息期間を与えることが困難な場合、当分の間、一定期間（1ヵ月を限度とする。）における全勤務回数の**2分の1**を限度に、休息期間を拘束時間の途中及び拘束時間の経過直後の2回に分割して与えることができるものとされている。この場合において、分割された休息期間は、1日において1回当た

り継続4時間以上、合計11時間以上でなければならないものとされている。

　したがって、Aには「②2分の1」、Bには「①11時間」が入る。

2．改善基準第5条第1項第1号ロによると、バス運転者等の拘束時間は、4週間を平均し1週間当たり65時間を超えず、かつ、52週間について3,300時間を超えないものとすること。ただし、貸切バス等乗務者の拘束時間には、労使協定により、52週間のうち24週間までは、4週間を平均し1週間当たり68時間まで延長することができ、かつ、52週間について3,400時間まで延長することができる。

　したがって、Cには「②65時間」、Dには「①68時間」が入る。

問21　　　　　　　正答1、3
拘束時間及び運転時間等

1．○　改善基準第5条第1項第3号により正しい。

2．×　改善基準第5条第1項第5号によると、使用者は、バス運転者等の運転時間は、2日を平均し1日当たり9時間、4週間を平均し1週間当たり40時間を超えないものとすることとされている。ただし、貸切バス等乗務者については、労使協定により、52週間についての運転時間が2,080時間を超えない範囲内において、52週間のうち16週間までは、4週間を平均し1週間当たり44時間まで延長することができる。

3．○　改善基準第5条第5項により正しい。

4．×　改善基準第5条第1項第6号によると、使用者は、バス運転者等の連続運転時間（1回が連続10分以上で、かつ、合計が30分以上の運転の中断をすることなく連続して運転する時間をいう。）は、原則として4時間を超えないものとすることとされている。

問22　　　　　　　正答2
拘束時間

1日の拘束時間の計算の方法
　①基本的には、終業時刻から始業時刻を引くだけでよい。
　②ただし、注意しなければならないのは、**翌日の始業時刻が当日の始業時刻より早い場合**である。この場合にはその早い時間の分だけ、**当日の拘束時間に加えることを忘れない。**
　③また、**フェリー乗船時間は原則として休息期間として取り扱うもの**とする。

　以上を前提に問題の4日間を検討する。
　　1日目：（9時－5時）＋（19時－14時）＝9時間
　　2日目：（18時－6時）＋2時間＝14時間
　　3日目：（8時－4時）＋（19時－12時）＝11時間
　　4日目：（18時－5時）＋1時間＝14時間
　2日目は翌日の始業時刻が2時間

早く、4日目は翌日の始業時刻が1時間早いので、その分を加えることに注意。

以上より、正答は2となる。

問23　　　　　　　　正答3
運転時間及び拘束時間等

1. **違反していない**　改善基準第5条第1項第5号によると、運転時間は、2日（始業時刻から起算して48時間をいう。）を平均し1日当たり9時間を超えないこととされている。そして、1日の運転時間の計算に当たっては、「特定日の前日と特定日の運転時間の平均」と「特定日と特定日の翌日の運転時間の平均」を算出し、どちらも9時間を超える場合は基準違反と判断される。以上を前提に本問を検討すると、基準に違反している箇所はない。

2. **違反していない**　改善基準第5条第1項第5号によると、運転時間は、4週間を平均し1週間当たり40時間を超えないものとすることとされている。ただし、貸切バス等運転者については、労使協定により、52週間についての運転時間が2,080時間を超えない範囲内において、52週間のうち16週間までは、4週間を平均し1週間当たり44時間まで延長することができる。以上を前提に本問を検討すると、本問における4週間の合計運転時間は173時間であり、これを4で除すと、173÷4＝43.25時間となる。したがって、44時間を超えていないので、4週間を平均し

た1週間当たりの運転時間は改善基準に違反していない。

3. **違反している**　改善基準第5条第1項第1号ロによると、バス運転者等の拘束時間は、4週間を平均し1週間当たり65時間を超えず、かつ、52週間について3,300時間を超えないものとすることとされている。ただし、貸切バス等乗務者の拘束時間は、労使協定により、52週間のうち24週間までは、4週間を平均し1週間当たり68時間まで延長することができかつ、52週間について3,400時間まで延長することができる。以上を前提に本問を検討すると、本問における4週間の合計拘束時間は273時間であり、これを4で除すと、273÷4＝68.25時間となる。したがって、68時間を超えているので、4週間を平均した1週間当たりの拘束時間は改善基準に違反している。

4. **違反していない**　改善基準第5条第1項第3号により、バス運転者等の1日についての拘束時間は、原則として13時間を超えてはならず、延長する場合でも**最大拘束時間は15時間**が限度とされている。以上を前提に本問を検討すると、拘束時間が最も長いのは26日の15時間であり、基準には違反していない。

5. 実務上の知識及び能力

問24　　　　　　　　正答2、4
運行管理

1. **不適**　運行管理者と自動車運送事

令和2年度CBT

業者の役割は同一ではないため、本肢に記載されているように「運行管理者は、自動車運送事業者の代理人として事業用自動車の輸送の安全確保に関する業務全般を行い、交通事故を防止する役割を担っている」とはいえない。したがって、事故が発生した場合であっても、運行管理者は自動車運送事業者に代わって責任を負うわけではない。

2．**適**　本肢の記述のとおりであり、適切である。

3．**不適**　通達「旅客自動車運送事業運輸規則の解釈及び運用について」第24条（1）①によると、「運行上やむを得ない場合」とは、遠隔地で業務が開始又は終了するため、業務前点呼又は業務後点呼が、運転者等が所属する営業所において対面で実施できない場合等をいい、**車庫と当該車庫を所管する営業所が離れている場合、早朝・深夜等において点呼執行者が営業所に出勤していない場合等は「運行上やむを得ない場合」には該当しない**とされている。したがって、本肢は不適切である。

遠隔点呼・業務後自動点呼の制度については問4の解説を参照。

4．**適**　本肢の記述のとおりであり、適切である。

問25　　　　　　正答2、3
運転者に対して行う指導・監督

1．**不適**　**空走距離**とは、危険を認知してからブレーキが効き始めるまでの距離であり、**制動距離**とは、ブレ

ーキを踏んでから停止するまでの走行距離である。そして、**停止距離**とは、運転者が危険を認知してから車が停止するまでに走行した距離であり、**空走距離と制動距離の和**で求められる。

以上の知識を前提に、本問を検討する。まず、36キロメートル／時を秒速に直すと、1時間は3600秒だから、自動車の速さは36000 ÷ 3600 ＝ 10メートル／秒である。そして、空走時間は1秒間であるから、その間の自動車の空走距離は10 × 1 ＝ 10メートルである。また、制動距離は8メートルであるから、**停止距離**は10 ＋ 8 ＝ 18メートルである。

2．**適**　道交法第71条第4号に照らすと、本肢における事業者の対応は適切である。

3．**適**　本肢の記述のとおりであり、適切である。

4．**不適**　社内教育で従業員に対し、適度な飲酒の目安や一般にアルコール処理に必要とされる時間を参考に、個人差も考慮しつつ、**飲酒が運転に及ぼす影響等**について**指導**を行うことは、酒気帯び運転防止の観点から適切な対応といえる。しかし、指導を行う際は、**全ての運転者を対**

象とすることが望ましい。したがって、本肢のように、「体質的にお酒に弱い運転者のみを対象」とすることは適切な対応とはいえない。

問26　　　　　正答1、4
運転者の健康管理

1．**適**　本肢の記述のとおりであり、適切である。

2．**不適**　労働安全衛生法第66条第5項によると、労働者は、事業者が行う健康診断を受けなければならない。ただし、事業者の指定した医師又は歯科医師が行う健康診断を受けることを希望しない場合において、**他の医師又は歯科医師の行うこれらの規定による健康診断に相当する健康診断を受け、その結果を証明する書面を事業者に提出したときは、この限りでない**とされている。よって、運転者が自ら受けた健康診断（人間ドックなど）において、法令で必要な健康診断の項目を充足している場合には、法定健診として代用することができる。

3．**不適**　本肢の場合、事業者は、医師から出された**所見に従い**、運転者の**負担を軽減**させる必要がある。にもかかわらず、繁忙期であるとの理由で、運転者に対し従来と同様の業務を続けさせた運行管理者の判断は、適切でない。

4．**適**　本肢の記述のとおりであり、適切である。

※令和3年中では、乗務員に起因する重大事故報告発生件数は、1,468

件である。よって、本肢は**現在では誤り**である。なお、うち健康起因による事故数は288件、原因病名別では心臓疾患が47件、脳疾患が49件と多くを占めている。

問27　　　　正答1、3、4
自動車の運転

1．**適**　本肢の記述のとおりであり、適切である。

2．**不適**　遠心力は速度の2乗に比例して大きくなる。よって、自動車がカーブを走行するとき、自動車の重量及びカーブの半径が同一の場合には、速度が2倍になると遠心力の大きさは4倍になる。

3．**適**　本肢の記述のとおりであり、適切である。

4．**適**　本肢の記述のとおりであり、適切である。

問28　　　　正答1、2、3
交通事故防止対策

1．**適**　本肢の記述のとおりであり、適切である。

2．**適**　本肢の記述のとおりであり、適切である。

3．**適**　本肢の記述のとおりであり、適切である。

4．**不適**　適性診断の目的は、「運転に適さない者を運転者として選任しない」ことではなく、**運転者に自分の運転の傾向や事故を起こす危険性を客観的に知ってもらうことで、安全な運転を目指すようその自覚を促す**ことにある。

問29　　正答 1 ② 2 ① 3 ①

運行計画

1. 本問の場合、C観光地には11時40分に到着することを予定しており、B駅からC観光地までは245kmの距離を平均時速70kmで運転する予定である。したがって、B駅からC観光地までの予定運転時間は245（km）÷70（km／時）＝3.5時間（＝3時間30分）であり、途中10分間休憩することも考え合わせると、B駅を出発するのは、11時40分－3時間30分－10分＝8時の予定である。また、B駅では10分間の乗車を行う予定であるため、**B駅に到着するのは8時－10分＝7時50分の**予定であることがわかる。そして、A営業所からB駅までの距離は10kmであり、当該距離を平均時速30kmで運転する予定であるため、**A営業所からB駅までの予定運転時間は10（km）÷30（km／時）＝20分**である。以上より、C観光地に11時40分に到着させるためにふさわしい**A営業所の出庫時刻は、7時50分－20分＝7時30分**であり、**②が正解**となる。

2. 改善基準第5条第1項第5号によると、運転時間は、2日（始業時刻から起算して48時間をいう）を平均し1日当たり9時間を超えないこととされている。1日の運転時間の計算に当たっては、「特定日の前日と特定日の運転時間の平均」と「特定日と特定日の翌日の運転時間の平均」を算出し、どちらも9時間を超える場合は基準違反と判断される。以上を前提に、本選択肢を検討する。

本問の場合、当日の運転時間は8時間50分（20分＋3時間30分＋30分＋2時間＋2時間＋30分）である。また、問題文より、前日の運転時間は9時間00分、翌日の運転時間は9時間20分である。これらを基に、2日間を平均した1日当たりの運転時間を求めると、**前日と当日の平均は8時間55分、当日と翌日の平均は9時間5分**であり、**前者が9時間を超えていないため、改善基準には違反していない**。したがって、**①が正解**となる。

3. 連続運転時間が改善基準に違反しているかどうかは、**運転開始後4時間又は4時間経過直後に、30分以上の運転の中断をしているか**で判断する（休憩だけでなく、乗車や降車も運転の中断に含まれる）。

本問のタイムスケジュールを整理すると、次のようになる。

運転20分→乗車10分→運転1時間45分→休憩10分→運転1時間45分→観光3時間→運転30分→待機30分→運転2時間→待機20分→運転2時間→降車10分→運転30分→帰車

このタイムスケジュールを上記の判断基準に照らすと、改善基準に違反している箇所はない。**以上より、正解は①となる**。

問30　　　　正答4、6、9
危険予知訓練

　本問の交通場面の状況においては、前方左側に、駐車車両に進路を塞がれた二輪車が走行している。そして、当該二輪車は、駐車車両を避けるために、右に進路を変更してくることが予測されるので、このまま進行すると当該二輪車と衝突する危険がある（選択肢②）。そのため、運行管理者は、運転者に対し、二輪車は、後方の確認をしないまま進路を変更することがよくあるので、このような状況下では、二輪車を追い越そうとはせず先に行かせるよう指導する必要がある（選択肢オ）。よって、まず、選択肢②と選択肢オの組み合わせである4が正解となる。

　また、本問の交通場面の状況においては、前方右側の脇道から左折しようとしている車の影に、自転車が見える。そして、当該自転車が道路を横断してくると衝突する危険があることがわかる（選択肢③）。そのため、運行管理者は、運転者に対し、右側の脇道から自転車が出ようとしているので、周辺の交通状況を確認のうえ、脇道の自転車の動きに注意して走行するよう指導する必要がある。また、併せて、仮に自転車が出てきた場合は、先に自転車を行かせるように指導する必要もある（選択肢エ）。よって、選択肢③と選択肢エの組み合わせである6も正解となる。

　そして、本問の交通場面の状況においては、駐車車両の先に歩行者が見え、当該歩行者が道路を横断してくるとはねる危険がある（選択肢⑤）。そのため、運行管理者は、運転者に対し、住宅街を走行する際に駐車車両があるときは、その付近の歩行者の動きにも注意し、スピードを落として走行するよう指導する必要がある（選択肢ア）。よって、選択肢⑤と選択肢アの組み合わせである9も正解となる。

正答解説

令和2年度
第2回

1. 道路運送法関係

問1　　　　　　　　正答2、4
事業計画の変更等

1. × 運送法第15条の2第1項によると、路線定期運行を行う一般乗合旅客自動車運送事業者は、路線（路線定期運行に係るものに限る。）の休止又は廃止に係る事業計画の変更をしようとするときは、その6ヵ月前（旅客の利便を阻害しないと認められる国土交通省令で定める場合にあっては、その30日前）までに、その旨を国土交通大臣に**届け出なければならない**。

2. ○ 運送法第15条第1項により正しい。

3. × 運送法第15条第3項によると、一般旅客自動車運送事業者は、「営業所ごとに配置する事業用自動車の数」に関する事業計画の変更をしようとするときは、**あらかじめ**、その旨を国土交通大臣に届け出なければならない。

4. ○ 運送法第15条第4項により正しい。

問2　　　　　　　　正答4
運行管理者の業務

1. ○ 運輸規則第48条第1項第6号及び第24条第5項により正しい。

2. ○ 運輸規則第48条第1項第12号の2及び第28条の2により正しい。

3. ○ 運輸規則第48条第1項第16号及び第38条第5項により正しい。

4. × 運輸規則第21条第1項によると、過労の防止を十分考慮して、国土交通大臣が告示で定める基準に従って、事業用自動車の運転者の勤務時間及び乗務時間を定め、当該運転者にこれらを遵守させるのは**事業者**の義務である。

問3　　　　正答A②B②C②D①
過労防止

1. 運輸規則第35条及び第36条第1項によると、旅客自動車運送事業者は、事業計画（路線定期運行を行う一般乗合旅客自動車運送事業者にあっては、事業計画及び運行計画）の遂行に十分な数の事業用自動車の運転者を常時選任しておかなければならない。この場合、事業者（個人タクシー事業者を除く。）は、日日雇い入れられる者、2ヵ月以内の期間を定めて使用される者、試みの使用期間中の者（14日を超えて引き続き使用されるに至った者を除く。）、14日未満の期間ごとに賃金の支払い（仮払い、前貸しその他の方法による金銭の授受であって実質的に賃金の支払いと認められる行為を含む。）を受ける者を当該運転者等として選任してはならない。

　　したがって、Aには「②2ヵ月」が入る。

2. 運輸規則第21条第3項によると、

旅客自動車運送事業者は、運転者に国土交通大臣が告示で定める基準による1日の勤務時間中に当該運転者の属する営業所で勤務を終了することができない運行を指示する場合は、当該運転者が有効に利用することができるように、勤務を終了する場所の付近の適切な場所に睡眠に必要な施設を整備し、又は確保し、並びにこれらの施設を**適切に管理し、及び保守**しなければならない。

したがって、Bには「**②適切に管理し、及び保守**」が入る。

3．運輸規則第21条第5項によると、旅客自動車運送事業者は、乗務員等の**健康状態の把握**に努め、疾病、疲労、睡眠不足その他の理由により安全に運行の業務を遂行し、又はその補助をすることができないおそれがある乗務員等を事業用自動車の運行の業務に従事させてはならない。

したがって、Cには「**②健康状態の把握**」が入る。

4．運輸規則第21条第6項によると、一般貸切旅客自動車運送事業者は、運転者が長距離運転又は夜間の運転に従事する場合であって、**疲労等**により安全な運転を継続することができないおそれがあるときは、あらかじめ、交替するための運転者を配置しておかなければならない。

したがって、Dには「**①疲労等**」が入る。

問4　　　正答1、2、3
点呼

令和4年4月1日より、3つの要件（①使用する機器・システムの要件、②実施する施設・環境の要件、③運用上の遵守事項）を満たす営業所において、営業所の優良性にかかわらず、遠隔点呼が実施できるようになった。また、令和5年1月1日から、点呼機器により、自動で点呼を行う認定制度が創設され、業務終了後の運転者に対する点呼を自動で実施（「業務後自動点呼」）できるようになった。

1．○　通達「旅客自動車運送事業運輸規則の解釈及び運用について」第24条（1）①により正しい。

2．○　運輸規則第24条第4項により正しい。

3．○　運輸規則第24条第3項及び通達「旅客自動車運送事業運輸規則の解釈及び運用について」第24条（1）⑧により正しい。

4．×　運輸規則第24条第1項及び第2項によると、**業務前の点呼**においては、「道路運送車両法第47条の2第1項及び第2項の規定による点検（日常点検）の実施又はその確認」について報告を求め、及び確認を行う必要がある。

問5　　　正答3、4
事故の速報

1．**速報を要しない**　事故報告規則第4条第1項第1号及び第2条第1号により、自動車の転落事故は運輸支

局長等への速報を要する。ここでいう「転落」とは、自動車が道路外に転落し、その落差が 0.5 メートル以上の場合である。よって、本選択肢では道路と畑の落差が 0.3 メートルなので、速報を要する「転落」にあたらない。

2．**速報を要しない**　事故報告規則第4条第1項第2号によると、**5人以上の重傷者を生じた事故又は旅客に1人以上の重傷者**を生じた事故については、運輸支局長等に速報を要する。本肢の「14日間医師の治療を要する傷害」は、重傷にあたらないので、速報を要しない。

3．**速報を要する**　事故報告規則第4条第1項第2号ハ及び第2条第3号によると、**旅客に1人以上の重傷者を生じた事故**については、運輸支局長等への速報を要する。

4．**速報を要する**　事故報告規則第4条第1項第2号ハ及び第2条第3号によると、**旅客に1人以上の重傷者を生じた事故**については、運輸支局長等への速報を要する。

速報を要するもの
① 自動車の転覆、転落、火災
② 鉄道車両と衝突・接触
③ ①、②又は自動車その他の物件と衝突・接触したことにより消防法に規定する危険物、火薬類取締法に規定する火薬類などが飛散又は漏えいしたもの
④ 2人以上の死者を生じたもの（旅客自動車運送事業者等の場合は1人以上）
⑤ 5人以上の重傷者を生じたもの
⑥ 旅客に1人以上の重傷者を生じたもの
⑦ 10人以上の負傷者を生じたもの
⑧ 酒気帯び運転によるもの

※①と②に関しては、旅客自動車運送事業者及び自家用有償旅客運送者が使用する自動車が引き起こしたものに限る。

問6	正答4

運行の記録等

1．○　運輸規則第37条第2項により正しい。

2．○　運輸規則第7条の2第1項及び第2項により正しい。

なお、令和6年4月1日施行の運輸規則改正により、運送引受書の写しを運送終了の日から3年間保存することとなった。**令和6年度第2回試験より出題範囲となり、誤りとなるので注意すること。**

3．○　運輸規則第25条第1項により正しい。

4．×　運輸規則第28条の2第1項及び第2項によると、一般貸切旅客自動車運送事業者は、法令の規定による運行指示書を作成し、かつ、これにより事業用自動車の運転者等に対し適切な指示を行うとともに、当該運行指示書を**運行の終了の日から1年間保存しなければならない。**

なお、令和6年4月1日施行の運輸規則改正により、運行指示書の保存期間は、運行の終了の日から3年間となった。**令和6年度第2回試験より出題範囲に含まれる。**

問7	正答3、4

運転者等の遵守事項

1．×　運輸規則第50条第11項によると、一般貸切旅客自動車運送事業

者の運転者は、乗務中、**運行指示書を携行**しなければならない。

2．×　運輸規則第50条第1項第8号によると、旅客自動車運送事業者の事業用自動車の運転者は、乗務を終了したときは、交替する運転者に対し、乗務中の事業用自動車、道路及び運行の状況について通告することとされており、この場合において、乗務する運転者は、当該事業用自動車の制動装置、走行装置その他の重要な部分の機能について点検をすることとされている。つまり、**異常のおそれがあると認められるかどうかにかかわらず、この点検をしなければならない**。したがって、本肢は後半が誤っている。

3．○　運輸規則第50条第1項第5号により正しい。

4．○　運輸規則第50条第6項により正しい。

問8	正答3
運転者に対する特別な指導	

1．○　指導監督指針第二章4（3）、2（4）及び3（1）④により正しい。

2．○　指導監督指針第二章2（2）により正しい。

3．×　指導監督指針第二章4（3）によると、事業者は、適齢診断（高齢運転者のための適性診断として国土交通大臣が認定したものをいう。）を65歳に達した日以後1年以内（65歳以上の者を新たに運転者として選任した場合は、選任の日から1年以内）に1回受診させ、その後**75歳**に達するまでは3年以内ごとに1回受診させ、**75歳**に達した日以後1年以内（75歳以上の者を新たに運転者として選任した場合は、選任の日から1年以内）に1回受診させ、その後1年以内ごとに1回受診させることとされている。

4．○　運輸規則第36条第2項、第38条第1項及び第2項により正しい。

2．道路運送車両法関係

問9	正答3
自動車の登録等	

1．○　車両法第13条第1項により正しい。

2．○　車両法第15条第1項第1号により正しい。

3．×　車両法施行規則第8条の2第1項によると、自動車登録番号標の取付は、自動車の前面及び後面の見やすい位置に確実に行うものとされている。**見やすい位置に取り付けなければならない**のであって、「**任意の位置**」に取り付けるというのは誤り。

4．○　車両法第11条第5項により正しい。

問10	正答2、4
自動車の検査等	

1．×　車両法第66条第1項によると、自動車検査証を備え付けなければならない場所は**当該自動車のみ**であり、当該自動車の所属する営業所は入らない。

自動車検査証

必ず当該自動車に備え付ける！

2．○　車両法第40条により正しい。

3．×　車両法第48条第1項第1号及び自動車点検基準別表第3によると、車両総重量8トン以上又は乗車定員30人以上の自動車の使用者は、スペアタイヤの取付状態等について、3ヵ月ごとに国土交通省令で定める技術上の基準により自動車を点検しなければならない。

4．○　車両法施行規則第44条第1項により正しい。

　　なお、令和5年1月1日施行の車両法施行規則の改正により、自動車検査証に「記入」とされていた部分が「記録」となった。

問11　　正答A②B①C①D①
自動車の点検整備等

1．車両法第47条によると、自動車の使用者は、自動車の点検をし、及び必要に応じ**整備**をすることにより、当該自動車を保安基準に適合するように維持しなければならない。

したがって、Aには「②整備」が入る。

2．車両法第47条の2第2項によると、自動車運送事業の用に供する自動車の使用者又は当該自動車を**運行**する者は、1日1回、その**運行の開始前**において、国土交通省令で定める技術上の基準により、自動車を点検しなければならない。

したがって、Bには「①運行」、Cには「①運行の開始前」が入る。

3．車両法第49条第1項及び第3項、並びに自動車点検基準第4条第2項、第2条第1号及び第2号によると、事業用自動車の使用者は、当該自動車について定期点検整備をしたときは、遅滞なく、点検整備記録簿に点検の結果、整備の概要等所定事項を記載して当該自動車に備え置き、その記載の日から**1年**間保存しなければならない。

したがって、Dには「①1年」が入る。

問12　　　　　　　　正答4
保安基準及び細目告示

1．○　保安基準第9条第2項及び細目告示第89条第4項第2号により正しい。

2．○　保安基準第43条の8により正しい。

3．○　細目告示第62条第6項第17号により正しい。

4．×　保安基準第43条の2本文及び細目告示第220条第1項第1号によると、自動車に備えなければならない非常信号用具は、夜間**200m**の距離から確認できる赤色の灯光を発するものでなければならない。

3．道路交通法関係

問13　　　　　正答 1
灯火及び合図等

1．×　車両の運転者が、同一方向に進行しながら進路を左方又は右方に変える場合の合図を行う時期は、その行為をしようとする時の**3秒前**である（道交法施行令第21条第1項）。したがって、「30メートル手前の地点に達したとき」という部分が誤っている。

2．○　道交法施行令第21条第1項により正しい。

3．○　道交法第52条第1項及び同法施行令第19条により正しい。

4．○　道交法第31条の2により正しい。

問14　　　　　正答 3、4
停車及び駐車等

1．×　道交法第45条第1項第1号により、駐車してはならないのは、**3メートル以内**の道路の部分である。「5メートル以内」ではないので、誤り。

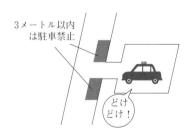

2．×　道交法第45条第2項本文によると、車両は、法令の規定により駐車する場合には、当該車両の右側の道路上に**3.5メートル**（道路標識等により距離が指定されているときは、その距離）以上の余地がなければ、駐車してはならない。

3．○　道交法第44条第1項第2号により正しい。

4．○　道交法第44条第1項第6号により正しい。

問15　正答A ③ B ② C ⑤ D ④
自動車の法定速度

1．道交法第22条第1項及び同法施行令第11条によると、自動車の最高速度は、道路標識等により最高速度が指定されていない片側一車線の一般道路においては、**時速60キロメートル**である。

　　したがって、Aには「**③時速60キロメートル**」が入る。

2．道交法第75条の4及び同法施行令第27条の3によると、自動車の最低速度は、法令の規定によりその速度を減ずる場合及び危険を防止するためやむを得ない場合を除き、道路標識等により自動車の最低速度が指定されていない区間の高速自動車国道の本線車道（政令で定めるものを除く。）においては、**時速50キロメートル**である。

　　したがって、Bには「**②時速50キロメートル**」が入る。

3．道交法第3条及び同法施行規則第2条によると、**乗車定員が30人以上の自動車は大型自動車**に分類される。よって、乗車定員が47名の貸切バスは大型自動車となる。また、道交

法第22条第1項及び同法施行令第27条第1項第1号イによると、大型自動車のうち専ら人を運搬する構造のものの最高速度は、道路標識等により最高速度が指定されていない高速自動車国道の本線車道(政令で定めるものを除く。)においては、時速100キロメートルである。

したがって、Cには「⑤時速100キロメートル」が入る。

[参考]
高速自動車国道の本線車道又はこれに接する加速車線若しくは減速車線における最高速度が100km/hの自動車(道交法施行令第27条第1項第1号)
イ　大型自動車(三輪のもの並びに牽引するための構造及び装置を有し、かつ、牽引されるための構造及び装置を有する車両を牽引するものを除く。)のうち専ら人を運搬する構造のもの
ロ　中型自動車(三輪のもの並びに牽引するための構造及び装置を有し、かつ、牽引されるための構造及び装置を有する車両を牽引するものを除く。)のうち、専ら人を運搬する構造のもの又は車両総重量が8,000キログラム未満、最大積載重量が5,000キログラム未満及び乗車定員が10人以下のもの
(以下省略)

4．道交法第3条及び同法施行規則第2条によると、車両総重量が11,000キログラム以上の自動車又は最大積載量が6,500キログラム以上の自動車は大型自動車に分類される。よって、車両総重量が12,000キログラムで、最大積載量が8,000キログラムのトラックは大型自動車となる。しかし、当該トラックは「専ら人を運搬する構造のもの」には当たらないため、道交法施行令第27条第1項

第1号イに規定する最高速度は適用されない。以上を前提に考察すると、道交法第22条第1項及び同法施行令第27条第1項第2号により、トラック(車両総重量12,000キログラム、最大積載量8,000キログラムであって乗車定員3名)の最高速度は、道路標識等により最高速度が指定されていない高速自動車国道の本線車道(政令で定めるものを除く。)においては、時速80キロメートルである。

したがって、Dには「④時速80キロメートル」が入る。

なお、令和6年4月1日施行の道交法施行令改正により、最高速度が時速90キロメートルとなった。令和6年度第2回試験より出題範囲に含まれる。

問16　　　　　　　　　　　正答3
乗車等

1．○　道交法第55条第2項により正しい。

2．○　道交法第71条第4号の3により正しい。

3．×　道交法第71条の3第2項によると、自動車の運転者は、法令で定めるやむを得ない理由があるときを除き、座席ベルトを装着しない者を運転者席以外の乗車装置(当該乗車装置につき座席ベルトを備えなければならないこととされているものに限る。)に乗車させて自動車を運転してはならない。座席ベルトの装着義務は、高速自動車国道に限られて

いない。

4．○　道交法第 67 条第 4 項により正しい。

問 17　　　　　　　　正答 1、2
運転者及び使用者の義務等

1．○　道交法第 71 条第 2 号の 3 及び同法施行令第 26 条の 3 第 2 項により正しい。

2．○　道交法第 71 条第 2 号の 2 により正しい。

3．×　道交法第 71 条の 3 第 3 項によると、自動車の運転者は、原則として、幼児用補助装置を使用しない幼児を乗車させて自動車を運転してはならない。ただし、疾病のため幼児用補助装置を使用させることが療養上適当でない幼児を乗車させるとき、その他政令で定めるやむを得ない理由があるときは、この限りでない。ここで、道交法施行令第 26 条の 3 の 2 第 3 項第 6 号を見ると、道路運送法第 3 条第 1 号に掲げる**一般旅客自動車運送事業**の用に供される自動車の運転者が当該事業に係る旅客である幼児を乗車させるときは、道交法第 71 条の 3 第 3 項ただし書の「**政令で定めるやむを得ない理由**」に**該当する**とされている。したがって、本肢は誤っている。

4．×　道交法第 75 条の 11 第 1 項によると、自動車の運転者は、故障その他の理由により本線車道若しくはこれに接する加速車線、減速車線若しくは登坂車線（以下「本線車道等」という。）又はこれらに接する路肩若しくは路側帯において当該自動車を運転することができなくなったときは、政令で定めるところにより、当該自動車が故障その他の理由により停止しているものであることを表示しなければならない。

4．労働基準法関係

問 18　　　　　　　　正答 2
賃金及び労働条件等

1．○　労基法第 12 条第 1 項柱書本文により正しい。

2．×　労基法第 1 条第 2 項によると、同法で定める労働条件の基準は最低のものであり、労働関係の当事者は、この基準を理由として労働条件を低下させてはならないことはもとより、その向上を図るように努めなければならない。**これに反する当事者間の合意は無効**である（同法第 13 条前段）。したがって、本肢は「当事者間の合意がある場合を除き」という点が誤っている。

> 労働基準法に規定された
> "労働条件" は最低限のもの！

> 当事者間の合意でも、
> 低下させられない！

3．○　労基法第 22 条第 1 項により正しい。

4．○　労基法第 3 条により正しい。

令和 2 年 2 回

1．○　労基法第 36 条第 1 項により正しい。

2．○　労基法第 33 条第 1 項により正しい。

3．×　労基法第 35 条によると、使用者は、4 週間を通じ 4 日以上の休日を与える場合を除き、労働者に対して、毎週少なくとも 1 回の休日を与えなければならないとされている。

4．○　労基法第 37 条第 1 項本文により正しい。

問 20　　**正答 A ① B ① C ① D ①**

拘束時間等

1．出題時の改善基準第 5 条第 4 項によると、労使当事者は、時間外労働協定においてバス運転者に係る一定期間についての延長時間について協定するに当たっては、当該一定期間は、2 週間及び 1 ヵ月以上 3 ヵ月以内の一定の期間とするものとされている。

　　したがって、A には「① 2 週間」、B には「① 1 ヵ月以上 3 ヵ月」が入る。

※改善基準の改正（令和 6 年 4 月 1 日施行）により、旧改善基準第 5 条第 4 項の規定は削除されたため、現在では本肢は成立せず、本問自体も成立しない。

2．また、同条第 5 項によると、使用者は、バス運転者等に休日に労働させる場合は、当該労働させる休日は 2 週間について 1 回を超えないものとし、当該休日の労働によって改善基準第 5 条第 1 項に定める拘束時間及び最大拘束時間を超えないものとするとされている。

　　したがって、C には「① 2 週間」、D には「① 1 回」が入る。

問 21　　　　　　　正答 2、3

拘束時間等

1．×　改善基準第 2 条第 1 項柱書によると、拘束時間とは、労働時間、休憩時間その他の使用者に拘束されている時間をいうとされている。

2．○　改善基準第 5 条第 2 項により正しい。

3．○　改善基準第 5 条第 1 項第 6 号により正しい。

4．×　改善基準第 5 条第 4 項第 1 号によると、使用者は、業務の必要上、バス運転者等に勤務の終了後継続 9 時間以上の休息期間を与えることが困難な場合、当分の間、一定期間（1 ヵ月を限度とする。）における全勤務回数の 2 分の 1 を限度に、休息期間を拘束時間の途中及び拘束時間の経過直後の 2 回に分割して与えることができるものとされている。この場合において、分割された休息期間は、1 日において 1 回当たり継続 4 時間以上、合計 11 時間以上でなければならないものとされている。

問 22　　　　　　　　正答 4

拘束時間等

1．○　改善基準第 5 条第 1 項第 3 号前段によると、1 日の最大拘束時間

は15時間となっている。また、1日の拘束時間の計算の方法は以下のとおりである。

①基本的には、終業時刻から始業時刻を引くだけでよい。

②ただし、注意しなければならないのは、**翌日の始業時刻が当日の始業時刻より早い場合**である。この場合にはその早い時間の分だけ、**当日の拘束時間に加えることを忘れない。**

以上を前提に、本問における各曜日の拘束時間を計算する。

　月曜日：（20時－7時）＋2時間＝
　　　　　15時間

　火曜日：（19時－5時）＝14時間

　水曜日：（22時－9時）＋4時間＝
　　　　　17時間

　木曜日：（20時－5時）＝15時間

　金曜日：（16時－6時）＝10時間

　月曜日は翌日の始業時刻が2時間早く、水曜日は翌日の始業時刻が4時間早いので、その分を加えることに注意。

　以上より、水曜日についての拘束時間（17時間）が、改善基準に定める最大拘束時間（15時間）に違反しているので、本肢は正しい。

2．○　改善基準第5条第1項第4号によると、勤務終了後の休息期間は、**継続9時間以上**とされている。以上を前提に、本問における各曜日の休息期間を算出すると、以下のようになる。なお、金曜日の翌日（土曜日）は休日なので、特に考慮する必要はない。

　月～火曜日：9時間

　火～水曜日：14時間

　水～木曜日：7時間

　木～金曜日：10時間

　以上より、水曜日から木曜日にかけての勤務終了後の休息期間（7時間）が、改善基準で定める休息期間（継続9時間以上）に違反しているので、本肢は正しい。

3．○　改善基準第4条第5項によると、運転者に休日に労働させる場合は、当該労働させる休日は**2週間について1回を超えない**ものとすると規定されている。本問の場合、休日に労働させている日はないため、改善基準に違反していない。

4．×　肢1の解説を参照すると、本問の場合、この1週間の勤務の中で、1日についての拘束時間が最も長いのは**水曜日**に始まる勤務である。よって、誤り。

問23　　　　　正答2、3
2日を平均した1日当たりの運転時間

　改善基準第5条第1項第5号によると、運転時間は、**2日を平均し、1日当たり9時間**を超えないこととされている。また、2日を平均した1日の運転時間の計算に当たっては、「特定日の前日と特定日の運転時間の平均」と「特定日と特定日の翌日の運転時間の平均」を算出し、**どちらも9時間を超える場合は基準違反**と判断される。以上を前提に、本問を検討する。

1．**違反していない**　上記の改善基準に照らすと、違反している箇所はない。

令和2年2回

2．違反している　本肢の場合、**特定日を4日目**とすると、「特定日の前日（3日目）と特定日（4日目）の運転時間の平均」、「特定日（4日目）と特定日の翌日（5日目）の運転時間の平均」は、**ともに9.5時間で9時間を超える**。したがって、本肢は改善基準に違反する。

3．違反している　本肢の場合、**特定日を3日目**とすると、「特定日の前日（2日目）と特定日（3日目）の運転時間の平均」、「特定日（3日目）と特定日の翌日（4日目）の運転時間の平均」は、**ともに9.5時間で9時間を超える**。したがって、本肢は改善基準に違反する。

4．違反していない　上記の改善基準に照らすと、違反している箇所はない。

5. 実務上の知識及び能力

問24　正答　適 3、4　不適 1、2
点呼の実施等

　遠隔点呼・業務後自動点呼の制度については問4の解説を参照。

1．**不適**　通達「旅客自動車運送事業運輸規則の解釈及び運用について」第24条（1）①によると、「運行上やむを得ない場合」とは、遠隔地で業務を開始又は終了するため、業務前点呼又は業務後点呼を運転者が所属する営業所において対面で実施できない場合等をいい、**車庫と当該車庫を所管する営業所が離れている場合、早朝・深夜等において点呼執行**者が営業所に出勤していない場合等は「運行上やむを得ない場合」には該当しないとされている。したがって、本肢は不適切である。

2．**不適**　運輸規則第48条第1項第6号、第24条第2項によると、運行管理者は、原則として、**業務後に点呼**を実施する必要がある。目的地への到着予定時刻が運行管理者等の勤務時間外となる場合であっても、**業務途中の休憩時間に点呼を行うのは**適切な対応とはいえない。

3．**適**　運輸規則第24条、通達「旅客自動車運送事業運輸規則の解釈及び運用について」第24条（1）③、④、⑤に照らすと、本肢の対応は適切である。

4．**適**　業務従事前の点呼においてアルコール検知器を使用するのは、酒気帯びの有無を確認するためである。また、通達「旅客自動車運送事業運輸規則の解釈及び運用について」第24条（1）⑦によると、「**酒気帯びの有無**」は、道路交通法施行令第44条の3に規定する血液中のアルコール濃度0.3mg/mℓ 又は**呼気中のアルコール濃度0.15mg/ℓ以上であるか否かを問わないものである**とされている。したがって、適切な対応といえる。

問25　　　　　正答 2、3、4
運転者に対して行う指導・監督

1．**不適**　自動車が追越しをするときは、前の自動車の走行速度に応じた追越し距離、追越し時間が必要にな

るため、前の自動車と追越しをする自動車の速度差が**小さい場合**には追越しに長い時間と距離が必要になる。そのため、事業者は、このことを運転者に対して指導する必要がある。「速度差が大きい場合」ではないので誤り。

2．**適**　本肢の記述のとおりであり、適切である。

3．**適**　本肢の記述のとおりであり、適切である。

4．**適**　本肢の記述のとおりであり、適切である。令和4年中の統計も同様である。

問26　正答　適1、4　不適2、3
運転者の健康管理

1．**適**　労働安全衛生規則第45条第1項及び第13条第1項第3号によると、事業者は、**深夜業を含む業務に常時従事する労働者**に対し、**6ヵ月以内ごとに1回**、定期的に、医師による健康診断を行わなければならない。よって、本肢の対応は適切である。

2．**不適**　労働安全衛生法第66条第5項によると、労働者は、事業者が行う健康診断を受けなければならない。ただし、事業者の指定した医師又は歯科医師が行う健康診断を受けることを希望しない場合において、**他の医師又は歯科医師の行うこれらの規定による健康診断に相当する健康診断を受け、その結果を証明する書面を事業者に提出したときは、この限りでない**とされている。よって、一部の運転者から、事業者が指定し

た医師以外の医師による（定期健康診断に相当する）健康診断結果を証明する書面提出の申し出があったにもかかわらず、当該申し出を認めなかった事業者の対応は不適切である。

3．**不適**　脳血管疾患を定期健康診断で発見するのは困難である。発見するためには、**専門医療機関を受診すること**等が必要になる。

4．**適**　本肢の記述のとおりであり、適切である。

問27　正答　適2、3　不適1、4
交通事故防止対策

1．**不適**　たしかに、交通事故のほとんどは運転者等のヒューマンエラーが直接の原因となっているが、そうしたヒューマンエラーの背後には、車両の構造上の問題、天候や道路などの走行環境、会社の運行管理上の問題などが伏在している可能性がある。有効な交通事故防止対策のためにはそうした**伏在する原因の追究も必要**であり、ヒューマンエラーの再発防止ばかりに注力するのは適切ではない。

2．**適**　本肢の記述のとおりであり、適切である。

3．**適**　本肢の記述のとおりであり、適切である。

4．**不適**　適性診断の目的は、「運転に適さない者を運転者として選任しない」ことではなく、**運転者に自分の運転の傾向や事故を起こす危険性を客観的に知ってもらうことで、安全**

な運転を目指すようその自覚を促すことにある。

問28　　正答A①B②C①
運転の際に車に働く自然の力等

1. 同一速度で走行する場合、カーブの半径が小さいほど遠心力は大きくなる。

　　したがって、Aには「①小さい」が入る。

2. 遠心力は速度の2乗に比例して大きくなる。よって、曲がり角やカーブでハンドルを切った場合、自動車の速度が2倍になると遠心力は4倍になる。

　　したがって、Bには「②4倍」が入る。

3. 衝撃力は、重量に比例して大きくなる。よって、自動車が衝突するときの衝撃力は、車両総重量が2倍になると2倍になる。

　　したがって、Cには「①2倍」が入る。

問29　　正答ア3イ1
運行計画

　道交法施行規則第2条によると、本問における**選択肢1の自動車は大型自動車**（大型特殊自動車、大型自動二輪車、普通自動二輪車及び小型特殊自動車以外の自動車で、車両総重量が11,000キログラム以上のもの、最大積載量が6,500キログラム以上のもの又は乗車定員が30人以上のもの）に該当し、**選択肢2の自動車も大型自動車**に該当し、**選択肢3の自動車は中型自**動車（大型自動車、大型特殊自動車、大型自動二輪車、普通自動二輪車及び小型特殊自動車以外の自動車で、車両総重量が7,500キログラム以上11,000キログラム未満のもの、最大積載量が4,500キログラム以上6,500キログラム未満のもの又は乗車定員が11人以上29人以下のもの）に該当する。以上を前提に本問を検討する（なお、**本問における自動車が乗用自動車である**ことは当然である）。

ア　まず、G地点とB駅間の道路には高さ制限（**3.3m以下**）の道路標識が設置されている。ここで、選択肢1～3の自動車の高さを見てみると、**選択肢1の自動車は高さが3.75m**となっており、この時点で運行には適していないことが分かる。次に、**F観光地とG地点間の道路に設置されている道路標識**について検討する。この標識は「**大型乗用自動車は通行止め**」であることを意味する。上述したように、**選択肢2の自動車は大型乗用自動車であるため、**F観光地とG地点間の道路を走行することはできない。次に、選択肢3の自動車は、上述したように中型乗用自動車であるため、F観光地とG地点間の道路を走行することができる。以上より、本問における運行に適した車両は**選択肢3の自動車である**。

イ　上述したように、本問における自動車は中型自動車である。そして、道交法第22条第1項及び同法施行令第27条第1項第1号ロによると、

中型自動車のうち、専ら人を運搬する構造のものが高速自動車国道の本線車道又はこれに接する加速車線若しくは減速車線を通行する場合の**最高速度は時速 100km** である。また、道交法第 75 条の 4 及び同法施行令第 27 条の 3 によると、高速自動車国道の本線車道（政令で定めるものを除く。）における**最低速度は時速 50km** である。以上を前提に本問を検討する。

本問においては、C 料金所と D 料金所間の高速自動車国道（走行距離 135km）を 1 時間 30 分（1.5 時間）で走行する計画となっている。（速さ）＝（距離）÷（時間）であるため、この区間の速さは、135km ÷ 1.5 時間＝ 90km/時となる。したがって、上述した**最低速度（50km/時）と最高速度（100km/時）の間に収まっている**ため、この計画は**適切**である。

問 30　　　　正答 1、3
運行計画

1．〇　配置基準によると、実車距離とは、実車運行する区間の距離をいうこととされており、実車運行とは、旅客の乗車の有無にかかわらず、旅客の乗車が可能として設定した区間の運行をいい、**回送運行は実車運行には含まない**とされている。また、1 人の運転者の 1 日の乗務のうち、**回送運行を含む運転を開始してから運転を終了するまでの一連の乗務を一運行**というとされており、1 人の運転者が同じ 1 日の乗務の中で、2

つ以上の運行に乗務する場合には、**1 日の合計実車距離は 600km を超えないものとする**とされている。以上を前提に、本問を検討する。

まず、往路、復路各々の運行は「一運行」の定義を満たしている。また、本問の往路における実車距離は 310km（20km ＋ 90km ＋ 100km ＋ 90km ＋ 10km）であり、復路における実車距離は 290km（10km ＋ 80km ＋ 100km ＋ 80km ＋ 20km）である。したがって、**合計で 600km を超えていない（600km ちょうどである）**ため、配置基準には違反していない。

2．✕　配置基準によると、1 日の運転時間とは、1 人の運転者が回送運行を含む 1 日の乗務で運転する時間をいうとされており、**1 日の運転時間は、運行指示書上、9 時間を超えないものとする**とされている。以上を前提に、本問を検討する。

本問の場合、往路の運転時間は 4 時間 40 分（10 分＋ 30 分＋ 1 時間＋ 1 時間 20 分＋ 1 時間＋ 30 分＋ 10 分）であり、復路の運転時間は 4 時間 40 分（10 分＋ 30 分＋ 1 時間＋ 1 時間 20 分＋ 1 時間＋ 30 分＋ 10 分）である。したがって、1 日の運転時間は 9 時間 20 分であり、**9 時間を超えているため、配置基準に違反している**。

3．〇　配置基準によると、最初の旅客が乗車する時刻若しくは最後の旅客が降車する時刻（運転を交替する場合にあっては実車運行を開始する時刻若しくは実車運行を終了する時

刻）が**午前2時から午前4時までの**間にあるワンマン運行又は当該時刻をまたぐワンマン運行を**夜間ワンマン運行**というとされている。そして、**夜間ワンマン運行**の実車運行区間においては、運行指示書上、実車運行区間における運転時間概ね2時間毎に連続20分以上（**一運行の実車距離が400km以下の場合にあっては、実車運行区間における運転時間概ね2時間毎に連続15分以上**）の休憩を確保していなければならないとされている。以上を前提に、本問を検討する。

　本問の運行は夜間ワンマン運行の定義を満たしており、往路における実車距離は310km（400km以下）であるため、上述したように、**実車運行区間における運転時間概ね2時間毎に連続15分以上の休憩を確保し**ていなければならないところ、本問の往路において、配置基準に定める限度に違反している箇所はない。

正答解説

令和2年度
第1回

1．道路運送法関係

問1	正答3
旅客自動車運送事業	

1．× 運送法第4条第1項及び第2項によると、一般旅客自動車運送事業を経営しようとする者は、一般乗合旅客自動車運送事業、一般貸切旅客自動車運送事業、一般乗用旅客自動車運送事業の種別ごとに国土交通大臣の**許可**を受けなければならない。

2．× 運送法第15条第4項によると、一般旅客自動車運送事業者は、「営業所の名称」に係る事業計画の変更をしたときは、**遅滞なく**、その旨を国土交通大臣に届け出なければならない。

3．○ 運送法第21条第1号及び第2号により正しい。

4．× 運送法第11条第1項によると、一般旅客自動車運送事業者は、運送約款を定め、又はこれを変更しようとするときは、国土交通大臣の**認可**を受けなければならない。

一般旅客自動車運送事業者　　国土交通大臣

経営	→	許可
運送約款の規定・変更	→	認可

問2	正答2、4
運行管理者の業務	

1．× 運輸規則第48条の2第1項によると、運行管理規程を定めるのは、**事業者**の義務である。

2．○ 運輸規則第48条第1項第4号の2及び第21条第5項により正しい。

3．× 運輸規則第48条第1項第9号の2及び第26条の2によると、運行管理者は、事業用自動車に係る事故が発生した場合には、事故の発生日時等所定の事項を記録し、その記録を当該事業用自動車の運行を管理する営業所において**3年間**保存しなければならない。

4．○ 運輸規則第48条第1項第15号により正しい。

問3	正答2
輸送の安全等	

1．○ 運送法第22条の2第4項及び第5項により正しい。

2．× 運送法第22条の2第1項及び運輸規則第47条の2第1項によると、一般乗用旅客自動車運送事業の用に供する事業用自動車の保有車両数が**200両以上**の事業者は、安全管理規程を定めて国土交通大臣に届け出なければならない。これを変更しようとするときも、同様とする。

3．○ 運輸規則第47条の7第1項及び「旅客自動車運送事業運輸規則第47条の7第1項の規定に基づき旅客自動車運送事業者が公表すべき輸送の安全にかかわる事項等」（国土

交通省告示第1089号)により正しい。

4．○　運輸規則第47条の7第2項により正しい。

問4　　　　　　　　　正答4
点呼

令和4年4月1日より、3つの要件（①使用する機器・システムの要件、②実施する施設・環境の要件、③運用上の遵守事項）を満たす営業所において、営業所の優良性にかかわらず、遠隔点呼が実施できるようになった。また、令和5年1月1日から、点呼機器により、自動で点呼を行う認定制度が創設され、業務終了後の運転者に対する点呼を自動で実施（「業務後自動点呼」）できるようになった。

1．○　通達「旅客自動車運送事業運輸規則の解釈及び運用について」第24条（1）③、④により正しい。

2．○　通達「旅客自動車運送事業運輸規則の解釈及び運用について」第24条（1）③により正しい。

3．○　通達「旅客自動車運送事業運輸規則の解釈及び運用について」第24条（2）④により正しい。

4．×　通達「旅客自動車運送事業運輸規則の解釈及び運用について」第24条（1）⑥によると、運行管理者の業務を補助させるために選任された補助者に対し、点呼の一部を行わせる場合であっても、当該営業所において選任されている運行管理者が行う点呼は、点呼を行うべき総回数の少なくとも**3分の1以上**でなければ

ばならない。

問5　　　　　　　　　正答2、4
事故報告書の提出等

1．×　事故報告規則第3条及び第2条第1号によると、事業用自動車が鉄道車両（軌道車両を含む。）と接触する事故を起こした場合には、当該事故があった日から**30日以内**に、自動車事故報告規則に定める自動車事故報告書（以下「事故報告書」という。）を当該事業用自動車の使用の本拠の位置を管轄する運輸支局長等を経由して、国土交通大臣に提出しなければならない。

2．○　事故報告規則第3条及び第2条第9号によると、運転者の**疾病**により、事業用自動車の運行を継続することができなくなった事故については、事故報告書を国土交通大臣に提出しなければならない。

3．×　事故報告規則第4条第1項第2号ロによると、**5人以上の重傷者**を生じた事故については、**事故報告規則第3条第1項（事故報告書の提出）の規定によるほか、**電話、その他適当な方法により、24時間以内においてできる限り速やかに、その事故の概要を運輸支局長等に速報しなければならない。つまり、この**速報をした場合であっても、事故報告書の提出を省略することはできない**ので、本肢は誤っている。

4．○　事故報告規則第3条第2項及び第2条第11号により正しい。

問6　　　　　　　　正答 1
貸切バスの交替運転者の配置基準

1．× 配置基準に定める夜間ワンマン運行（1人乗務）においては、運行直前に11時間以上の休息期間を確保している場合などを除き、1運行の実車距離は、**400キロメートル**を超えないものとする。

2．○ 配置基準に定める夜間ワンマン運行（1人乗務）の1運行の運転時間は、運行指示書上、**9時間**を超えないものとする。

3．○ 配置基準に定める夜間ワンマン運行（1人乗務）の実車運行区間においては、連続運転時間は、運行指示書上、概ね**2時間**までとする。

4．○ 配置基準に定める夜間ワンマン運行（1人乗務）の実車運行区間においては、運行指示書上、実車運行区間における運転時間概ね2時間毎に連続**20分以上**（1運行の実車距離が**400キロメートル以下**の場合にあっては、実車運行区間における運転時間概ね2時間毎に連続**15分以上**）の休憩を確保しなければならない。

問7　　　　正答 A② B② C①
運転者に対する特別な指導

1．指導監督指針第二章4（1）①によると、軽傷者（法令で定める傷害を受けた者）を生じた交通事故を引き起こし、かつ、当該事故前の**3年間**に交通事故を引き起こしたことがある運転者に対しては、国土交通大臣が告示で定める適性診断であって国

土交通大臣の認定を受けたものを受診させなければならない。

したがって、Aには「**②3年**」が入る。

2．指導監督指針第二章2（2）によると、貸切バス以外の一般旅客自動車の運転者として新たに雇い入れた者又は選任した者にあっては、雇入れの日又は選任される日前**3年間**に他の旅客自動車運送事業者において当該旅客自動車運送事業者と同一の種類の事業の事業用自動車の運転者として選任されたことがない者に対して、特別な指導を行わなければならない。

したがって、Bには「**②3年**」が入る。

3．指導監督指針第二章2（3）によると、一般貸切旅客自動車運送事業者は、初任運転者以外の者であって、直近**1年間**に当該事業者において運転の経験（実技の指導を受けた経験を含む。）のある貸切バスより大型の車種区分の貸切バスに乗務しようとする運転者（準初任運転者）に対して、特別な指導を行わなければならない。

したがって、Cには「**①1年**」が入る。

問8　　　　　　　正答 1、3
業務記録

1．○ 運輸規則第25条第1項第5号及び通達「旅客自動車運送事業運輸規則の解釈及び運用について」第25条（2）により正しい。

2．× 運輸規則第25条第2項によると、一般貸切旅客自動車運送事業者は、運転者等が事業用自動車の運行の業務に従事したときは、旅客が乗車した区間を運転者等ごとに「業務記録」に記録をさせなければならない。本肢ただし書きのように、**運行指示書への記載によって「業務記録」への記録を省略することができるという規定はない**ので、誤り。

3．○ 運輸規則第25条第1項第7号により正しい。

4．× 運輸規則第25条第3項によると、一般乗用旅客自動車運送事業者は、運転者等が事業用自動車の運行の業務に従事したときは、旅客が乗車した区間並びに運行の業務に従事した事業用自動車の走行距離計に表示されている業務の開始時及び終了時における走行距離の積算キロ数等について、**運転者等ごとに「業務記録」に記録させ、かつ、その記録を事業用自動車ごとに整理しなければ**ならない。

2．道路運送車両法関係

問9	正答2
自動車の登録等	

1．○ 車両法第16条第2項第1号により正しい。

2．× 車両法第35条第6項によると、臨時運行許可証の有効期間が満了したときは、その日から**5日以内**に、当該臨時運行許可証及び臨時運行許可番号標を行政庁に返納しなければ

ならない。「15日以内」ではないので誤り。

3．○ 車両法第69条第1項第1号により正しい。

4．○ 車両法第12条第1項により正しい。

問10	正答2
自動車の検査等	

1．○ 車両法第66条第1項により、原則として、自動車検査証を備え付けなければ、自動車を運行の用に供してはならない。しかし、指定自動車整備事業者（いわゆる民間車検場）が交付した**有効な保安基準適合標章**を表示しているときは、自動車検査証を備え付けていなくても、**例外的に自動車を運行の用に供することができる**（同法第94条の5第11項）。

■**自動車検査証の代用**■

自動車検査証 ── 国しか発行できない。

保安基準適合標章 ── 民間車検場で車検を行った場合、国から左の発行を受けるまで、代わりとして一定期間の使用ができる。

2．× 車両法第61条第1項によると、自動車検査証の有効期間は、**旅客を運送する自動車運送事業の用に供する自動車**、貨物の運送の用に供する自動車及び国土交通省令で定める自家用自動車であって、**検査対象軽自動車以外のものにあっては1年**、その他の自動車にあっては2年とさ

れている。本肢に挙げられている「乗車定員5人の旅客を運送する自動車運送事業の用に供する自動車」の場合、自動車検査証の有効期間は**1年**となる。

3．○　車両法第70条により正しい。

4．○　車両法第66条第5項により正しい。

問11　　正答 A① B② C⑤ D②
車両法に定める検査等

1．車両法第59条第1項によると、登録を受けていない車両法第4条に規定する自動車又は同法第60条第1項の規定による車両番号の指定を受けていない検査対象軽自動車若しくは二輪の小型自動車を運行の用に供しようとするときは、当該自動車の使用者は、当該自動車を提示して、国土交通大臣の行う**新規検査**を受けなければならない。

　したがって、Aには「**①新規検査**」が入る。

2．車両法第62条第1項によると、登録自動車又は車両番号の指定を受けた検査対象軽自動車若しくは二輪の小型自動車の使用者は、自動車検査証の有効期間の満了後も当該自動車を使用しようとするときは、当該自動車を提示して、国土交通大臣の行う**継続検査**を受けなければならない。この場合において、当該自動車の使用者は、当該自動車検査証を国土交通大臣に提出しなければならない。

　したがって、Bには「**②継続検査**」が入る。

3．車両法第67条第1項によると、自動車の使用者は、自動車検査証記録事項について変更があったときは、法令で定める場合を除き、その事由があった日から**15日**以内に、当該変更について、国土交通大臣が行う自動車検査証の変更記録を受けなければならない。

　したがって、Cには「**⑤15日**」が入る。

　なお、車両法67条1項の改正（令和5年1月1日施行）により、自動車検査証の「記載事項」とされていた箇所は「記録事項」に、「記入」とされていた箇所は「変更記録」となった。

4．車両法第61条の2第1項によると、国土交通大臣は、一定の地域に使用の本拠の位置を有する自動車の使用者が、天災その他やむを得ない事由により、**継続検査**を受けることができないと認めるときは、当該地域に使用の本拠の位置を有する自動車の自動車検査証の有効期間を、期間を定めて伸長する旨を公示することができる。

　したがって、Dには「**②継続検査**」が入る。

問12　　　　　　　正答 1
保安基準及び細目告示

1．×　保安基準第29条第3項及び細目告示第195条第3項によると、自動車の前面ガラス及び側面ガラス（告示で定める部分を除く。）は、フ

令和2年1回

ィルムが貼り付けられた場合、当該フィルムが貼り付けられた状態においても、透明であり、かつ、運転者が交通状況を確認するために必要な視野の範囲に係る部分における可視光線の透過率が **70%以上**のものであることが確保できるものでなければならない。

2．○　保安基準第26条第1項により正しい。

3．○　保安基準第38条及び細目告示第210条により正しい。

4．○　保安基準第2条第1項により正しい。

3．道路交通法関係

問13	正答3
車両の交通方法等	

1．○　道交法第20条第1項により正しい。

2．○　道交法第33条第1項により正しい。

3．×　道交法第17条第1項及び第2項によると、車両は、道路外の施設又は場所に出入するためやむを得ない場合において歩道等を横断するとき、又は法令の規定により歩道等で停車し、若しくは駐車するため必要な限度において歩道等を通行するときは、**歩道等に入る直前で一時停止**し、かつ、歩行者の通行を妨げないようにしなければならない。よって、誤り。

歩道直前で一時停止

4．○　道交法第75条の4及び同法施行令第27条の3により正しい。

問14	正答3
追越し等	

1．○　道交法第28条第1項及び第2項により正しい。

2．○　道交法第32条により正しい。

3．×　道交法第30条第3号によると、車両は、法令に規定する優先道路を通行している場合における当該優先道路にある交差点を除き、交差点の手前の側端から前に30メートル以内の部分においては、他の車両（特定小型原動機付自転車等を除く。）を追い越すため、**進路を変更し、又は前車の側方を通過してはならない**。

なお、令和5年7月1日施行の道交法の改正により、通行区分に係る条文等について、「軽車両」は「特定小型原動機付自転車等」に変更された。

4．○　道交法第26条の2第2項により正しい。

問15	正答A② B① C①
酒気帯び運転等の禁止等	

本問の（1）～（4）は、道交法第65

条第1項から第4項の規定である。

(1)　何人も、酒気を帯びて車両等を運転してはならない。

(2)　何人も、酒気を帯びている者で、前項の規定に違反して車両等を運転することとなるおそれがあるものに対し、**車両等を提供**してはならない。

したがって、**Aには「②車両等を提供」が入る**。

(3)　何人も、(1)の規定に違反して車両等を運転することとなるおそれがある者に対し、酒類を提供し、又は飲酒をすすめてはならない。

(4)　何人も、車両(トロリーバス及び旅客自動車運送事業の用に供する自動車で当該業務に従事中のものその他の政令で定める自動車を除く。)の運転者が酒気を帯びていることを知りながら、当該運転者に対し、当該車両を運転して自己を運送することを要求し、又は依頼して、当該運転者が(1)の規定に違反して運転する**車両に同乗**してはならない。

したがって、**Bには「①車両に同乗」が入る**。

また、(5)は、道交法第117条の2の2第1項第3号及び同法施行令第44条の3の規定である。

(5)　上記(1)の規定に違反して車両等(軽車両を除く。)を運転した者で、その運転をした場合において身体に血液1ミリリットルにつき0.3ミリグラム又は呼気1リットルにつき**0.15**ミリグラム以上にアルコールを保有する状態にあったものは、3年以下の懲役又は50万円以下の罰金に処する。

したがって、**Cには「①0.15」が入る**。

問16　　　　正答1
交差点等における通行方法

1．×　道交法第36条第3項によると、車両等(優先道路を通行している車両等を除く。)は、交通整理の行われていない交差点に入ろうとする場合において、交差道路が優先道路であるとき、又はその通行している道路の幅員よりも交差道路の幅員が明らかに広いものであるときは、一時停止ではなく、**徐行しなければならない**。

2．○　道交法第36条第4項により正しい。

3．○　道交法第34条第1項により正しい。

4．○　道交法第34条第6項により正しい。

問17　　　　正答1、2
運転者及び使用者の義務等

1．○　道交法第103条第1項第8号により正しい。

2．○　道交法第101条の4第1項及び第108条の2第1項第12号により正しい。

3．×　道交法第38条第1項によると、車両等は、横断歩道等に接近する場合において、当該横断歩道等によりその進路の前方を横断し、又は

横断しようとする歩行者等があるときは、**当該横断歩道等の直前で一時停止し、かつ、その通行を妨げないようにしなければならない。**

4．× 本問の道路標識は、「車両は、8時から20時までの間は**駐車**してはならない。」ことを示している。なお、停車のみを禁止する道路標識はなく、駐停車禁止の標識は以下に挙げるものである。

4．労働基準法関係

問18　　　　　　正答2、3
労働基準法の定め

1．× 労基法第109条によると、使用者は、労働者名簿、賃金台帳及び雇入れ、解雇、災害補償、賃金その他労働関係に関する重要な書類を5年間保存しなければならない。

なお、令和2年4月1日施行の改正により、書類の保存期間が「3年」から「5年」に変更されたが、同法附則第143条により当分の間は「3年」とされている。いずれにせよ、保存期間が「1年間」とする本肢は誤っている。

2．○ 労基法第32条により正しい。

3．○ 労基法第34条第1項により正しい。

4．× 労基法第14条第1項によると、労働契約は、期間の定めのない

ものを除き、一定の事業の完了に必要な期間を定めるもののほかは、**3年**（労基法第14条第1項（契約期間等）各号のいずれかに該当する労働契約にあっては、**5年**）を超える期間について締結してはならない。

問19　　　　　　正答4
健康診断

1．○ 労働安全衛生規則（安衛則）第43条により正しい。

2．○ 安衛則第51条の4により正しい。

3．○ 安衛則第45条第1項及び第13条第1項第3号ヌにより正しい。

4．× 労働安全衛生法（安衛法）第66条の2及び第66条の4、並びに安衛則第51条の2第2項第1号によると、事業者は、深夜業に従事する労働者が、自ら受けた健康診断の結果を証明する書面を事業者に提出した場合において、その健康診断の結果（当該健康診断の項目に異常の所見があると診断された労働者に係るものに限る。）に基づく医師からの意見聴取は、当該健康診断の結果を証明する書面が事業者に提出された日から**2ヵ月以内**に行わなければならない。

問20　　　正答A① B② C② D②
改善基準の目的等

1．改善基準第1条第1項によると、この基準は、自動車運転者（労働基準法（以下「法」という。）第9条に規定する労働者であって、四輪以

上の自動車の運転の業務（厚生労働省労働基準局長が定めるものを除く。）に主として従事する者をいう。以下同じ。）の労働時間等の改善のための基準を定めることにより、自動車運転者の**労働時間**等の労働条件の向上を図ることを目的とする。

したがって、Aには「**①労働時間**」が入る。

2．改善基準第1条第2項によると、**労働関係の当事者**は、この基準を理由として自動車運転者の労働条件を低下させてはならないことはもとより、その**向上**に努めなければならない。

したがって、Bには「**②労働関係の当事者**」、Cには「**②向上**」が入る。

3．出題時の改善基準第1条第3項によると、使用者は、**季節的繁忙**その他の事情により、法第36条第1項の規定に基づき臨時に労働時間を延長し、又は休日に労働させる場合においても、その時間数又は日数を少なくするように努めるものとする。

したがって、Dには「**②季節的繁忙**」が入る。

※改善基準の改正（令和6年4月1日施行）により、旧改善基準第1条第3項の規定は**大幅に改正**されたため、**現在では本肢は成立せず、本問自体も成立しない**。

問21	正答2、4

拘束時間等

1．✕　改善基準第5条第1項第3号によると、使用者は、バス運転者等

（隔日勤務に就く運転者以外のもの。）の1日（始業時刻から起算して24時間をいう。以下同じ。）についての拘束時間は、13時間を超えないものとし、当該拘束時間を延長する場合であっても、最大拘束時間は、15時間とすることとされている。この場合において、1日についての拘束時間が14時間を超える回数をできるだけ少なくするよう努めるものとされている。

2．○　改善基準第5条第4項第1号により正しい。

3．✕　改善基準第5条第4項第4号によると、バス運転者等がフェリーに乗船している時間は、原則として休息期間とし、規定により与えるべき休息期間から当該時間を除くことができることとされている。ただし、当該時間を除いた後の休息期間については、改善基準第5条第4項第2号の場合を除き、フェリーを下船した時刻から終業の時刻までの時間の**2分の1**を下回ってはならないとされている。

4．○　出題時の改善基準第5条第4項により正しい。

※改善基準の改正（令和6年4月1日施行）により、旧改善基準第5条第4項の規定は**削除**されたため、**現在では本肢は成立せず、本問自体も成立しない**。

問22	正答3、4

拘束時間等

1．**違反していない**　改善基準第2条

令和2年1回

第2項第4号によると、一般乗用旅客自動車運送事業に従事する自動車運転者であって隔日勤務に就くものについては、勤務終了後、継続**22時間以上**の休息期間を与えることとされている。本問の場合、同規定に違反している箇所はない。

2．**違反していない**　改善基準第2条第4項によると、使用者は、一般乗用旅客自動車運送事業に従事する自動車運転者を休日に労働させる場合は、当該労働させる休日は**2週間について1回**を超えないものとすることとされている。本問の場合、休日労働日は「25日から26日」にかけての1回のみなので、同規定に違反している箇所はない。

3．**違反している**　改善基準第2条第2項第2号によると、一般乗用旅客自動車運送事業に従事する自動車運転者であって隔日勤務に就くものの拘束時間については、**2暦日について22時間**を超えないものとし、かつ、**2回の隔日勤務を平均し1回当たり21時間**を超えないものとすることとされている。本問の場合、「15日と16日、17日と18日」の拘束時間の平均が21時間を超えているので、改善基準に違反している。

4．**違反している**　改善基準第2条第2項第1号によると、一般乗用旅客自動車運送事業に従事する自動車運転者であって隔日勤務に就くものの拘束時間については、1ヵ月について262時間（地域的事情その他の特別の事情がある場合において、労使

協定があるときは、1年のうち6ヵ月において、当該6ヵ月の各月について**270時間**）を超えないものとすることとされている。本問の場合、1ヵ月の拘束時間が271時間なので、改善基準に違反している。

問23　　　　　　　　正答1、4
運転時間

改善基準第5条第1項第5号によると、**運転時間は、2日を平均し1日当たり9時間、4週間を平均し1週間当たり40時間**を超えないものとすることとされている。ただし、貸切バス等乗務者については、労使協定により、52週間についての運転時間が2080時間を超えない範囲内において、52週間のうち16週間までは、4週間を平均し**1週間当たり44時間**まで延長することができるとされている。以上を前提に、各選択肢を検討する。

1．**適合している**　本肢の場合、上記の基準に照らして違反している箇所はない。したがって、改善基準に適合している。

2．**適合していない**　本肢の場合、第1週〜第4週の合計運転時間が178時間となっている。ここで、4週間を平均した1週間当たりの運転時間を計算するため、178を4で除すと、178÷4＝**44.5（時間）**となる。したがって、本肢は、4週間を平均した1週間当たりの運転時間が改善基準（44時間まで）に適合していない。

3．**適合していない**　2日を平均した1日の運転時間の計算に当たっては、

「特定日の前日と特定日の運転時間の平均」と「特定日と特定日の翌日の運転時間の平均」を算出し、どちらも9時間を超える場合は基準違反と判断される。本肢の場合、特定日を18日（C）とし、Cに10（時間）を入れると、「特定日の前日（17日）と特定日（18日）の運転時間の平均」が9.5時間、「特定日（18日）と特定日の翌日（19日）の運転時間の平均」が10時間となり、ともに9時間を超える。したがって、本肢は改善基準に適合していない。

4．**適合している**　本肢の場合、上記の基準に照らして違反している箇所はない。したがって、改善基準に適合している。

5．実務上の知識及び能力

問24　正答　適 2、4　不適 1、3
日常業務の記録等

1．**不適**　運輸規則第37条第2項によると、運転者が転任、退職その他の理由により運転者でなくなった場合には、直ちに、乗務員等台帳に運転者でなくなった年月日及び理由を記載し、これを3年間保存しなければならない。

2．**適**　運行記録計には、瞬間速度、運行距離、運行時間のほか、急発進、急ブレーキ、速度超過時間等の運行データが記録される。これらのデータを分析して、運転者の日常の業務を把握し、過労運転防止及び運行適正化の資料として活用することは、

適切である。また、運輸規則第48条第1項第8号及び第26条によると、運行記録計の保存期間は1年間であり、この点も適切である。

なお、令和6年4月1日施行の運輸規則改正により、運行記録計の記録の保存期間は、1年間（**一般貸切旅客事業者運送事業者**にあっては、原則として、内容を記録した電磁的記録を**3年間**）となった。よって、**令和6年度第2回試験からは誤りとなるので注意すること。**

3．**不適**　運輸規則第48条第1項第16号及び第38条第1項、並びに指導監督指針第一章によると、従業員に対する指導及び監督の記録は、営業所において**3年間**保存しなければならない。

4．**適**　運輸規則第48条第1項第6号、第24条第4項及び第5項等に照らし、本肢における運行管理者の措置は適切である。

遠隔点呼・業務後自動点呼の制度については問4の解説を参照。

問25　正答 1
運転者に対して行う指導・監督

1．**適**　本肢の記述のとおりであり、適切である。

2．**不適**　運輸規則第49条第1項によると、旅客自動車運送事業者の事業用自動車の運転者、車掌その他の乗務員は、事業用自動車の運行を中断し、又は旅客が死傷したときは、当該旅客自動車運送事業者とともに、法令に規定されている事項を実

施しなければならない。この場合において、**旅客の生命を保護するための処置は、他の処置に先んじてしなければならない**。また、道交法第72条第1項によると、交通事故があったときは、当該交通事故に係る車両等の運転者は、**直ちに車両等の運転を停止して、負傷者を救護し、道路における危険を防止する等必要な措置を講じなければならない**。

これらの規定から分かるように、交通事故を起こした際、**まずすべきこと**は「運行管理者への連絡」ではなく、「**負傷者の救護等**」である。したがって、本肢のような指導は適切なものとはいえない。

3．**不適**　適性診断の目的は、「運転に適さない者を選任しないようにする」ことではなく、**運転者に自分の運転の傾向や事故を起こす危険性を客観的に知ってもらうことで、安全な運転を目指すようその自覚を促す**ことにある。

4．**不適**　個人差はあるものの、体内に入ったチューハイ350ミリリットル（アルコール7%）が分解処理されるのにかかる時間は概ね**4時間**が目安とされている。

問26　正答　適1、2、3　不適4
運転者の健康管理等

1．**適**　本肢の記述のとおりであり、適切である。

2．**適**　労働安全衛生規則第51条によると、事業者は、労働者が受診した健康診断の結果に基づき、健康診断個人票を作成して、これを**5年間**保存しなければならない。また、当該「健康診断」には、法令で定めるものに加え、労働者が自ら受診したものも含まれる。よって、本肢の対応は適切である。

3．**適**　本肢の記述のとおりであり、適切である。

※令和3年中では、乗務員に起因する重大事故報告件数は、1,468件である。よって、本肢は**現在では誤り**である。なお、うち健康起因による事故数は288件、死亡に至った事案は52件で原因病名別では心臓疾患が半数以上（32件）を占めている。

4．**不適**　睡眠時無呼吸症候群（SAS）の自覚症状は、感じ方や程度に個人差があるため、事業者は、**全従業員に対してSASスクリーニング検査を実施することが望ましい**。

問27　正答　適2、3、4　不適1
自動車の運転

1．**不適**　二輪車に対する注意点のうち、②が誤り。二輪車は速度が**遅く**感じたり、距離が実際より**遠く**に見えたりする。

2．**適**　本肢の記述のとおりであり、適切である。

3．**適**　本肢の記述のとおりであり、適切である。

4．**適**　本肢の記述のとおりであり、適切である。

問28　　　正答 ア② イ② ウ①
時間・距離・速度の計算

ア　空走距離は、「空走時間（秒）×車の速度（m/秒）」で算出する。本問の場合、空走時間は1秒であり、ブレーキをかける直前の車の速度は、デジタル式運行記録計の数値から時速70kmほどであることが読み取れる。

　以上を前提に、計算を行う。まず、1km＝1,000mであるため、70km＝70,000mとなる。そして、1時間は3,600秒である。したがって、「70km/時」を秒速に換算すると、70,000（m）÷3,600（秒）＝19.444…≒20（m/秒）となる。

　以上より、空走距離は、1（秒）×20（m/秒）＝20（m）であり、②が正答となる。

空走距離

前車が急ブレーキをかける

前車の急ブレーキに気づく

ブレーキを踏む

イ　停止距離は、「制動距離＋空走距離」で算出する。本問においては、制動距離が40mであり、また、上記アより、空走時間が1秒のときの空走距離が20mであるため、停止距離は40（m）＋20（m）＝60（m）となる。したがって、②が正答となる。

ウ　本問において、A自動車とB自動車の車間距離は50m、A自動車の停止距離は（上記イより）60m、B自動車の制動距離は35mである。ここで、車間距離を求めるにあたり、前方にいるB自動車が先にブレーキをかけるため、B自動車については空走距離を考える必要がないという点に注意する。以上を前提に、双方の自動車が急ブレーキをかけて停止した際の車間距離を算出する。

　車間距離がどれだけ縮まったかは、「後方自動車（A自動車）の停止距離－前方自動車（B自動車）の制動距離」で算出できる。本問の場合、60（m）－35（m）＝25（m）の車間距離が縮まっている。そして、もともとの車間距離は50mであったため、双方の自動車が急ブレーキをかけて停止した際の車間距離は、50（m）－25（m）＝25（m）となり、①が正答となる。

問29　　　正答 ア③ イ② ウ①
当日の運行計画

ア　本問の場合、D観光地には12時に到着することを予定しており、C地点からD観光地までは45kmの距離を平均時速30kmで運転する予定である。したがって、C地点からD観光地までの予定運転時間は45（km）÷30（km/時）＝1時間30分であり、C地点を出発するのは、12時－1時間30分＝10時30分の予定である。また、C地点では10分間の休憩をとる予定であるため、C地点に到着するのは10時30分－10分＝10時20分の予定であることが分かる。そして、B駅からC地点ま

令和2年1回

での距離は110kmであり、当該距離を平均時速55kmで運転する予定であるため、B駅からC地点までの予定運転時間は110（km）÷55（km/時）＝2時間である。よって、B駅を出発するのは、10時20分－2時間＝8時20分の予定である。また、B駅では10分間、乗客の乗車を行う予定であるため、**B駅に到着する**のは8時20分－10分＝**8時10分**の予定である。さらに、A営業所からB駅までは15kmの距離を平均時速30kmで回送運転する予定である。したがって、**A営業所からB駅までの予定運転時間は15（km）÷30（km/時）＝30分**となる。以上より、D観光地に12時に到着させるためにふさわしい**A営業所の出庫時刻**は、8時10分－30分＝**7時40分**であり、**③が正答となる。**

イ 本問の場合、D観光地で待機（休憩を含む）を終えて14時にE地点へ向けて出発する予定となっており、D観光地からE地点までは60kmの距離を平均時速30kmで運転する予定である。したがって、D観光地からE地点までの予定運転時間は60（km）÷30（km/時）＝2時間であり、E地点に到着するのは14時＋2時間＝16時の予定である。また、E地点では20分間の休憩をとる予定のため、E地点を出発するのは16時＋20分＝16時20分の予定である。そして、F駅には18時20分に到着する予定となっているため、**E地点からF駅までの運転時間**

は18時20分－16時20分＝**2時間**である。さらに、**E地点からF駅までは平均時速25kmで運転する予定**となっているため、両地点間の**距離は、25（km/時）×2（時間）＝50km**であり、**②が正答となる。**

ウ 連続運転時間が改善基準に違反しているかどうかは、**運転開始後4時間又は4時間経過直後に、30分以上の運転の中断をしているかで判断する**（休憩だけでなく、乗客の乗車や乗客の降車も運転の中断に含まれる）。

本問のタイムスケジュールを整理すると、次のようになる。

回送運転30分→乗客の乗車10分→運転2時間→休憩10分→運転1時間30分→待機2時間（内休憩1時間）→運転2時間→休憩20分→運転2時間→乗客の降車10分→回送運転40分→帰庫

このタイムスケジュールを上記の判断基準に照らすと、改善基準に違反している箇所はない。

以上より、正答は①となる。

問30　　　　**正答 A⑤ B③ C⑧**
事故防止のための指導

A 車内事故の被害者は「75～84歳の女性」が多いという特徴があり、また、事故の原因には「乗客が走行中に立ち上がったり移動したりすること」が含まれている。そのため、事業者及び運行管理者は、**運転者に対して、高齢の乗客が走行中に席を立ち車内を移動した場合、バスが停**

車してから席を立つように乗客に注意喚起をするよう指導する（肢イ）必要がある。

　また、車内事故の原因には、他に「乗客が着席したものと誤認して発進」することも含まれている。そのため、事業者及び運行管理者は、運転者に対して、バスを発車しようとするときは、乗車してきた乗客が着席又は手すり等につかまったことを車内に備えられたミラー等で確認するとともに、発車する前にその旨を車内アナウンスするよう指導する（肢カ）必要がある。

　加えて、車内事故は「発進時及び減速・急停止時に多い」という特徴も帯びている。そのため、事業者及び運行管理者は、運転者に対して、発進、停止時等において滑らかで静かな運転となるよう、デジタルタコグラフ等を活用して、運転者が客観的に自身の走行状況を把握し、運転技術の向上を図るよう指導する（肢コ）必要がある。

　以上より、車内事故防止のための指導として、最も直接的に有効と考えられる選択肢はイ、カ、コであり、Aには⑤が入る。

B　直進時の事故の原因には、「慣れている道による気の緩み」が含まれている。そのため、事業者及び運行管理者は、運転者に対して、慣れている直進道路などでは、気の緩みが追突事故を誘発することから、慎重な運転と適正な車間距離をとるよう指導する（肢ア）必要がある。

　また、直進時の事故の原因には、「自転車の挙動に対する運転者の認識の甘さ」等も含まれている。そのため、事業者及び運行管理者は、運転者に対して、前方に自転車を見かけたら、歩道を走行していても車道に降りてくるかもしれないと予測するなど自転車の挙動に注意して運転するよう指導する（肢オ）必要がある。

　加えて、直進時の事故の原因には、「寝不足による注意力散漫」も含まれている。そのため、事業者及び運行管理者は、運転者が体調不良や睡眠不足で運転することがないよう、運転者の体調や通勤時間などを考慮した無理のない乗務割を行う（肢ク）必要がある。

　以上より、直進時の事故防止のための指導として、最も直接的に有効と考えられる選択肢はア、オ、クであり、Bには③が入る。

C　右折時の事故の原因には、「車両の片側の安全確認不足」や「対向車の後方の安全確認不足」が含まれている。そのため、事業者及び運行管理者は、運転者に対し、右折するときには、対向車に注意して徐行するとともに、右折したその先の状況にも十分注意を払い走行するよう指導する（肢エ）必要がある。

　また、右折時の事故は、「回送など運転者のみのときに多く発生している」という特徴があり、事故の原因には、「回送による気の緩み、注意力不足」が含まれている。そのため、事業者及び運行管理者は、運転者に

対し、回送時も乗客がいるときと同様に集中して運転を行うよう指導する（肢ケ）必要がある。

　加えて、上述したように、右折時の事故の原因には、「対向車の後方の安全確認不足」が含まれている。そのため、事業者及び運行管理者は、運転者に対し、右折時に対向車が接近しているときは、その通過を待つとともに、対向車の後方にも車がいるかもしれないと予測して、対向車の通過後に必ずその後方の状況を確認してから右折するよう指導する（肢シ）必要がある。

　以上より、右折時の事故防止のための指導として、最も直接的に有効と考えられる選択肢はエ、ケ、シであり、Ｃには⑧が入る。

正答解説

令和元年度
第1回

1. 道路運送法関係

問1　　　　正答1、3
旅客自動車運送事業

1．○　運送法第2条第3項及び第3条により正しい。

2．×　運送法第7条第2号によると、一般旅客自動車運送事業の許可の取消しを受けた者は、その取消しの日から**5年**を経過しなければ、新たに一般旅客自動車運送事業の許可を受けることができない。

3．○　運送法第8条第1項により正しい。

4．×　運送法第15条第3項によると、一般旅客自動車運送事業者は、「営業所ごとに配置する事業用自動車の数」に関する事業計画の変更をしようとするときは、**あらかじめ**、その旨を国土交通大臣に届け出なければならない。

問2　　　　正答2、3
運行管理者の業務

1．×　運輸規則第38条第6項によると、**事業者**は、従業員に対し、効果的かつ適切に指導監督を行うため、輸送の安全に関する基本的な方針を策定しなければならない。

2．○　運輸規則第48条第1項第5号及び第21条第6項により正しい。

3．○　運輸規則第48条第1項第6号及び第24条により正しい。

4．×　指導監督指針第二章4（3）によると、適齢診断（高齢運転者のための適性診断として国土交通大臣が認定したものをいう。）は、65才に達した日以後1年以内に1回、その後**75才**に達するまでは3年以内ごとに1回、**75才**に達した日以後1年以内に1回、その後1年以内ごとに1回受診させる必要がある。

問3　　　　正答3
輸送の安全等

1．○　運輸規則第38条第1項により正しい。

2．○　運送法第27条第2項により正しい。

3．×　運送法第23条の5第2項及び第3項によると、事業者は、運行管理者に対し、国土交通省令で定める業務を行うため必要な権限を与えなければならない。また、**事業者**は、運行管理者がその業務として行う助言を**尊重**しなければならず、**事業用自動車の運転者その他の従業員**は、運行管理者がその業務として行う**指導に従わなければならない**。

4．○　運輸規則第47条の7第2項により正しい。

問4　　　　正答A4 B6 C2
点呼

令和4年4月1日より、3つの要件（①使用する機器・システムの要件、②実施する施設・環境の要件、③運

用上の遵守事項）を満たす営業所において、営業所の優良性にかかわらず、遠隔点呼が実施できるようになった。また、令和5年1月1日から、点呼機器により、自動で点呼を行う認定制度が創設され、業務終了後の運転者に対する点呼を自動で実施（「業務後自動点呼」）できるようになった。

運輸規則第24条第1項によると、旅客自動車運送事業者は、事業用自動車の運行の業務に従事しようとする運転者又は特定自動運行保安員（以下「運転者等」という。）に対して対面により、又は対面による点呼と同等の効果を有するものとして国土交通大臣が定める方法（運行上やむを得ない場合は電話その他の方法。）により点呼を行い、次の各号に掲げる事項について報告を求め、及び確認を行い、並びに事業用自動車の運行の安全を確保するために必要な指示を与えなければならない。

一　道路運送車両法の規定による点検の実施又はその確認

二　運転者に対しては、酒気帯びの有無

三　運転者に対しては、疾病、疲労、睡眠不足その他の理由により安全な運転をすることができないおそれの有無

四　特定自動運行保安員に対しては、特定自動運行事業用自動車による運送を行うために必要な自動運行装置の設定の状況に関する確認

運輸規則第24条第2項によると、旅客自動車運送事業者は、事業用自動車の運行の業務を終了した運転者等に対して対面により、又は対面による点呼と同等の効果を有するものとして国土交通大臣が定める方法により点呼を行い、当該業務に係る事業用自動車、道路及び運行の状況について報告を求め、かつ、運転者に対しては酒気帯びの有無について確認を行わなければならない。この場合において、当該運転者等が**他の運転者等と交替した場合にあっては、当該運転者等が交替した運転者等に対して行った法令の規定による通告**についても報告を求めなければならない。

運輸規則第24条第3項によると、一般貸切旅客自動車運送事業者は、夜間において長距離の運行を行う事業用自動車の運行の業務に従事する運転者等に対して当該**業務の途中において少なくとも1回電話その他の方法により点呼を行い、当該業務に係る事業用自動車、道路及び運行の状況**、運転者に対しては疾病、疲労、睡眠不足その他の理由により安全な運転をすることができないおそれの有無について報告を求め、及び確認を行い、並びに事業用自動車の運行の安全を確保するために必要な指示を与えなければならない。

以上より、Aには「4. 疾病、疲労、睡眠不足その他の理由により安全な運転をすることができないおそれの有無」、Bには「6. 他の運転者と交替した場合にあっては法令の規定による通告」、Cには「2. 業務に係る事業用自動車、道路及び運行の状況」がそれぞれ入る。

問5　　　　　　　　正答2、4
事故の速報

1. **速報を要しない**　事故報告規則第4条第1項第3号及び第2条第4号によると、自動車事故により**10人以上の負傷者**が生じた場合には、運輸支局長等への速報を要する。また、同規則第4条第1項第2号ロによると、**5人以上の重傷者**を生じる事故が発生した場合にも、運輸支局長等への速報を要する。本肢においては、負傷者が重傷者も含めて合計8人、重傷者が3人なので速報を要しない。

2. **速報を要する**　事故報告規則第4条第1項第5号によると、事業用自動車の運転者に**酒気帯び運転**があった場合は、運輸支局長等に速報することを要する。

3. **速報を要しない**　①10台以上の自動車の衝突又は接触を生じた事故、②10人以上の負傷者を生じた事故、③高速自動車国道又は自動車専用道路において、**3時間以上自動車の通行を禁止させた事故**は、国土交通大臣への報告対象にはなるものの（事故報告規則第3条第1項及び第2条第2号、第4号、第14号）、運輸支局長等への速報の必要はない（同規則第4条第1項参照）。ちなみに、本肢における事故は、衝突した自動車数が5台であり、負傷者数が7人であって、高速自動車国道において自動車の通行を禁止させた時間も2時間にとどまるため、国土交通大臣への報告対象にもならない。

4. **速報を要する**　事故報告規則第4

条第1項第2号ハ及び第2条第3号によると、**旅客に1人以上の重傷者を生じた事故**については、運輸支局長等への速報を要する。

速報を要するもの
① 自動車の転覆、転落、火災
② 鉄道車両と衝突・接触
③ ①、②又は自動車その他の物件と衝突・接触したことにより消防法に規定する危険物、火薬類取締法に規定する火薬類などが飛散又は漏えいしたもの
④ 2人以上の死者を生じたもの（旅客自動車運送事業者等の場合は1人以上）
⑤ 5人以上の重傷者を生じたもの
⑥ 旅客に1人以上の重傷者を生じたもの
⑦ 10人以上の負傷者を生じたもの
⑧ 酒気帯び運転によるもの
※①と②に関しては、旅客自動車運送事業者及び自家用有償旅客運送者が使用する自動車が引き起こしたものに限る。

問6　　　　　　　　正答1、3
過労運転の防止等

1. **○**　運輸規則第21条第2項及び通達「旅客自動車運送事業運輸規則の解釈及び運用について」第21条(2)①ロにより正しい。

2. **×**　運輸規則第21条第1項によると、事業者は、過労の防止を十分考慮して、国土交通大臣が告示で定める基準に従って、事業用自動車の運転者の**勤務時間及び乗務時間**を定め、当該運転者にこれらを遵守させなければならない。

3. **○**　通達「旅客自動車運送事業運輸規則の解釈及び運用について」第21条の2 (2) ②により正しい。

4. **×**　運輸規則第35条及び第36条第1項によると、事業者は、事業計

画（路線定期運行を行う一般乗合旅客自動車運送事業者にあっては、事業計画及び運行計画）の遂行に十分な数の事業用自動車の運転者を常時選任しておかなければならない。この場合、事業者（個人タクシー事業者を除く。）は、日日雇い入れられる者、2ヵ月以内の期間を定めて使用される者及び試みの使用期間中の者（14日を超えて引き続き使用されるに至った者を除く。）を当該運転者等として選任してはならない。

問7　　　　　　　　正答1
運行の安全確保

1．✕　指導監督指針第二章3（1）①によると、事業者は、事故惹起運転者に対する特別な指導については、当該交通事故を引き起こした後、再度事業用自動車に乗務する前に実施する。なお、外部の専門的機関における指導講習を受講する予定である場合はこの限りでない。**本肢におけるただし書きのような規定は置かれていないので、誤り。**

2．○　運輸規則第50条第1項第8号により正しい。

3．○　指導監督指針第二章2（3）により正しい。

4．○　指導監督指針第二章5（1）及び（2）により正しい。

問8　　　　　　　　正答4
運行管理者の選任等

1．○　運輸規則第47条の9第1項によると、一般貸切旅客自動車運送

事業者は、事業用自動車20両以上99両以下の運行を管理する営業所においては、当該営業所が運行を管理する**事業用自動車の数を20で除して得た数**（1未満の端数があるときは、これを切り捨てるものとする。）**に1を加算して得た数以上の運行管理者を選任**しなければならない。

本肢の場合、事業用自動車の数は40両なので、**40÷20＋1＝3人以上の運行管理者を選任**する必要がある。

2．○　運輸規則第47条の9第3項及び運送法第23条の2第2項第1号により正しい。

3．○　通達「旅客自動車運送事業運輸規則の解釈及び運用について」第47条の9（8）により正しい。

4．✕　「旅客自動車運送事業運輸規則第47条の9第3項、第48条の4第1項、第48条の5第1項及び第48条の12第2項の運行の管理に関する講習の種類等を定める告示」第4条第1項によると、事業者は、新たに選任した運行管理者に、選任届出をした日の属する年度（やむを得ない理由がある場合にあっては、当該年度の翌年度）に基礎講習又は一般講習（基礎講習を受講していない当該運行管理者にあっては、基礎講習）を受講させなければならない。よって、本肢の前半部分は正しい。

また、通達「旅客自動車運送事業運輸規則の解釈及び運用について」第48条の4（2）ただし書きによると、**他の事業者において運行管理者とし**

て選任されていた者であっても当該
事業者において運行管理者として選
任されたことがなければ新たに選任
した運行管理者とするとされている。
したがって、本肢の後半部分は誤っ
ている。

2．道路運送車両法関係

問9　　　　　　　正答1
自動車の登録等

1．×　車両法第20条第2項によると、
登録自動車の所有者は、当該自動車
の使用者が道路運送車両法の規定に
より自動車の使用の停止を命ぜら
れ、同法の規定により自動車検査証
を返納したときは、**遅滞なく**、当該
自動車登録番号標及び封印を取りは
ずし、自動車登録番号標について国
土交通大臣の**領置**を受けなければな
らない。本肢においては、「その事由
があった日から30日以内に」と「（国
土交通大臣）に届け出なければなら
ない」の部分が誤っている。
2．○　車両法第19条により正しい。
3．○　車両法第3条により正しい。
4．○　車両法第13条第1項により正
しい。

問10　　　　　　　正答1、4
自動車の検査等

1．○　車両法第66条第3項により
正しい。
2．×　車両法第67条第1項本文及
び同法施行規則第35条の3第1項
第6号によると、自動車の長さ、幅

又は高さを変更したときは、原則と
して**15日以内**に当該変更について
自動車検査証の変更記録を受けなけ
ればならない。したがって、「30日
以内」という点が誤り。

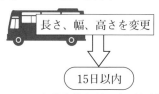
自動車検査証の変更記録

　なお、車両法第67条第1項の改
正（令和5年1月1日施行）により、
自動車検査証の「記入」とされて
いた箇所は「変更記録」となった。
3．×　車両法施行規則第44条第1
項によると、自動車検査証の有効期
間の起算日は、自動車検査証の有効
期間が満了する日の**1ヵ月前**（離島
に使用の本拠の位置を有する自動車
を除く。）から当該期間が満了する日
までの間に継続検査を行い、当該自
動車検査証に有効期間を記録する場
合は、当該自動車検査証の有効期間
が満了する日の翌日とする。
　なお、令和5年1月1日施行の車
両法施行規則の改正により、自動
車検査証に「記入」とされていた
部分が「記録」となった。
4．○　車両法第48条第1項第1号
及び自動車点検基準別表第3により
正しい。

令和元年1回

問11　　　正答 A1 B1 C2 D2
自動車の点検整備等

1. 車両法第47条の2第1項及び第2項によると、自動車の使用者又は自動車を運行する者は、1日1回、その運行の開始前において、国土交通省令で定める技術上の基準により、自動車を点検しなければならない。
　したがって、Aには「1. 1日1回」が入る。

2. 車両法第48条第1項第1号によると、自動車運送事業の用に供する自動車の使用者は、3ヵ月ごとに、国土交通省令で定める技術上の基準により、自動車を点検しなければならない。
　したがって、Bには「1. 3ヵ月」が入る。

3. 車両法第50条第1項によると、自動車の使用者は、自動車の点検及び整備並びに自動車車庫の管理に関する事項を処理させるため、車両総重量8トン以上の自動車その他の国土交通省令で定める自動車であって国土交通省令で定める台数以上のものの使用の本拠ごとに、自動車の点検及び整備に関する実務の経験その他について国土交通省令で定める一定の要件を備える者のうちから、**整備管理者**を選任しなければならない。
　したがって、Cには「2. 整備管理者」が入る。

4. 車両法第54条第2項によると、地方運輸局長は、自動車の使用者が車両法第54条（整備命令等）の規定による命令又は指示に従わない場合において、当該自動車が道路運送車両の保安基準に適合しない状態にあるときは、当該自動車の**使用を停止**することができる。
　したがって、Dには「2. 使用を停止」が入る。

問12　　　　　　　正答 2
保安基準及び細目告示

1. ○　細目告示第62条第6項第17号により正しい。

2. ×　保安基準第44条第1項及び第2項、細目告示第224条第2項第2号によると、後写鏡は取付部付近の自動車の最外側より突出している部分の最下部が**地上1.8メートル以下**のものは、当該部分が歩行者等に接触した場合に衝撃を緩衝できる構造でなければならない。

3. ○　保安基準第43条の2本文及び細目告示第220条第1項第1号により正しい。

4. ○　保安基準第18条第9項により正しい。

3．道路交通法関係

問13　　　　　　　正答 2
用語の定義及び交通方法

1. ×　道交法第2条第1項第3号の4によると、路側帯とは**歩行者の通行の用に供し**、又は車道の効用を保つため、歩道の設けられていない道路又は道路の歩道の設けられていない側の路端寄りに設けられた帯状の道路の部分で、道路標示によって区

画されたものをいう。したがって、「自転車の通行の用に供する」ことは路側帯の目的に含まれていないので、誤っている。

2．○　道交法第17条第5項第4号により正しい。

3．×　本肢にある標識は**聴覚障害者**に関するものである。肢体不自由である者に関する標識は次に挙げるものである。

道路交通法施行規則で定める様式
縁の色彩は白色
マークの色彩は白色
地の部分の色彩は青色

4．×　道交法第49条の4によると、高齢運転者等専用時間制限駐車区間では、高齢運転者等標章自動車以外の車両は、**駐車をしてはならない**。

問14　正答 A② B② C③ D③
停車及び駐車禁止場所

1．道交法第44条第1項第2号によると、車両は、交差点の側端又は道路の曲がり角から5メートル以内の道路の部分においては、停車し、又は駐車してはならない。

なお、道交法第44条第1項第2号の改正（令和2年12月1日施行）により、「まがりかど」とされていた箇所は「曲がり角」となった。

したがって、Aには「②5メートル」が入る。

2．道交法第44条第1項第3号によると、車両は、横断歩道又は自転車横断帯の前後の側端からそれぞれ前後に5メートル以内の道路の部分に

おいては、停車し、又は駐車してはならない。

したがって、Bには「②5メートル」が入る。

3．道交法第44条第1項第4号によると、車両は、安全地帯が設けられている道路の当該安全地帯の左側の部分及び当該部分の前後の側端からそれぞれ前後に10メートル以内の道路の部分においては、停車し、又は駐車してはならない。

したがって、Cには「③10メートル」が入る。

4．道交法第44条第1項第6号によると、車両は、踏切の前後の側端からそれぞれ前後に10メートル以内の部分においては、停車し、又は駐車してはならない。

したがって、Dには「③10メートル」が入る。

問15　正答 1、3
自動車免許の自動車の種類等

1．○　道交法第85条、第88条、同法施行規則第2条により正しい。

2．×　道交法施行規則第2条によると、車両総重量が7,500キログラム以上11,000キログラム未満のもの、最大積載量が4,500キログラム以上6,500キログラム未満のもの、**乗車定員が11人以上29人以下**のものが**中型自動車**に分類される。本肢の車両は定員が30人であり、大型自動車に分類されるため、中型免許を受けた者では運転することができない。

3. ○ 道交法第101条第1項により正しい。

4. × 道交法第92条の2第1項によると、運転免許証の有効期間については、優良運転者であって更新日における年齢が70歳未満の者にあっては5年、**70歳の者にあっては4年、71歳以上の者にあっては3年**である。

問16　　　　　　　正答2
徐行及び一時停止

1. ○ 道交法第40条第1項により正しい。

2. × 道交法第42条第2号によると、徐行しなければならないのは、**道路のまがりかど附近、上り坂の頂上附近又は勾配の急な下り坂**を通行するときである。「勾配の急な上り坂」はここでは含まれていないため誤り。

3. ○ 道交法第38条第1項により正しい。

4. ○ 道交法第35条の2第1項により正しい。

問17　　　　　　正答2、3
運転者の遵守事項及び故障等の場合の措置

1. × 道交法第71条第2号の3及び同法施行令第26条の3第2項によると、車両等の運転者は、児童、幼児等の乗降のため、非常点滅表示灯をつけて停車している通学通園バスの側方を通過するときは、**徐行して安全を確認しなければならない。**「できる限り安全な速度と方法で進行」という点が誤り。

2. ○ 道交法第75条の11第1項及び同法施行令第27条の6により正しい。

3. ○ 道交法第103条第2項第4号により正しい。

4. × 道交法第71条第2号によると、車両等の運転者は、身体障害者用の車が通行しているときは、**一時停止**し、**又は徐行**して、その通行又は歩行を妨げないようにしなければならない。

なお、令和5年7月1日施行の道交法の改正により、「車椅子」は「車」に変更された。

4．労働基準法関係

問18　　　　　　正答1、3
労働契約

1. ○ 労基法第20条第1項により正しい。

2. × 労基法第21条によると、試の使用期間中の者に該当する労働者については、労基法第20条の解雇の予告の規定は適用しない。ただし、当該者が**14日**を超えて引き続き使用されるに至った場合においては、この限りでない。

3. ○ 労基法第14条第1項により正しい。

4. × 労基法第15条第1項及び第2項によると、労働者は、労働契約の締結に際し使用者から明示された賃金、労働時間その他の労働条件が事実と相違する場合においては、**即時に当該労働契約を解除することがで**

きる。「少くとも 30 日前に使用者に予告」する必要はないので、誤り。

労働条件が違うので労働契約を解除します！

しまった！

問 19　　　　　　　正答 2
労働時間及び休日等

1．○　労基法第 38 条第 1 項により正しい。

2．×　労基法第 34 条第 1 項によると、使用者は、労働時間が 6 時間を超える場合においては少なくとも 45 分、8 時間を超える場合においては少なくとも 1 時間の休憩時間を労働時間の途中に与えなければならない。

3．○　労基法第 35 条により正しい。

4．○　労基法第 39 条第 1 項により正しい。

問 20　　　　　正答 A1 B2 C1
拘束時間及び休息期間

　改善基準第 2 条第 1 項第 2 号には、以下のように記載されている。

　1 日（始業時刻から起算して 24 時間をいう。以下同じ。）についての拘束時間は、13 時間を超えないものとし、当該拘束時間を延長する場合であっても、1 日についての拘束時間の限度（以下「最大拘束時間」という。）は、15 時間とすること。ただし、車庫待ち等の自動車運転者について、次に掲げる

要件を満たす場合には、この限りでない。

イ　勤務終了後、継続 20 時間以上の休息期間を与えること。

ロ　1 日についての拘束時間が 16 時間を超える回数が、1 ヵ月について 7 回以内であること。

ハ　1 日についての拘束時間が 18 時間を超える場合には、夜間 4 時間以上の仮眠時間を与えること。

ニ　1 回の勤務における拘束時間が、24 時間を超えないこと。

　以上より、A には「1．15 時間」、B には「2．20 時間」、C には「1．18 時間」がそれぞれ入る。

問 21　　　　　　正答 1、3
拘束時間等

1．○　改善基準第 5 条第 1 項第 1 号ロにより正しい。

2．×　改善基準第 5 条第 4 項第 1 号によると、使用者は、業務の必要上、バス運転者等に勤務の終了後継続 9 時間以上の休息期間を与えることが困難な場合、当分の間、一定期間（1 ヵ月を限度とする。）における全勤務回数の 2 分の 1 を限度に、休息期間を拘束時間の途中及び拘束時間の経過直後の 2 回に分割して与えることができるものとされている。この場合において、分割された休息期間は、1 日において 1 回当たり継続 4 時間以上、合計 11 時間以上でなければならないものとする。

3．○　改善基準第 5 条第 4 項第 2 号により正しい。

4．× 改善基準第5条第4項第3号によると、使用者は、業務の必要上やむを得ない場合には、当分の間、2暦日についての拘束時間が21時間を超えず、かつ、勤務終了後、継続20時間以上の休息期間を与える場合に限り、バス運転者等を隔日勤務に就かせることができることとされている。

問22　　　　　　　　　正答2
拘束時間

1日の拘束時間の計算の方法

①基本的には、終業時刻から始業時刻を引くだけでよい。

②ただし、注意しなければならないのは、**翌日の始業時刻が当日の始業時刻より早い場合**である。この場合にはその早い時間の分だけ、**当日の拘束時間に加える**ことを忘れない。

③また、**フェリー乗船時間は原則として休息期間として取り扱う**ものとする。

以上を前提に問題の4日間を検討する。

1日目：（9時－5時）＋（19時－14時）＝9時間

2日目：（18時－6時）＋2時間＝14時間

3日目：（8時－4時）＋（19時－12時）＝11時間

4日目：（18時－5時）＋1時間＝14時間

2日目は翌日の始業時刻が2時間早く、4日目は翌日の始業時刻が1

時間早いので、その分を加えることに注意。

以上より、正答は2となる。

問23　　　　　　　　　正答4
運転時間

改善基準第5条第1項第5号によると、運転時間は、4週間を平均し1週間当たり40時間を超えないものとすることとされている。ただし、貸切バス等乗務者については、労使協定により、①52週間についての運転時間が2,080時間を超えない範囲内において、②52週間のうち16週間までは、4週間を平均し1週間当たり44時間まで、③上記②の延長は4回まで、延長することができる。以上を前提に、本問を検討する。

1．**適合していない**　本肢における「13週～16週」に注目すると、4週間を平均した1週間当たりの運転時間が「46時間」となっており、44時間を超えている（上記②）。したがって、本肢は改善基準に違反している。

2．**適合していない**　本肢における「52週間の運転時間」に注目すると、「2,084時間」となっており、2,080時間を超えている（上記①）。したがって、本肢は改善基準に違反している。

3．**適合していない**　本肢の場合、「13週～16週」、「17週～20週」、「21週～24週」、「37週～40週」、「49週～52週」の計20週間（5回分）において、4週間を平均した1週間当たりの運転時間が40時間を超えている。したがって、本肢は、40時

88

間を超えて **44時間まで運転時間を延長できる限度（16週間、上記③の4回分）を超えている**ため、改善基準に違反している。

4．**適合している** 本肢の場合、4週間を平均した1週間当たりの運転時間が44時間を超えている箇所はなく（②）、52週間の運転時間も2,080時間を超えていない（①）。また、4週間を平均した1週間当たりの運転時間が40時間を超えているのは「13週〜16週」、「21週〜24週」、「33週〜36週」、「37週〜40週」の計16週間（4回分）（③）である。したがって、本肢は改善基準に適合している。

5．実務上の知識及び能力

問24 正答 適4 不適1、2、3
点呼の実施等

遠隔点呼・業務後自動点呼の制度については問4の解説を参照。

1．**不適** 通達「旅客自動車運送事業運輸規則の解釈及び運用について」第24条（1）⑥によると、補助者を選任し、点呼の一部を行わせる場合であっても、当該営業所において選任されている**運行管理者が行う点呼は、点呼を行うべき総回数の少なくとも3分の1以上でなければならな**い。よって、補助者が行う点呼が、総回数の7割を超えているというA営業所の対応は不適切である。

2．**不適** 通達「旅客自動車運送事業運輸規則の解釈及び運用について」

第24条（1）①によると、「運行上やむを得ない場合」とは、遠隔地で業務を開始又は終了するため、業務前点呼又は業務後点呼を運転者等が所属する営業所において対面で実施できない場合等をいい、**車庫と当該車庫を所管する営業所が離れている場合、早朝・深夜等において点呼執行者が営業所に出勤していない場合等は「運行上やむを得ない場合」には該当しない**とされている。したがって、本肢は不適切である。

3．**不適** 運輸規則第24条第2項によると、**事業者は、業務後の点呼において、運行の業務を終了した運転者等から当該業務に係る事業用自動車、道路及び運行の状況について報告を求めなければならない**。したがって、業務後の点呼において、特に異常がない場合、運転者から報告を求めず、点呼記録表に「異常なし」と記録している本肢は不適切である。

4．**適** 業務従事前の点呼においてアルコール検知器を使用するのは、酒気帯びの有無を確認するためである。また、通達「旅客自動車運送事業運輸規則の解釈及び運用について」第24条（1）⑦によると、「**酒気帯びの有無**」は、道路交通法施行令第44条の3に規定する血液中のアルコール濃度0.3mg/mℓ又は**呼気中のアルコール濃度0.15mg/ℓ以上であるか否かを問わないもの**であるとされている。したがって、適切な対応といえる。

令和元年1回

問25　　　　正答 2、3、4
運転者に対して行う指導・監督

1. **不適**　他の自動車に追従して走行するときに運転者が常に「秒」の意識をもって留意しなければならないのは、自車の速度と**停止距離**である。事業者及び運行管理者は運転者に対し、前車との追突等の危険が発生した場合でも安全に停止できるよう、**少なくとも停止距離と同じ距離の車間距離**を保って運転するように指導する必要がある。

   空走距離とは、危険を認知してからブレーキが効き始めるまでの距離であり、**制動距離**とは、ブレーキを踏んでから停止するまでの走行距離である。そして、**停止距離**とは、運転者が危険を認知してから車が停止するまでに走行した距離であり、**空走距離と制動距離の和**で求められる。

停止距離と同程度の
車間距離を保つ

2. **適**　本肢の記述のとおりであり、適切である。

3. **適**　本肢の記述のとおりであり、適切である。

4. **適**　従業員の健康を守るため、事業者が**節度ある適度な飲酒の目安を指導すること**は大切である。また、アルコールが体内で処理されるのに必要な時間を従業員、特に運転者に指導することも、飲酒運転・酒気帯び運転防止のために必要な措置である。

問26　正答 適 2、3、4　不適 1
運転者の健康管理

1. **不適**　脳血管疾患を定期健康診断で発見するのは困難である。発見するためには、**専門医療機関を受診すること**等が必要になる。

2. **適**　本肢の記述のとおりであり、適切である。

3. **適**　労働安全衛生規則第 45 条第 1 項及び第 13 条第 1 項第 3 号によると、事業者は、**深夜業を含む業務に常時従事する労働者**に対し、**6 ヵ月以内ごとに 1 回、定期的に、医師による健康診断**を行わなければならない。よって、本肢の対応は適切である。

4. **適**　本肢の記述のとおりであり、適切である。

   ※令和 3 年中では、乗務員に起因する重大事故報告発生件数は、1,468 件である。よって、本肢は**現在では誤り**である。なお、うち健康起因による事故数は 288 件、原因病名別では心臓疾患が 47 件、脳疾患が 49 件と多くを占めている。

問27　正答 適 2、3、4　不適 1
交通事故防止対策

1. **不適**　たしかに、交通事故のほとんどは運転者等のヒューマンエラーが直接の原因となっているが、そうしたヒューマンエラーの背後には、車両の構造上の問題、天候や道路などの走行環境、会社の運行管理上の問題などが伏在している可能性がある。有効な交通事故防止対策のためにはそうした**伏在する原因の追究も**

必要であり、ヒューマンエラーの再発防止ばかりに注力するのは適切ではない。

2．**適**　本肢の記述のとおりであり、適切である。

3．**適**　本肢の記述のとおりであり、適切である。

4．**適**　本肢の記述のとおりであり、適切である。なお、令和4年中の統計も同様である。

問28　正答　適2、3　不適1、4
交通事故及び緊急事態が発生した場合の措置

1．**不適**　運輸規則第48条第1項第2号及び第20条により、運行管理者は、天災その他の理由により輸送の安全の確保に支障が生ずるおそれがあるときは、**事業用自動車の乗務員等に対する必要な指示その他輸送の安全のための措置を講じなければならない**。本肢の場合、「営業所では判断できないので、」運行経路を「自ら判断」せよという運行管理者の対応は上記規定に違反しており、適切ではない。

2．**適**　バスが事故を起こした場合の対応として、**事故発生時にとるべき措置を講じた後、営業所の運行管理者に、事故の発生及び被害の状況等について連絡した**のは適切といえる。また、連絡を受けた運行管理者が、自社の規程に基づき、**運転者から事故の状況及び乗客の状態等を確認し、負傷者の家族に連絡するとともに、負傷しなかった当該バスの乗客の意向を踏まえ、乗客を出発地まで送還するための代替バスを運行さ**せたことも適切といえる（運輸規則第18条、第19条等を参照）。

3．**適**　本肢の記述のとおりであり、適切である。

4．**不適**　道交法第33条第1項によると、車両等は、踏切を通過しようとするときは、踏切の直前で停止し、かつ、**安全であることを確認した後**でなければ進行してはならない。本肢の場合、運転者は、踏切を渡った先の道路が混んでいることを認識していながら、踏切に進入している。この対応は「安全であることを確認した後に進行した」とはいえないため、当該運転者の措置は不適切である。

問29　　　　　正答1、3
運行計画

1．**〇**　配置基準によると、実車距離とは、実車運行する区間の距離をいうこととされており、実車運行とは、旅客の乗車の有無にかかわらず、旅客の乗車が可能として設定した区間の運行をいい、回送運行は実車運行には含まないとされている。また、1人の運転者の1日の乗務のうち、回送運行を含む運転を開始してから運転を終了するまでの一連の乗務を一運行というとされており、1人の運転者が同じ1日の乗務の中で、2つ以上の運行に乗務する場合には、**1日の合計実車距離は600kmを超えないものとする**とされている。以上を前提に、本問を検討する。

　まず、往路、復路各々の運行は「一

運行」の定義を満たしている。また、本問の往路における実車距離は300km（20km＋90km＋90km＋90km＋10km）であり、復路における実車距離は280km（10km＋80km＋90km＋80km＋20km）である。したがって、**合計で600kmを超えていないため、配置基準には違反していない。**

2．× 配置基準によると、1日の運転時間とは、1人の運転者が**回送運行を含む1日の乗務で運転する時間**をいうとされており、**1日の運転時間は、運行指示書上、9時間を超えないものとする**とされている。以上を前提に、本問を検討する。

本問の場合、往路の運転時間は4時間10分（10分＋30分＋1時間＋1時間＋1時間＋20分＋10分）であり、復路の運転時間は5時間40分（10分＋30分＋1時間＋1時間30分＋1時間30分＋40分＋20分）である。したがって、1日の運転時間は9時間50分であり、**9時間を超えているため、配置基準に違反している。**

3．○ 配置基準によると、最初の旅客が乗車する時刻若しくは最後の旅客が降車する時刻（運転を交替する場合にあっては実車運行を開始する時刻若しくは実車運行を終了する時刻）が午前2時から午前4時までの間にあるワンマン運行又は当該時刻をまたぐワンマン運行を**夜間ワンマン運行**というとされている。そして、**夜間ワンマン運行**の実車運行区間に

おいては、運行指示書上、実車運行区間における運転時間概ね2時間毎に連続20分以上（**一運行の実車距離が400km以下の場合にあっては、実車運行区間における運転時間概ね2時間毎に連続15分以上**）の休憩を確保していなければならないとされている。以上を前提に、本問を検討する。

本問の運行は夜間ワンマン運行の定義を満たしており、往路における実車距離は300km（400km以下）であるため、上述したように、**実車運行区間における運転時間概ね2時間毎に連続15分以上の休憩を確保**していなければならないところ、本問の往路において、配置基準に定める限度に違反している箇所はない。

問30　　正答 A② B④ C⑧ D⑩
危険予知訓練

A　右折の際、**横断歩道の右側から自転車又は歩行者が横断歩道を渡ってくることが考えられ、このまま右折をしていくと衝突する危険がある。**そのため、運行管理者は、右折の際は、横断歩道の状況を確認し、特に横断歩道の右側から渡ってくる自転車等を見落としやすいので、意識して確認をするよう指導する必要がある。

B　**右折時に対向車の死角に隠れた二輪車・原動機付自転車を見落とし、対向車が通過直後に右折すると衝突する危険がある。**運行管理者は、対向車が通過後、対向車の後方から走

行してくる二輪車等と衝突する危険
があるため、周辺の交通状況をよく
見て安全を確認してから右折するよ
う指導する必要がある。

C　対向車が交差点に接近しており、
このまま右折をしていくと対向車と
衝突する危険がある。そのため、運
行管理者は、**対向車があるときは無
理をせず、対向車の通過を待ち、左
右の安全を確認してから右折をする**
よう指導する必要がある。

D　右折していく道路の先に駐車して
いる車両の陰に歩行者が見える場
合、この歩行者が横断してくると、
はねる危険がある。そのため、運行
管理者は、**交差点内だけでなく、交
差点の右折した先の状況にも十分注
意を払い走行する**よう指導する必要
がある。

　以上より、Aには②、Bには④、C
には⑧、Dには⑩が入る。

正答解説

平成30年度
第2回

1. 道路運送法関係

問1　　　　　　　　　　正答 3
一般旅客自動車運送事業

1. ○　運送法第22条の2第1項及び第2項により正しい。

2. ○　運送法第12条第1項により正しい。

　　なお、令和2年11月27日施行の改正運送法により、第12条第1項が本問のように改正されたため、問題文を一部改題している。

3. ×　運送法第11条第1項によると、一般旅客自動車運送事業者は、運送約款を定め、又はこれを変更しようとするときは、国土交通大臣の**認可**を受けなければならない。

4. ○　運送法第7条第2号により正しい。

問2　　　　正答 A2 B1 C1 D2
輸送の安全等

1. 運送法第27条第1項によると、一般旅客自動車運送事業者は、事業計画（路線定期運行を行う一般乗合旅客自動車運送事業者にあっては、事業計画及び運行計画）の遂行に**必要となる員数**の運転者の確保、事業用自動車の運転者がその休憩又は睡眠のために利用することができる施設の整備、事業用自動車の運転者の適切な勤務時間及び**乗務時間**の設定その他の運行の管理その他事業用自動車の運転者の過労運転を防止するために必要な措置を講じなければならない。

　　したがって、Aには「2. 必要となる員数の」、Bには「1. 乗務時間」が入る。

2. 運送法第27条第2項によると、一般旅客自動車運送事業者は、事業用自動車の運転者が疾病により安全な運転ができないおそれがある状態で事業用自動車を運転することを防止するために必要な**医学的知見**に基づく措置を講じなければならない。

　　したがって、Cには「1. 医学的知見」が入る。

3. 運送法第27条第3項によると、前2項に規定するもののほか、一般旅客自動車運送事業者は、事業用自動車の運転者、車掌その他旅客又は公衆に接する従業員の適切な指導監督、事業用自動車内における当該事業者の氏名又は名称の掲示その他の旅客に対する適切な情報の提供その他の**輸送の安全**及び旅客の利便の確保のために必要な事項として国土交通省令で定めるものを遵守しなければならない。

　　したがって、Dには「2. 輸送の安全」が入る。

問3　　　　　　　　正答 1、3
運行管理者の業務

1. ○　運輸規則第48条第1項第17号及び第38条第2項第2号により

正しい。

2．×　運輸規則第47条の9第3項によると、**事業者**は、運行管理者資格者証を有する者又は国土交通大臣が告示で定める運行の管理に関する講習であって国土交通大臣の認定を受けたもの（基礎講習）を修了した者のうちから、**運行管理者の業務を補助させるための者（補助者）を選任することができる**。なお、運輸規則第48条第1項第19号によると、補助者に対する指導及び監督を行うことは、運行管理者の業務とされる。

3．○　運輸規則第19条第1項によると、事業者は、事業用自動車の運行を中断したときは、当該自動車に乗車している旅客のために、運送を継続するか又は**出発地まで送還**すること、及び旅客を**保護**する等適切な処置をしなければならない。そして、当該処置は、運行管理者が事業者とともに行う必要がある。

4．×　運輸規則第48条の2第1項によると、**事業者**は、運行管理者の職務及び権限、統括運行管理者を選任しなければならない営業所にあってはその職務及び権限並びに事業用自動車の運行の安全の確保に関する業務の実行に係る基準に関する規程（運行管理規程）を定めなければならない。

問4　　　　　　　　正答2
点呼

令和4年4月1日より、3つの要件（①使用する機器・システムの要件、②実施する施設・環境の要件、③運用上の遵守事項）を満たす営業所において、営業所の優良性にかかわらず、遠隔点呼が実施できるようになった。また、令和5年1月1日から、点呼機器により、自動で点呼を行う認定制度が創設され、業務終了後の運転者に対する点呼を自動で実施（「業務後自動点呼」）できるようになった。

1．×　運輸規則第24条第1項によると、旅客自動車運送事業者は、事業用自動車の運行の業務に従事しようとする運転者又は特定自動運行保安員（以下「運転者等」という。）に対して対面により、又は対面による点呼と同等の効果を有するものとして国土交通大臣が定める方法（運行上やむを得ない場合は電話その他の方法。）により点呼を行い、次の各号に掲げる事項について報告を求め、及び確認を行い、並びに事業用自動車の運行の安全を確保するために必要な指示を与えなければならない。

① **道路運送車両法の規定による点検（日常点検）の実施又はその確認**

② 運転者に対しては、酒気帯びの有無

③ 運転者に対しては、疾病、疲労、睡眠不足その他の理由により安全な運転をすることができないおそれの有無

④ 特定自動運行保安員に対しては、特定自動運行事業用自動車による運送を行うために必要な自動

運行装置の設定の状況に関する確認

　本肢は、上記①が「道路運送車両法の規定による定期点検の実施」とされているため、誤り。

2．○　運輸規則第24条第2項により正しい。

3．×　運輸規則第24条第5項によると、旅客自動車運送事業者は、法令の規定により点呼を行い、報告を求め、確認を行い、及び指示をしたときは、運転者等ごとに点呼を行った旨、報告、確認及び指示の内容並びに次に掲げる事項を記録しなければならない。

　①　点呼を行った者及び点呼を受けた運転者等の氏名

　②　**点呼を受けた運転者等が従事する運行の業務に係る事業用自動車の自動車登録番号その他の当該事業用自動車を識別できる表示**

　③　点呼の日時

　④　**点呼の方法**

　⑤　**その他必要な事項**

　本肢は、記録しなければならない事項のうち、上記②、④及び⑤を記載していないので誤り。

4．×　運輸規則第24条第4項によると、旅客自動車運送事業者は、アルコール検知器を営業所ごとに備え、常時有効に保持するとともに、法令の規定により酒気帯びの有無について確認を行う場合には、**運転者の状態を目視等で確認するほか、当該運転者の属する営業所に備えられたアルコール検知器を用いて行わな**

ければならない。

問5　　　　　正答2、3
事故の報告

1．**報告を要しない**　事故報告規則第3条第1項及び第2条第13号によると、橋脚、架線その他の鉄道施設を損傷し、**3時間以上本線において鉄道車両の運転を休止させた事故**については、国土交通大臣への報告を要する。本肢の場合、本線において鉄道車両の運転を休止させたのは2時間であるため、報告を要しない。

2．**報告を要する**　事故報告規則第3条第1項及び第2条第1号によると、自動車が転覆し、**転落し、火災を起こし、又は鉄道車両と衝突し、若しくは接触した事故**については、国土交通大臣への報告を要する。ここでいう「転落」とは、「自動車が道路外に転落した場合で、その落差が0.5メートル以上のとき」のことである。したがって、本肢のように0.6メートル下に転落した場合、国土交通大臣への報告を要する。

3．**報告を要する**　事故報告規則第3条第1項及び第2条第11号によると、**自動車の装置の故障**により、自動車が運行できなくなった事故は報告を要するとされている。

4．**報告を要しない**　事故報告規則第3条第1項及び第2条第3号、自動車損害賠償保障法施行令第5条第3号ニによると、「**病院に入院することを要する傷害で、医師の治療を要する期間が30日以上のもの**」は報告

が必要である。本肢の「通院による40日間の医師の治療を要する傷害」はこれにあたらない。

問6　　　　　　　　　正答4
過労運転の防止等

1. ○　運輸規則第21条第7項により正しい。
2. ○　運輸規則第21条第3項により正しい。
3. ○　運輸規則第21条第6項により正しい。
4. ×　運輸規則第21条第5項によると、事業者は、乗務員等の**健康状態**の把握に努め、疾病、疲労、睡眠不足その他の理由により安全に運行の業務を遂行し、又はその補助をすることができないおそれがある乗務員等を事業用自動車の運行の業務に従事させてはならない。

問7　　　　　　　　　正答1
運転者に対する指導監督等

1. ×　指導監督指針第二章4（1）①によると、事業者は、軽傷者（法令で定める傷害を受けた者）を生じた交通事故を引き起こし、かつ、当該事故前の**3年間**に交通事故を引き起こしたことがある者に対し、国土交通大臣が告示で定める適性診断であって国土交通大臣の認定を受けたものを受診させることとされている。
2. ○　運輸規則第36条第2項により正しい。
3. ○　指導監督指針第二章2（2）により正しい。

4. ○　指導監督指針第二章4（3）により正しい。

問8　　　　　　　　　正答2
運転者及び旅客の遵守・禁止事項

1. ○　運輸規則第49条第3項第2号により正しい。
2. ×　運輸規則第50条第11項によると、一般貸切旅客自動車運送事業者の運転者は、乗務中、**運行指示書を携行**しなければならない。
3. ○　運輸規則第50条第10項により正しい。
4. ○　運輸規則第52条第14号により正しい。

2．道路運送車両法関係

問9　　　　　　　　正答3、4
自動車の登録等

1. ×　車両法第12条第1項によると、自動車の所有者は、当該自動車の使用の本拠の位置に変更があったときは、その事由があった日から**15日以内**に、国土交通大臣の行う変更登録の申請をしなければならない。「30日以内」ではないので、誤り。
2. ×　車両法第35条第6項によると、臨時運行許可証の有効期間が満了したときは、その日から**5日以内**に、当該臨時運行許可証及び臨時運行許可番号標を行政庁に返納しなければならない。「15日以内」ではないので、誤り。
3. ○　車両法第15条第1項第1号により正しい。

4．○　車両法第 11 条第 4 項により
　　正しい。

問 10　　　　　　正答 1
自動車の検査等

1．×　車両法第 66 条第 1 項により、
　　原則として、自動車検査証を備え付
　　けなければ、自動車を運行の用に供
　　してはならない。しかし、指定自動
　　車整備事業者（いわゆる民間車検場）
　　が交付した**有効な保安基準適合標章**
　　を表示しているときは、自動車検査
　　証を備え付けていなくても、**例外的**
　　に自動車を運行の用に供することが
　　できる（同法第 94 条の 5 第 11 項）。

■自動車検査証の代用■

自動車検査証	保安基準適合標章
国しか発行できない。	民間車検場で車検を行った場合、国から左の発行を受けるまで、代わりとして一定期間の使用ができる。

2．○　車両法第 62 条第 5 項により
　　正しい。
　　　なお、令和 5 年 1 月 1 日施行の車
　　両法の改正により、第 67 条の「自
　　動車検査証の記載事項」とされてい
　　た部分が「自動車検査証記録事
　　項」に、第 62 条第 5 項の自動車
　　検査証の「記入」とされていた部
　　分が「変更記録」となった。

3．○　車両法第 62 条第 1 項による
　　と、登録自動車等の使用者は、自動
　　車検査証の有効期間の満了後も当該

自動車を使用しようとするときは、
原則として当該自動車を提示し、国
土交通大臣の行う**継続検査**を受けな
ければならない。ただし、一定の地
域に使用の本拠の位置を有する自動
車の使用者が、天災その他やむを得
ない事由により、継続検査を受ける
ことができないと認めるときは、国
土交通大臣は、当該地域に使用の本
拠の位置を有する自動車の自動車検
査証の有効期間を、期間を定めて伸
長する旨を公示することができる
（同法第 61 条の 2 第 1 項）。

4．○　車両法第 66 条第 3 項により
　　正しい。

問 11　　　正答 A2 B1 C2 D1
自動車の点検整備等

ア　車両法第 47 条によると、自動車
　　の**使用者**は、自動車の点検をし、及
　　び必要に応じ整備をすることによ
　　り、当該自動車を保安基準に適合す
　　るように維持しなければならない。
　　　したがって、A には「2．使用者」
　　が入る。

イ　車両法第 47 条の 2 第 2 項によると、
　　自動車運送事業の用に供する自動車
　　の使用者又は当該自動車を**運行**する
　　者は、1 日 1 回、その運行の開始前
　　において、国土交通省令で定める技
　　術上の基準により、自動車を点検し
　　なければならない。
　　　したがって、B には「1．運行」、
　　C には「2．1 日 1 回」が入る。

ウ　車両法第 48 条第 1 項第 1 号によ
　　ると、自動車運送事業の用に供する

自動車の使用者は、3ヵ月ごとに国土交通省令で定める技術上の基準により、自動車を点検しなければならない。

　したがって、Dには「1. 3ヵ月」が入る。

問12　　　　　　　　正答4
保安基準及び細目告示

1. ○　保安基準第43条の4第1項及び細目告示第222条第1項第2号により、停止表示器材は**夜間200メートルの距離から走行用前照灯で照射した場合にその反射光を照射位置**から確認できるものなど告示で定める基準に適合しなければならないので正しい。

2. ○　保安基準第43条第2項及び細目告示第141条第1項により正しい。

3. ○　保安基準第9条第2項及び細目告示第89条第4項第2号により正しい。

4. ×　保安基準第41条の3及び細目告示第217条第3項第1号によると、非常点滅表示灯は、盗難、車内における事故その他の緊急事態が発生していることを表示するための灯火として作動する場合には、**点滅回数の基準に適合しない**構造とすることができる。

3．道路交通法関係

問13　　　　　　　正答2、4
合図等

1. ×　道交法第31条の2によると、停留所において乗客の乗降のため停車していた乗合自動車が発進するため進路を変更しようとして手又は方向指示器により合図をした場合においては、その後方にある車両は、**その速度又は方向を急に変更しなければならないこととなる場合を除き**、当該合図をした乗合自動車の進路の変更を妨げてはならない。「その速度を急に変更しなければならないこととなる場合にあっても」、乗合自動車の進路の変更を妨げてはならないという点が誤り。

2. ○　道交法第53条第1項及び第2項により正しい。

3. ×　車両の運転者が、同一方向に進行しながら進路を左方又は右方に変える場合の合図を行う時期は、その行為をしようとする時の**3秒前**である（道交法施行令第21条第1項）。したがって、「30メートル手前の地点に達したとき」という部分が誤っている。

4. ○　道交法施行令第21条第1項により正しい。

問14　　　　　　　正答1、3
停車及び駐車等

1. ○　道交法第44条第1項第2号により正しい。

　　なお、道交法第44条第1項第2

号の改正(令和2年12月1日施行)により、「まがりかど」とされていた箇所は「曲がり角」となった。

2．×　道交法第45条第1項第1号により、駐車してはならないのは、**3メートル以内**の道路の部分である。「5メートル以内」ではないので、誤り。

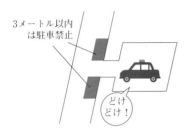

3メートル以内
は駐車禁止

どけ
どけ！

3．○　道交法第45条第1項第3号により正しい。

4．×　道交法第45条第1項第5号によると、車両は、火災報知機から**1メートル以内**の道路の部分においては、駐車してはならない。「5メートル以内」ではないので、誤り。

問15　　　　正答A2 B1 C1 D1
交通事故の場合の措置

道交法第72条第1項の交通事故の場合の措置の知識を問う問題である。同条項には交通事故があったときは、当該交通事故に係る車両等の運転者その他の乗務員は、直ちに車両等の運転を停止して、**負傷者を救護**し、道路における**危険を防止**する等必要な措置を講じなければならない。この場合において、当該車両等の運転者(運転者が死亡し、又は負傷したためやむを得ないときは、その他の乗務員。)は、警察官が現場にいるときは当該警察官に、

警察官が現場にいないときは直ちに最寄りの警察署(派出所又は駐在所を含む。)の警察官に当該交通事故が発生した日時及び場所、当該交通事故における**死傷者の数及び負傷者の負傷の程度**並びに損壊した物及びその損壊の程度、当該交通事故に係る車両等の積載物並びに**当該交通事故について講じた措置**を報告しなければならないと規定されている。

したがって、A には「2. 負傷者を救護」、B には「1. 危険を防止」、C には「1. 死傷者の数」、D には「1. 当該交通事故について講じた措置」が入る。

問16　　　　　　　正答3
自動車の法定速度

1．○　道交法第22条第1項及び同法施行令第11条によると、自動車が高速自動車国道の本線車道並びにこれに接する加速車線及び減速車線以外の道路を通行する場合の最高速度は原則として**60km/h**であり、本肢は正しい。

なお、令和2年4月1日施行の改正により、道路標識等により最高速度が指定されていない道路において、この規定の対象外の道路に、上記解説のとおり、高速自動車国道の本線車道のほか、本線車道に接する加速車線及び減速車線が追加された。

2．○　道交法施行令第27条第1項第1号イによると、自動車が高速自動車国道の本線車道又はこれに接す

る加速車線若しくは減速車線を通行する場合の最高速度は、**100 km/h** であり、本肢は正しい。

　なお、令和2年4月1日施行の改正により、高速道路における最高速度の規定は、上記解説のとおり、本線車道のほか、本線車道に接する加速車線若しくは減速車線を通行する場合が追加された。

[参考]
高速自動車国道の本線車道又はこれに接する加速車線若しくは減速車線における最高速度が100km/hの自動車（道交法施行令第27条第1項第1号）
イ　大型自動車（三輪のもの並びに牽引するための構造及び装置を有し、かつ、牽引されるための構造及び装置を有する車両を牽引するものを除く。）のうち専ら人を運搬する構造のもの
ロ　中型自動車（三輪のもの並びに牽引するための構造及び装置を有し、かつ、牽引されるための構造及び装置を有する車両を牽引するものを除く。）のうち、専ら人を運搬する構造のもの又は車両総重量が **8,000 キログラム未満**、最大積載重量が **5,000 キログラム未満** 及び乗車定員が **10 人以下のもの**
（以下省略）

3．×　道交法第75条の4及び同法施行令第27条の3によると、法令の規定によりその速度を減ずる場合及び危険を防止するためやむを得ない場合を除き、道路標識等により自動車の最低速度が指定されていない区間の高速自動車国道の本線車道（政令で定めるものを除く。）における最低速度は、**時速50キロメートル** である。

4．○　道交法施行令第12条第1項によると、自動車（内閣府令で定め

る大きさ以下の原動機を有する普通自動二輪車を除く。）が他の車両を牽引して道路を通行する場合（牽引するための構造及び装置を有する自動車によって牽引されるための構造及び装置を有する車両を牽引する場合を除く。）の最高速度は、**車両総重量が 2,000 キログラム以下の車両をその車両の車両総重量の3倍以上の車両総重量の自動車で牽引する場合には時速40キロメートル** であり、それ以外の場合には **時速30キロメートル** である。本肢の場合、最高速度が時速40キロメートルになる場合には該当しないので、正しい。

問17　　　　　　　　　正答3
乗車等

1．○　道交法第55条第2項により正しい。

2．○　道交法第71条第5号の5、第117条の4第1項第2号及び第118条第1項第4号により正しい。

3．×　道交法第71条の3第2項によると、自動車の運転者は、法令で定めるやむを得ない理由があるときを除き、座席ベルトを装着しない者を運転者席以外の乗車装置（当該乗車装置につき座席ベルトを備えなければならないこととされているものに限る。）に乗車させて自動車を運転してはならない。**座席ベルトの装着義務は、高速自動車国道に限られていない。**

4．○　道交法第55条第1項により正しい。

4．労働基準法関係

問 18　　　　　　　　正答 3
労働契約等

1．○　労基法第 109 条により正しい。令和 2 年 4 月 1 日施行の同法第 109 条の改正により、書類の保存期間が「3 年」から「5 年」に変更されたが、同法附則第 143 条により当分の間は「3 年」とされている。よって、正しい。

2．○　労基法第 19 条第 1 項本文により正しい。

3．×　労基法第 21 条によると、同法第 20 条（解雇の予告）の規定は、法に定める期間を超えない限りにおいて、「日日雇い入れられる者」、「2 ヵ月以内の期間を定めて使用される者」、「季節的業務に 4 ヵ月以内の期間を定めて使用される者」、「試の使用期間中の者」のいずれかに該当する労働者については適用しないものとされている。

4．○　労基法第 15 条第 1 項及び第 2 項により正しい。

労働条件が違うので労働契約を解除します！

しまった！

問 19　　　　　　　　正答 4
労働時間及び休日等

1．○　労基法第 32 条により正しい。
2．○　労基法第 36 条第 1 項及び同法施行規則第 16 条第 1 項により正しい。

3．○　労基法第 33 条第 1 項により正しい。

4．×　労基法第 35 条によると、使用者は、4 週間を通じ 4 日以上の休日を与える場合を除き、労働者に対して、毎週少なくとも 1 回の休日を与えなければならないとされている。

問 20　　　正答 A1 B2 C2 D2
改善基準の目的等

1．改善基準第 1 条第 1 項によると、この基準は、自動車運転者（労働基準法（以下「法」という。）第 9 条に規定する労働者であって、**四輪以上の自動車**の運転の業務（厚生労働省労働基準局長が定めるものを除く。）に主として従事する者をいう。以下同じ。）の労働時間等の改善のための基準を定めることにより、自動車運転者の労働時間等の**労働条件の向上**を図ることを目的とする。

したがって、A には「1．四輪以上の自動車」、B には「2．労働条件の向上」が入る。

2．改善基準第 1 条第 2 項によると、労働関係の当事者は、この基準を理由として自動車運転者の労働条件を低下させてはならないことはもとより、その**向上**に努めなければならない。

したがって、C には「2．向上」が入る。

3．出題時の改善基準第 1 条第 3 項に

よると、使用者は、季節的繁忙その他の事情により、法第36条第1項の規定に基づき臨時に**労働時間を延長し、又は休日に労働させる場合**においても、その時間数又は日数を少なくするように努めるものとする。

したがって、Dには「2. **労働時間を延長し**」が入る。

※改善基準の改正（令和6年4月1日施行）により、旧改善基準第1条第3項の規定は**大幅に改正**されたため、**現在では本肢は成立せず、本問自体も成立しない。**

問21　　　　　　　　正答1、3
拘束時間及び運転時間等

1．○　改善基準第5条第1項第3号により正しい。

2．×　改善基準第5条第1項第5号によると、使用者は、バス運転者等の運転時間は、2日を平均し1日当たり9時間、4週間を平均し1週間当たり**40時間**を超えないものとすることとされている。ただし、貸切バス等乗務者については、労使協定により、52週間についての運転時間が2,080時間を超えない範囲内において、52週間のうち16週間までは、4週間を平均し1週間当たり**44時間**まで延長することができる。

3．○　改善基準第5条第5項により正しい。

4．×　改善基準第5条第1項第6号によると、使用者は、貸切バス運転者の連続運転時間（1回が連続**10分**以上で、かつ、合計が30分以上の運転の中断をすることなく連続して運転する時間をいう。）は、原則として4時間を超えないものとすることとされている。

問22　　　　　　　　正答2、3
運転時間及び休憩時間

改善基準第5条第1項第6号によると、連続運転時間（1回が連続10分以上で、かつ、合計が30分以上の運転の中断をすることなく連続して運転する時間をいう。）は、原則として4時間を超えないものとすることとされている。

以上を前提に、各肢を検討する。

1．**適合していない**　休憩時間が30分に満たない場合、休憩時間の合計が30分になるまでの運転時間を合計して、4時間を超えてはならない。本肢の場合、5回目と6回目の休憩時間が合計25分（15分＋10分）しかないにもかかわらず、運転時間が4時間30分（2時間＋1時間30分＋1時間）と4時間を超えているため、基準に適合していない。

2．**適合している**　本肢の場合、1回目から3回目までの休憩時間の合計は40分（15分＋10分＋15分）であり、その時点での運転時間は4時間（1時間＋2時間＋1時間）である。その後、1時間の運転と1時間の休憩を挟み、合計3時間の運転（1時間30分＋1時間＋30分）を行っている。以上により、連続運転時間が4時間を超えている箇所はないため、基準に適合している。

3．**適合している**　本肢の場合、1回目から3回目までの休憩時間の合計は30分（10分＋10分＋10分）であり、その時点での運転時間は4時間（2時間＋1時間30分＋30分）である。その後、1時間の運転と1時間の休憩を挟み、合計4時間の運転（1時間＋1時間＋2時間）を行っている。以上により、連続運転時間が4時間を超えている箇所はないため、基準に適合している。

4．**適合していない**　改善基準第5条第1項第6号においては、**10分に満たない休憩時間は、有効な休憩時間とは認められない**。本肢の場合、3回目の休憩時間（5分）は有効な休憩時間とは認められないため、1回目と2回目の休憩時間が合計25分（10分＋15分）しかないにもかかわらず、運転時間が4時間30分（1時間＋1時間30分＋30分＋1時間30分）と4時間を超えることとなり、基準に適合していない。

問23　　　　　　　正答2
拘束時間等

1．○　改善基準第5条第1項第3号前段によると、1日の最大拘束時間は**15時間**となっている。また、**1日の拘束時間の計算の方法**は以下のとおりである。
　①基本的には、終業時刻から始業時刻を引くだけでよい。
　②ただし、注意しなければならないのは、**翌日の始業時刻が当日の始業時刻より早い場合**である。この場合にはその早い時間の分だけ、**当日の拘束時間に加える**ことを忘れない。
　以上を前提に、本問における各曜日の拘束時間を計算する。
　　月曜日：（17時－9時）＋2時間＝10時間
　　火曜日：（20時－7時）＋2時間＝15時間
　　水曜日：（14時－5時）＝9時間
　　木曜日：（21時－7時）＋1時間＝15時間
　　金曜日：（21時－6時）＝15時間
　月曜日と火曜日は翌日の始業時刻が2時間早く、木曜日は翌日の始業時刻が1時間早いので、その分を加えることに注意。
　以上より、1日についての拘束時間が改善基準に定める最大拘束時間（15時間）を超えて違反する勤務はないので、正しい。

2．×　改善基準第4条第5項によると、運転者に休日に労働させる場合は、当該労働させる休日は2週間について1回を超えないものとすると規定されている。本問の場合、休日に労働させている日はないため、改善基準に違反していない。

3．○　改善基準第5条第1項第4号によると、勤務終了後の休息期間は、**継続9時間以上**とされている。以上を前提に、本問における各曜日の休息期間を算出すると、以下のようになる。なお、金曜日の翌日（土曜日）は休日なので、特に考慮する必要はない。

月～火曜日：14時間
火～水曜日：9時間
水～木曜日：17時間
木～金曜日：9時間

以上より、勤務終了後の休息期間が改善基準に違反しているものはないので、正しい。

4．○　肢1の解説を参照すると、本問の場合、この1週間の勤務の中で、1日についての拘束時間が最も短いのは**水曜日**に始まる勤務である。よって、正しい。

5．実務上の知識及び能力

問24　正答　適1、3　不適2、4
運行管理者の役割等

1．**適**　本肢の記述のとおりであり、適切である。

2．**不適**　運輸規則第48条第1項第6号及び第24条によると、運行管理者は、点呼の際、**日常点検の実施について確認する必要がある**。仮に、運転者が整備管理者に報告をした場合でも、これを省略することはできないので、本肢は誤っている。

3．**適**　運転者一人ひとりの個性に応じて助言・指導を行うことは、事故の防止のうえで有効である。したがって、本肢の措置は適切である。

4．**不適**　運行管理者と事業者の役割は同一ではないため、本肢に記載されているように「運行管理者は事業者に代わって事業用自動車の運行管理を行っている」とはいえない。したがって、本肢のようなケースでは、

運行管理者に責任を認めることができないので、事業者が行政処分を受けた場合であっても、運行管理者が運行管理者資格者証を返納する**必要はない**。

問25　正答1、2、3
運転者に対する指導・監督

1．**適**　本肢の記述のとおりであり、適切である。

2．**適**　本肢の記述のとおりであり、適切である。

3．**適**　本肢の記述のとおりであり、適切である。

4．**不適**　平成28年中の事業用乗合バス自動車が第1当事者となった人身事故の類型別発生状況をみると、**「車内事故」が最も多く**、全体の**約4割を占めており、続いて「追突」**の順となっている。なお、令和4年中の統計も順位は同じである。なお、「車内事故」の割合は約3割であった。

問26　正答　適2　不適1、3、4
運転者の健康管理等

1．**不適**　労働安全衛生規則第51条によると、事業者は、従業員に対し、法令で定める健康診断の結果に基づく健康診断個人票を作成し、**5年間**保存しなければならないとされている。

2．**適**　労働安全衛生法第66条第5項により正しい。

3．**不適**　運輸規則第48条第1項第4号の2及び第21条第5項によると、運行管理者は、乗務員等の健康状態の把握に努め、**疾病、疲労、睡眠不**

足その他の理由により安全に運行の業務を遂行し、又はその補助をすることができないおそれがある乗務員等を事業用自動車の運行の業務に従事させてはならないとされている。本肢における運転者は、連日、就寝が遅く寝不足気味であると申告しているため、運行管理者は当該運転者を業務に従事させてはならなかった。したがって、本肢における運行管理者の判断は不適切である。

4.**不適** 本肢の場合、運転者には、**加齢に伴う視覚機能の低下の兆候**が見られているため、当該運転者を**夜間運転業務**に従事させることは、**重大な交通事故等につながる可能性**がある。したがって、繁忙期であることを理由に、当該運転者を夜間運転業務に従事させた運行管理者の判断は不適切である。

問27　　正答 A1 B2 C1 D2
走行時に生じる現象等

ア　路面が水でおおわれているときに高速で走行するとタイヤの排水作用が悪くなり、水上を滑走する状態になって操縦不能になることを、**ハイドロプレーニング**という。したがって、Aには「**1.ハイドロプレーニング現象**」が入る。

イ　自動車の夜間の走行時において、自車のライトと対向車のライトで、お互いの光が反射し合い、その間にいる歩行者や自転車が見えなくなることを**蒸発現象**という。したがって、Bには「**2.蒸発現象**」が入る。

ウ　長い下り坂などでフット・ブレーキを使い過ぎると、ブレーキ・ドラムやブレーキ・ライニングなどが摩擦のため過熱してその熱がブレーキ液に伝わり、液内に気泡が発生する結果、ブレーキが正常に作用しなくなり効きが低下することを、**ベーパー・ロック**という。したがって、Cには「**1.ベーパー・ロック現象**」が入る。

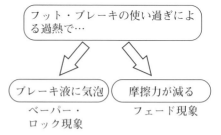

エ　運転者が走行中に危険を認知して判断し、ブレーキ操作に至るまでの間に自動車が走り続けた距離を**空走距離**という。したがって、Dには「**2.空走距離**」が入る。

問28　正答 適1　不適2、3、4
デジタル式運行記録計

1.**適** 本肢の記述のとおりであり、適切である。

2.**不適** 運輸規則第48条第1項第8号及び第26条によると、運行管理者は、運行記録計の記録を**1年間**保存しなければならない。

　なお、令和6年4月1日施行の運輸規則改正により、運行記録計の記録の保存期間は、1年間（一般貸切旅客事業者運送事業者にあっ

ては、原則として、内容を記録した電磁的記録を**3年間**）となった。**令和6年度第2回試験から試験範囲となる。**

3. **不適**　デジタル式運行記録計は、**瞬間速度、運行距離及び運行時間**の記録に加え、運行データの記録を電子情報として記録することにより、**急発進、急ブレーキ、速度超過時間**等の運行データの収集を可能にするものである。本肢の記述はドライブレコーダーについての説明なので、適切でない。

4. **不適**　衝突被害軽減ブレーキについては、同装置が正常に作動していても、走行時の周囲の環境によっては障害物を正しく認識できないことや、衝突を回避できないことがあるため、当該装置が備えられている自動車の運転者に対し、**当該装置を過信せず、細心の注意を払って運転す**るよう指導する必要がある。

問29　　　　　　正答2、3
運行計画

1. **×**　配置基準によると、実車距離とは、実車運行する区間の距離をいうこととされており、実車運行とは、旅客の乗車の有無にかかわらず、旅客の乗車が可能として設定した区間の運行をいい、**回送運行は実車運行には含まない**とされている。また、1人の運転者の1日の乗務のうち、**回送運行を含む運転を開始してから運転を終了するまでの一連の乗務を一運行**というとされており、最初の

旅客が乗車する時刻若しくは最後の旅客が降車する時刻（運転を交替する場合にあっては実車運行を開始する時刻若しくは実車運行を終了する時刻）が**午前2時から午前4時まで**の間にあるワンマン運行又は当該時刻をまたぐワンマン運行を**夜間ワンマン運行**というとされている。そして、**夜間ワンマン運行**の実車運行区間においては、運行指示書上、実車運行区間における運転時間概ね2時間毎に連続20分以上（一運行の実車距離が400km以下の場合にあっては、**実車運行区間における運転時間概ね2時間毎に連続15分以上**）の休憩を確保していなければならないとされている。以上を前提に、本問を検討する。

まず、往路、復路各々の運行は「一運行」の定義を満たしている。また、本問の往路における実車距離は330km（20km＋90km＋120km＋90km＋10km）であり、復路における実車距離は270km（10km＋80km＋80km＋80km＋20km）であるため、往路、復路ともに実車距離は400km以下である。そして、本問の往路の運行は夜間ワンマン運行の定義も満たしている。よって、上述したように、**実車運行区間における運転時間概ね2時間毎に連続15分以上の休憩を確保していなければ**ならないところ、本問の往路においては「運転30分→運転（高速道路）1時間→休憩10分→運転（高速道路）1時間30分」となっている。このた

め、**休憩時間が10分しかないにもかかわらず、運転時間が2時間を超えているため**、本問の夜間ワンマン運行における実車運行区間においての休憩は、配置基準に定める限度に違反している。

2．○　配置基準によると、①**高速道路の実車運行区間においては、連続運転時間**（10分以上の運転の中断をすることなく連続して運転する時間をいう。）**は、運行指示書上、概ね2時間までとする**とされている。また、②「旅客自動車運送事業運輸規則第21条第1項の規定に基づく事業用自動車の運転者の勤務時間及び乗務時間に係る基準」においては、**連続運転時間4時間毎に30分の休憩を確保する**こととされている。以上を前提に本問を検討すると、本問の運行における実車運行区間においての連続運転時間は、①及び②の条件を満たしているため、配置基準に定める限度に違反していない。

3．○　配置基準によると、①**1人の運転者が同じ1日の乗務の中で、2つ以上の運行に乗務する場合には、1日の合計実車距離は600kmを超えない**ものとするとされている。また、②**1日の運転時間は、運行指示書上、9時間を超えない**ものとするとされている。これらを前提に、本問を検討する。

　まず、①について。上述したように、本問の往路における実車距離は330kmであり、復路における実車距離は270kmである。したがって、合計で600kmを超えていない（600kmちょうどである）ため、①には違反していない。

　次に、②について。配置基準によると、1日の運転時間とは、1人の運転者が回送運行を含む1日の乗務で運転する時間をいうとされている。本問の場合、往路の運転時間は4時間40分（10分＋30分＋1時間＋1時間30分＋1時間＋20分＋10分）であり、復路の運転時間は4時間20分（10分＋30分＋1時間＋1時間＋1時間30分＋10分）である。したがって、1日の運転時間は9時間を超えていない（9時間ちょうどである）ため、②には違反していない。

　以上より、本問の運行における1日についての実車距離は、配置基準に定める限度を超えておらず、また、1日についての運転時間も配置基準に定める限度を超えていない。

問30	正答6
事故の再発防止対策	

ア　**直接的に有効ではない**　本問の場合、運転者の安全不確認により事故が起きているため、同種の事故の再発防止には、**運転者への指導が不可欠**であると考えられる。したがって、本肢のように、ヒューマンエラーを補完するため、前扉にもアクセルインターロック等を装備することは、同種の事故の再発を防止する対策として直接的に有効とはいえない。

イ　**直接的に有効**　本問の場合、運転者に対しては、**適性診断結果におい**

て、判断・動作のタイミングが早く、動作が先走って安全確認が不十分になるとの指摘がされていたが、その結果に基づく指導は十分でなかった。これが事故の要因の一つとなった可能性が高いため、本肢は、同種の事故の再発を防止する対策として直接的に有効である。

ウ　**直接的に有効ではない**　本問の場合、運転者に疾病があったという事実は記載されておらず、また、運転者は定期健康診断を年2回受診していた。したがって、本肢は、同種の事故の再発を防止する対策として直接的に有効とはいえない。

エ　**直接的に有効**　本問の場合、運転者は、昨年、夜間に自転車との接触事故を起こすなど夜間の運転に不安があった旨が記載されている。また、事故当時、現場の周囲の環境は夜間で左外側線付近が暗かった旨も記載されている。したがって、本肢は、同種の事故の再発を防止する対策として直接的に有効である。

オ　**直接的に有効**　本問の場合、運転者は、旅客が完全に降りたものと思い込み、かつ、左外側線付近の安全確認が不十分であった旨が記載されている。また、選択肢エの解説にも記したように、事故当時、現場の周囲の環境は夜間で左外側線付近が暗かった。これらが事故の要因となった可能性が高いため、本肢は、同種の事故の再発を防止する対策として直接的に有効である。

カ　**直接的に有効ではない**　本問の場

合、運転者が睡眠不足であったという事実は記載されていない。したがって、本肢は、同種の事故の再発を防止する対策として直接的に有効とはいえない。

キ　**直接的に有効**　本問の場合、運転者に対して、扉の操作等基本動作の徹底に関する指導監督が十分ではなかった旨が記載されている。これが事故の要因の一つとなった可能性が高いため、本肢は、同種の事故の再発を防止する対策として直接的に有効である。

ク　**直接的に有効ではない**　本問の場合、休息期間や乗務時間が改善基準に違反していた旨の事実等は記載されていない。したがって、本肢は、同種の事故の再発を防止する対策として直接的に有効とはいえない。

　以上より、直接的に有効と考えられる組合せは、イ・エ・オ・キであり、正答は6となる。

平成30年2回

正答解説

平成30年度

第1回

1．道路運送法関係

問1　　　　　　　　　正答2

事業計画の変更等

1．○　運送法第15条第1項により正しい。

2．×　運送法第15条第3項によると、事業者は、「営業所ごとに配置する事業用自動車の数」に関する事業計画の変更をしようとするときは、あらかじめ、その旨を国土交通大臣に届け出なければならない。

3．○　運送法第15条第4項により正しい。

4．○　運送法第20条により正しい。なお、令和2年11月27日施行の改正運送法により、第20条が本肢のように改正されたため、問題文を一部改題している。

問2　　　　正答 A3 B4 C7 D1

運行管理者等の義務

1．運送法第23条の5第1項によると、運行管理者は、**誠実**にその業務を行わなければならない。

したがって、Aには「3．誠実」が入る。

2．運送法第23条の5第2項によると、一般旅客自動車運送事業者は、運行管理者に対し、法令で定める業務を行うため必要な**権限**を与えなければ

ならない。

したがって、Bには「4．権限」が入る。

3．運送法第23条の5第3項によると、一般旅客自動車運送事業者は、運行管理者がその業務として行う助言を**尊重**しなければならず、事業用自動車の運転者その他の従業員は、運行管理者がその業務として行う**指導**に従わなければならない。

したがって、Cには「7．尊重」、Dには「1．指導」がそれぞれ入る。

問3　　　　　　　　正答2、3

運行管理者の業務

1．×　運輸規則第35条によると、**事業者**は、事業計画（路線定期運行を行う一般乗合旅客自動車運送事業者にあっては、事業計画及び運行計画）の遂行に十分な数の事業用自動車の運転者を常時選任しておかなければならない。

2．○　運輸規則第48条第1項第6号及び第24条第3項により正しい。

3．○　運輸規則第48条第1項第11号及び第27条第2項により正しい。

4．×　運輸規則第21条第2項によると、**事業者**は、乗務員等が有効に利用することができるように、営業所、自動車車庫その他営業所又は自動車車庫付近の適切な場所に、休憩に必要な施設を整備し、及び乗務員等に睡眠を与える必要がある場合又は乗務員等が勤務時間中に仮眠する機会がある場合は、睡眠又は仮眠に必要な施設を整備しなければならな

い。

問4　　　　　　　正答 1、3
点呼

令和4年4月1日より、3つの要件（①使用する機器・システムの要件、②実施する施設・環境の要件、③運用上の遵守事項）を満たす営業所において、営業所の優良性にかかわらず、遠隔点呼が実施できるようになった。また、令和5年1月1日から、点呼機器により、自動で点呼を行う認定制度が創設され、業務終了後の運転者に対する点呼を自動で実施（「業務後自動点呼」）できるようになった。

1．○　通達「旅客自動車運送事業運輸規則の解釈及び運用について」第24条（1）①により正しい。

2．×　運輸規則第24条第1項及び第2項によると、**業務従事前の点呼**においては、「道路運送車両法第47条の2第1項及び第2項の規定による点検（日常点検）の実施又はその確認」について報告を求め、及び確認を行う必要がある。

3．○　通達「旅客自動車運送事業運輸規則の解釈及び運用について」第24条（1）⑥により正しい。

4．×　運輸規則第24条第4項によると、事業者は、アルコール検知器を営業所ごとに備え、常時有効に保持するとともに、法令の規定により酒気帯びの有無について確認を行う場合には、**運転者の状態を目視等で確認するほか、当該運転者の属する**営業所に備えられたアルコール検知器を用いて行わなければならない。

問5　　　　　　　正答 1、3
事故の報告

1．**報告を要する**　事故報告規則第3条第1項及び第2条第7号によると、操縦装置又は乗降口の扉を開閉する操作装置の**不適切な操作**により、旅客に**11日以上**医師の治療を要する傷害が生じた事故については、国土交通大臣への報告を要する。

2．**報告を要しない**　事故報告規則第3条第1項及び第2条第3号、自動車損害賠償保障法施行令第5条第3号ニによると、「**病院に入院**することを要する傷害で、**医師の治療を要する期間が30日以上のもの**」は報告が必要である。本肢の「通院による30日間の医師の治療を要する傷害」はこれにあたらない。

3．**報告を要する**　事故報告規則第3条第1項及び第2条第9号によると、運転者の**疾病**により、事業用自動車の運行を継続することができなくなったものについては、国土交通大臣への報告を要する。

4．**報告を要しない**　事故報告規則第3条第1項、第2条第2号及び同条第4号によると、**10台以上**の自動車の衝突又は接触を生じた事故又は**10人以上の負傷者**を生じた事故については、国土交通大臣への報告を要する。本問の場合、衝突した自動車は7台であり、負傷者は8人であるため、国土交通大臣への報告を要しない。

問6　　　　　　　　正答4
過労運転の防止等

1．× 運輸規則第35条及び第36条第1項によると、事業者は、事業計画（路線定期運行を行う一般乗合旅客自動車運送事業者にあっては、事業計画及び運行計画）の遂行に十分な数の事業用自動車の運転者を常時選任しておかなければならない。この場合、事業者（個人タクシー事業者を除く。）は、日日雇い入れられる者、**2ヵ月以内の期間を定めて使用される者及び試みの使用期間中の者（14日を超えて引き続き使用されるに至った者を除く。）** を当該運転者等として選任してはならない。

2．× 運輸規則第21条第1項によると、事業者は、過労の防止を十分考慮して、国土交通大臣が告示で定める基準に従って、事業用自動車の運転者の**勤務時間**及び**乗務時間**を定め、当該運転者にこれらを遵守させなければならない。

3．× 通達「旅客自動車運送事業運輸規則の解釈及び運用について」第24条（1）⑦によると、「酒気帯びの有無」は、道路交通法施行令第44条の3に規定する血液中のアルコール濃度0.3mg/mℓ又は呼気中のアルコール濃度**0.15mg/ℓ以上であるか否かを問わないものである**とされている。したがって、事業者は、乗務員等の身体に保有するアルコールの程度が、道路交通法施行令第44条の3（アルコールの程度）に規定する呼気中のアルコール濃度1リット

ルにつき0.15ミリグラム以下であったとしても、事業用自動車の運行の業務に従事させてはならない。

4．○ 運輸規則第23条及び第22条第1項により正しい。

問7　　　　　　　　正答2
運転者等の遵守事項

1．○ 運輸規則第50条第1項第7号により正しい。

2．× 運輸規則第50条第6項及び第7項によると、一般乗用旅客自動車運送事業者の事業用自動車の運転者は、食事若しくは休憩のため運送の引受けをすることができない場合又は乗務の終了等のため車庫若しくは営業所に回送しようとする場合以外の場合には、回送板を掲出してはならない。したがって、「**営業区域外から営業区域に戻るため、運送の引受けをすることができない場合」には回送板を掲出してはいけないので**、誤り。

3．○ 運輸規則第50条第1項第8号により正しい。

4．○ 運輸規則第49条第4項により正しい。

問8　　　　　　　正答1、2
運行の記録等

1．○ 運輸規則第37条第2項により正しい。

2．○ 運輸規則第24条第5項により正しい。

3．× 運輸規則第26条の2によると、事業者は、事業用自動車に係る

事故が発生した場合には、事故の発生日時等所定の事項を記録し、その記録を当該事業用自動車の運行を管理する営業所において**3年間保存**しなければならない。

4．× 運輸規則第38条第1項によると、事業者は、その事業用自動車の運転者に対し、国土交通大臣が告示で定めるところにより、主として運行する路線又は営業区域の状態及びこれに対処することができる運転技術並びに法令に定める自動車の運転に関する事項について適切な指導監督をしなければならない。この場合においては、その日時、場所及び内容並びに指導監督を行った者及び受けた者を記録し、かつ、その記録を営業所において**3年間保存**しなければならない。

2．道路運送車両法関係

問9　　　　　　　　正答2
自動車の登録等

1．○ 車両法第20条第2項により正しい。

2．× 車両法施行規則第8条の2第1項によると、自動車登録番号標の取付は、自動車の前面及び後面の見やすい位置に確実に行うものとされている。**見やすい位置に取り付けな**ければならないのであって、「任意の位置」に取り付けるというのは誤り。

3．○ 車両法第12条第1項により正しい。

4．○ 車両法第3条により正しい。

問10　　　　　　　正答1、4
自動車の検査等

1．○ **新規検査**は車両法第59条、**継続検査**は同法第62条、**臨時検査**は同法第63条、**構造等変更検査**は同法第67条、**予備検査**は同法第71条に規定があり、正しい。

2．× 車両法施行規則第44条第1項によると、自動車検査証の有効期間の起算日については、自動車検査証の有効期間が満了する日の**1ヵ月前**（離島に使用の本拠の位置を有する自動車を除く。）から当該期間が満了する日までの間に継続検査を行い、当該自動車検査証に有効期間を記録する場合は、当該自動車検査証の有効期間が満了する日の翌日とする。

　なお、令和5年1月1日施行の車両法施行規則の改正により、自動車検査証に「記入」とされていた部分が「記録」となった。

3．× 車両法第66条第1項によると、自動車検査証を備え付けなければならない場所は**当該自動車のみであ**り、当該自動車の所属する営業所は入らない。

4．○ 車両法第61条第1項によると、自動車検査証の有効期間は、**旅客を運送する自動車運送事業の用に供する自動車**、貨物の運送の用に供する自動車及び国土交通省令で定める自家用自動車であって、**検査対象軽自動車以外のもの**にあっては1年、その他の自動車にあっては2年とされている。本問に挙げられている「乗車定員5人の旅客を運送する自動車

運送事業の用に供する自動車」の場合、自動車検査証の有効期間は1年となる。

問11　　　　正答 A1 B1 C2
自動車の整備命令等

車両法第54条第1項によると、地方運輸局長は、自動車が保安基準に適合しなくなるおそれがある状態又は適合しない状態にあるときは、当該自動車の**使用者**に対し、保安基準に適合しなくなるおそれをなくするため、又は保安基準に適合させるために必要な整備を行うべきことを**命ずる**ことができる。この場合において、地方運輸局長は、保安基準に適合しない状態にある当該自動車の**使用者**に対し、当該自動車が保安基準に適合するに至るまでの間の運行に関し、当該自動車の使用の方法又は**経路の制限**その他の保安上又は公害防止その他の環境保全上必要な指示をすることができる。

以上より、Aには「1. 使用者」、Bには「1. 命ずる」、Cには「2. 経路の制限」が入る。

問12　　　　正答 2、3
保安基準及び細目告示

1．× 保安基準第47条第1項によると、乗車定員**11人以上**の自動車、幼児専用車及び危険物の規制に関する政令に掲げる指定数量以上の危険物を運送する自動車（被牽引自動車を除く。）には、消火器を備えなければならない。

2．○ 保安基準第44条第1項及び

第2項、細目告示第224条第2項第2号により正しい。

3．○ 保安基準第26条第1項及び第2項により正しい。

4．× 保安基準第42条及び細目告示第218条第3項第6号によると、一般乗用旅客自動車運送事業用自動車は、後方に表示する灯光の色が**白色**である社名表示灯を備えることが**できる**。

3. 道路交通法関係

問13　　　　正答 2
車両通行帯等

1．○ 道交法第20条第1項により正しい。

2．× 道交法第20条の2第1項によると、路線バス等の優先通行帯であることが道路標識等により表示されている車両通行帯が設けられている道路においては、自動車（路線バス等を除く。）は、後方から路線バス等が接近してきた場合に当該道路における交通の混雑のため当該車両通行帯から出ることができないこととなるときは、当該車両通行帯を通行してはならず、また、当該車両通行帯を通行している場合において、後方から路線バス等が接近してきたときは、その正常な運行に支障を及ぼさないように、**すみやかに当該車両通行帯の外に出なければならない。**

3．○ 道交法第18条第1項により正しい。

4．○ 道交法第17条第5項第4号

により正しい。

問14　　　　　正答1、3
追越し等

1．○　道交法第30条第2号によると、車両はトンネル内においては、車両通行帯の設けられた道路以外の道路部分での追越しは禁止されている一方、**車両通行帯の設けられている部分での追越しは禁止されていない**ので正しい。

2．×　道交法第28条第1項により、車両は他の車両を追い越そうとするときは、原則としてその追い越されようとする車両（前車）の右側を通行しなければならない。ただし、前車が法令の規定により右折をするため道路の中央又は右側端に寄って通行しているときは、その**左側を通行**しなければならない（同条第2項）。

3．○　道交法第32条により正しい。

4．×　道交法第26条の2第2項によると、車両は、進路を変更した場合にその変更した後の進路と同一の進路を後方から進行してくる車両等の速度又は方向を急に変更させることとなるおそれがあるときは、**進路を変更してはならない**。

問15　　　　　正答2
停車及び駐車等

1．○　道交法第44条第1項第2号により正しい。

　　なお、道交法第44条第1項第2号の改正（令和2年12月1日施行）により、「まがりかど」とされていた箇所は「曲がり角」となった。

2．×　道交法第45条第2項本文によると、車両は、法令の規定により駐車する場合には、当該車両の右側の道路上に**3.5メートル**（道路標識等により距離が指定されているときは、その距離）以上の余地がなければ、駐車してはならない。

3．○　道交法第44条第1項第6号により正しい。

4．○　道交法第50条第1項により正しい。

問16　　　　　正答1、2
運転者及び使用者の義務等

1．○　道交法第75条第2項により正しい。

2．○　道交法第71条第5号の5により正しい。

3．×　道交法第71条の3第2項によると、自動車の運転者は、座席ベルトを装着しない者を運転者席以外の乗車装置に乗車させて自動車を運転してはならない。ただし、幼児を当該乗車装置に乗車させるとき、疾病のため座席ベルトを装着させることが療養上適当でない者を当該乗車装置に乗車させるとき、その他**政令で定めるやむを得ない理由があるとき**は、この限りでない。また、同法施行令第26条の3の2第2項第2号によると、「**負傷若しくは障害のため又は妊娠中であることにより座席ベルトを装着させることが療養上又は健康保持上適当でない者**を自動車の運転者席以外の乗車装置に乗車さ

せるとき」は同法第71条の3第2項ただし書きにおける「政令で定めるやむを得ない理由があるとき」に該当する。したがって、本肢は誤り。

4. × 道交法第71条第2号の2によると、車両等の運転者は、高齢の歩行者、身体の障害のある歩行者その他の歩行者でその通行に支障のあるものが通行しているときは、**一時停止し、又は徐行して、その通行を妨げないようにしなければならない**。

問17　　　　正答 A1 B2 C1
運転者が違反した場合等の措置

道交法第108条の34によると、車両等の運転者が道交法若しくは同法に基づく命令の規定又は同法の規定に基づく**処分に違反**した場合において、当該違反が当該違反に係る車両等の**使用者**の業務に関してなされたものであると認めるときは、都道府県公安委員会は、内閣府令で定めるところにより、当該車両等の使用者が道路運送法の規定による自動車運送事業者、貨物利用運送事業法の規定による第二種貨物利用運送事業を経営する者であるときは当該事業者及び当該事業を監督する行政庁に対し、当該車両等の使用者がこれらの事業者以外の者であるときは当該車両等の使用者に対し、当該**違反の内容**を通知するものとする。

以上より、Aには「1. 処分に違反」、Bには「2. 使用者」、Cには「1. 違反の内容」が入る。

4. 労働基準法関係

問18　　　　正答 2、4
労働条件及び労働契約

1. × 労基法第1条第2項によると、同法で定める労働条件の基準は最低のものであり、労働関係の当事者は、この基準を理由として労働条件を低下させてはならないことはもとより、その向上を図るように努めなければならない。**これに反する当事者間の合意は無効**である（同法第13条前段）。したがって、本肢は「当事者間の合意がある場合を除き」という点が誤っている。

> 労働基準法に規定された
> "労働条件"は最低限のもの！

> 当事者間の合意があっても、
> 低下させられない！

2. ○ 労基法第14条第1項により正しい。

3. × 労基法第15条第1項及び第2項によると、労働者は、労働契約の締結に際し使用者から明示された賃金、労働時間その他の労働条件が事実と相違する場合においては、**即時に当該労働契約を解除することができる**。「少なくとも30日前に使用者に予告」する必要はないので、誤り。

（次ページへ続く）

労働条件が違うので労働契約を解除します！

しまった！

4．○ 労基法第106条第1項により正しい。

問19 正答3
就業規則

1．○ 労基法第89条により正しい。

[参考]
就業規則の記載事項（労基法第89条）
①始業及び終業の時刻、休憩時間、休日、休暇等に関する事項
②賃金（臨時の賃金等を除く。）の決定、計算及び支払の方法、賃金の締切り及び支払の時期並びに昇給に関する事項
③退職に関する事項（解雇の事由を含む。）
④退職手当の定めをする場合には、適用される労働者の範囲、退職手当の決定、計算及び支払の方法並びに退職手当の支払の時期に関する事項
⑤臨時の賃金等（退職手当を除く。）及び最低賃金額の定めに関する事項
⑥労働者に食費、作業用品その他の負担をさせる定めに関する事項
⑦安全及び衛生に関する事項
⑧職業訓練に関する事項
⑨災害補償及び業務外の傷病扶助に関する事項
⑩表彰及び制裁の定めをする場合のその種類及び程度に関する事項
など

2．○ 労基法第91条により正しい。
3．× 労基法第90条第1項によると、使用者は、就業規則の作成又は変更について、当該事業場に、労働者の過半数で組織する労働組合がある場合においてはその労働組合、労働者

の過半数で組織する労働組合がない場合においては労働者の過半数を代表する者の**意見を聴かなければならない**。「内容について同意を得」る必要まではない。

4．○ 労基法第92条第1項及び第2項により正しい。

問20 正答A1 B3 C7 D6
拘束時間及び休息期間

改善基準第2条第1項第2号には、以下のように記されている。

1日（始業時刻から起算して24時間をいう。以下同じ。）についての拘束時間は、**13時間**を超えないものとし、当該拘束時間を延長する場合であっても、1日についての拘束時間の限度（最大拘束時間）は、**15時間**とすること。ただし、車庫待ち等の自動車運転者について、次に掲げる要件を満たす場合には、この限りでない。

イ　勤務終了後、継続**20時間**以上の休息期間を与えること。

ロ　1日についての拘束時間が**16時間**を超える回数が、1ヵ月について7回以内であること。

ハ　1日についての拘束時間が**18時間**を超える場合には、夜間4時間以上の仮眠時間を与えること。

ニ　1回の勤務における拘束時間が、24時間を超えないこと。

したがって、Aには「1.13時間」、Bには「3.15時間」、Cには「7.20時間」、Dには「6.18時間」がそれぞれ入る。

問21　　　　　　正答2
拘束時間等

1. ○　改善基準によると、休息期間とは、勤務と次の勤務との間にあって、休息期間の直前の拘束時間における疲労の回復を図るとともに、睡眠時間を含む労働者の生活時間として、その処分は労働者の全く自由な判断にゆだねられる時間をいう。よって正しい。

2. ×　出題時の改善基準第5条第4項によると、労使当事者は、時間外労働協定においてバス運転者に係る一定期間についての延長時間について協定するに当たっては、当該一定期間は2週間及び1ヵ月以上3ヵ月以内の一定の期間とするものとする。

　　改善基準の改正（令和6年4月1日施行）により、旧改善基準第5条第4項の規定は**削除**されたため、**現在では本肢のような規定は存在しない**。

3. ○　改善基準第5条第4項第2号により正しい。

4. ○　改善基準第5条第2項により正しい。

問22　　　　　　正答イ
拘束時間

　改善基準第5条第1項第1号ロによると、バス運転者等の拘束時間は、**4週間を平均し1週間当たり65時間を超えず**、かつ、52週間について3,300時間を超えないものとすることとされている。ただし、貸切バス等乗務者の

拘束時間は、労使協定により、52週間のうち24週間までは、4週間を平均し1週間当たり68時間まで延長することができ、かつ、52週間について3,400時間まで延長することができる。また、同条項第2号によると、上記但書の場合においては、4週間を平均した1週間当たりの拘束時間が65時間を超える週が16週間を超えて連続しないものとする必要がある。

　以上を前提に、本問を検討する。

　まず、**選択肢ア**に注目すると、**B**が**72時間**となっている。4週間を平均した1週間当たりの拘束時間が、この時点で**68時間**を超えているため、選択肢アは改善基準に違反する。

　次に、**選択肢ウ**に注目すると、**D**が**69時間**となっている。4週間を平均した1週間当たりの拘束時間が、この時点で**68時間**を超えているため、選択肢ウは改善基準に違反する。

　最後に、選択肢イを見てみると、改善基準に違反している箇所はない。

　したがって、選択肢イが正答となる。

問23　　　　　　正答3
拘束時間及び運転時間等

1. **違反していない**　改善基準第5条第1項第3号により、バス運転者等の1日についての拘束時間は、原則として13時間を超えてはならず、延長する場合でも**最大拘束時間は15時間が限度である**。以上を前提に本問を検討すると、拘束時間が最も長いのは19日の15時間であり、1日の最大拘束時間は基準に違反してい

ない。

2．**違反していない**　改善基準第5条第1項第5号によると、運転時間は、4週間を平均し1週間当たり40時間を超えないものとすることとされている。ただし、貸切バス等乗務者については、労使協定により、52週間についての運転時間が2,080時間を超えない範囲内において、52週間のうち16週間までは、4週間を平均し1週間当たり44時間まで延長することができる。以上を前提に本問を検討すると、本問における4週間の合計運転時間は174時間であり、これを4で除すと、174÷4＝43.5時間となる。したがって、44時間を超えていないので、4週間を平均した1週間当たりの運転時間は改善基準に違反していない。

3．**違反している**　改善基準第5条第1項第5号によると、運転時間は、2日（始業時刻から起算して48時間をいう。）を平均し1日当たり9時間を超えないこととされている。そして、1日の運転時間の計算に当たっては、「特定日の前日と特定日の運転時間の平均」と「特定日と特定日の翌日の運転時間の平均」を算出し、どちらも9時間を超える場合は基準違反と判断される。以上を前提に本問を検討すると、19日を特定日とした場合、「特定日の前日（18日）と特定日（19日）の運転時間の平均」、「特定日（19日）と特定日の翌日（20日）の運転時間の平均」は、ともに9.5時間であり、基準に違反している。

4．**違反していない**　改善基準第5条第5項によると、バス運転者に、休日に労働させる場合には、当該労働させる休日は2週間について1回を超えないこととされている。以上を前提に本問を検討すると、休日労働をさせたのは14日と28日であり、2週間について1回を超えていない。したがって、2週間における休日に労働させる回数は基準に違反していない。

5．実務上の知識及び能力

問24　正答　適2、3　不適1、4
日常業務の記録等

1．**不適**　運輸規則第37条第1項において**乗務員等台帳の記載事項は厳格に規定されている**のであり、これを「概ね」網羅しているにすぎない履歴書を当該台帳として使用することは、同規定違反である。

2．**適**　運輸規則第21条第1項により、事業者は運転者の勤務時間及び乗務時間を定めることとされている。そして、同規則第48条第1項第3号により運行管理者は、この勤務時間及び乗務時間の範囲内において乗務割を作成することとされているが、その際、**運転者が過労とならないよう十分考慮**するほか、**天候や道路状況などをあわせて考えること**は、事故防止のために適切な対応である。また、**乗務割の予定を運転者に事前に示す**ことも、運転者が休みの予定を早めに立てることができる

ようになるため、適切である。

3．**適**　運輸規則第20条及び第48条第1項第2号によると、天災その他の理由により輸送の安全の確保に支障が生ずるおそれがあるときは、事業者及び運行管理者は乗務員等に対して**必要な指示**をすることとされている。本肢前段における運行管理者の対応は、これらの規定に照らし適切な対応だといえる。また、報告を受けた事項や指示した内容について、異常気象時等の措置として**詳細に記録**しておくことは、今後同様の事例が起きた場合への備えになりうる。よって、本肢後段における運行管理者の対応も適切である。

4．**不適**　通達「旅客自動車運送事業運輸規則の解釈及び運用について」第28条の2（1）によると、運行管理者は、運行の途中において運行の経路に変更が生じた場合には、**運転者**にその内容、理由及び指示をした運行管理者の氏名を**運行指示書に記入させる**こととされている。

問25　　　　　　正答3、4
運転者に対する指導・監督

1．**不適**　個人差はあるものの、体内に入ったビール500ミリリットル（アルコール5%）が分解処理されるのにかかる時間は概ね**4時間**が目安とされている。

2．**不適**　他の自動車に追従して走行するときに運転者が常に「秒」の意識をもって留意しなければならないのは、自車の速度と**停止距離**である。

事業者及び運行管理者は運転者に対し、前車との追突等の危険が発生した場合でも安全に停止できるよう、少なくとも**停止距離**と同程度の車間距離を保って運転するように指導する必要がある。

空走距離とは、危険を認知してからブレーキが効き始めるまでの距離であり、**制動距離**とは、ブレーキを踏んでから停止するまでの走行距離である。そして、**停止距離**とは、運転者が危険を認知してから車が停止するまでに走行した距離であり、**空走距離と制動距離の和**で求められる。

停止距離と同程度の
車間距離を保つ

3．**適**　本肢の記述のとおりであり、適切である。なお、令和4年中の統計も同様である。

4．**適**　本肢の記述のとおりであり、適切である。令和5年中の統計も同様である。

問26　正答 適1、2　不適3、4
運転者の健康管理

1．**適**　労働安全衛生規則第51条によると、事業者は、労働者が受診した健康診断の結果に基づき、健康診断個人票を作成して、これを**5年間**保存しなければならない。また、当該「健康診断」には、法令で定めるものに加え、労働者が自ら受診したものも含まれる。よって、本肢の対応は適切である。

2．**適**　事業者や運行管理者は、点呼等の際に、運転者の意識や言葉に異常な症状があり、普段と様子が違うときには、すぐに**専門医療機関で受診させるべき**である。また、運転者に対しては、脳血管疾患の症状について理解させ、そうした症状があった際にはすぐに申告させるように努めるべきである。

3．**不適**　労働安全衛生規則第45条第1項及び第13条第1項第3号によると、事業者は、**深夜業を含む業**務に常時従事する労働者に対し、**6ヵ月以内ごとに1回**、定期的に、医師による健康診断を行わなければならない。よって、本肢の対応は不適切である。

4．**不適**　脳血管疾患を定期健康診断で発見するのは**困難**である。発見するためには、**専門医療機関を受診**すること等が必要になる。

問27　正答　適2、3、4　不適1
運転

1．**不適**　二輪車に対する注意点のうち、②が誤り。二輪車は速度が**遅く**感じたり、距離が実際より**遠く**に見えたりする。

2．**適**　運転席が高い位置にある**大型車の場合は車間距離に余裕があるように感じ**、乗用車の場合は車間距離に余裕がないように感じる。よって、運転者に対しては、この点に注意して常に適正な車間距離をとるよう指導する必要がある。

3．**適**　本肢の記述のとおりであり、適切である。

4．**適**　本肢の記述のとおりであり、適切である。

問28　正答　適2、3、4　不適1
交通事故防止対策

1．**不適**　適性診断の目的は、「運転に適さない者を運転者として選任しない」ことではなく、**運転者に自分の運転の傾向や事故を起こす危険性を客観的に知ってもらうことで、安全な運転を目指すようその自覚を促す**ことにある。

2．**適**　本肢の記述のとおりであり、適切である。

3．**適**　本肢の記述のとおりであり、適切である。令和5年中も同様傾向で、非着用時の致死率は着用時の14.4倍となっている。

4．**適**　本肢の記述のとおりであり、適切である。

問29　正答　ア2イ2ウ1
当日の運行計画

ア　本問の場合、BC間の距離が150km、平均時速が45kmであるから、BC間の走行にかかる時間は150 ÷ 45 ＝ 3時間20分である。

以上より、正答は2となる。

イ　改善基準第5条第1項第5号によ

平成30年1回

ると、運転時間は、2日（始業時刻から起算して48時間をいう。）を平均し1日当たり9時間を超えないこととされている。そして、1日の運転時間の計算に当たっては、「特定日の前日と特定日の運転時間の平均」と「特定日と特定日の翌日の運転時間の平均」を算出し、どちらも9時間を超える場合は基準違反と判断される。以上を前提に本問を検討する。まず、当日の運転時間は、帰庫時刻（19時40分）から出庫時刻（8時00分）を差し引いた時間（11時間40分）から、運転以外に要した時間を差し引くことで求められる。この計算式に当てはめると、当日の運転時間は11時間40分－（10分＋2時間＋20分＋10分）＝9時間00分となる。よって、当日を特定日とした場合、「特定日の前日と特定日の運転時間の平均」は9時間00分、「特定日と特定日の翌日の運転時間の平均」は8時間55分であり、基準には違反していない。

以上より、正答は2となる。

ウ　連続運転時間が改善基準に違反しているかどうかは、**運転開始後4時間以内又は4時間経過直後に、30分以上の「運転の中断」をしているかどうかで判断する。**なお、この30分以上の「運転の中断」については、**少なくとも1回につき10分以上（10分未満の場合、運転の中断時間としてカウントされない）**とした上で分割することもできる。なお、休憩だけでなく、**乗車時間、降車時間や待**機時間も「運転の中断」に含まれる。以上を前提に本問を検討する。まず、当日のタイムスケジュールを整理すると、次のようになる。

回送30分→乗車10分→運転3時間20分→待機2時間（うち1時間休憩）→運転2時間→待機20分→運転2時間40分→降車10分→回送30分→帰庫

ここで注目すべき点は、後半の「運転2時間→待機20分→運転2時間40分」という部分である。この部分を見ると、**運転時間が4時間を超えているにもかかわらず、運転の中断が20分しかない。**よって、上記の判断基準に照らすと、本問のタイムスケジュールは改善基準に違反している。

以上より、正答は1となる。

問30　　　　　　　　　正答4
事故の再発防止対策

ア　**直接的に有効**　本問の場合、運転者は、頻繁に夜遅くまで友人たちと遊興することがあり、事故前夜も夜更しをしたため、事故当日は、睡眠不足の状態であった。また、業務前点呼時、運行管理者は運転者が睡眠不足気味に見えたものの、本人から特に申し出がなかったので、疲労の状態には問題がないと判断した。このような**運転者の生活状況や運行管理者の管理の甘さが、事故の原因となった可能性がある。**したがって、本肢は、同種の事故の再発を防止する対策として直接的に有効と考えら

れる。

イ　**直接的に有効ではない**　本問の場合、運転者の事故日前1ヵ月間の勤務において、拘束時間や休息期間等について、「自動車運転者の労働時間等の改善のための基準」の違反はみられなかったとされている。したがって、本肢は、同種の事故の再発を防止する対策として直接的に有効とはいえない。

ウ　**直接的に有効ではない**　本問の場合、運転者は、**事故発生後直ちに当該バスを路側に寄せ、負傷した乗客を介護した後、救急車を手配している**。当該措置は適切であるため、本肢は、同種の事故の再発を防止する対策として直接的に有効とはいえない。

エ　**直接的に有効**　本問の場合、バス会社では毎月運転者の集合教育を実施しているが、管理者の講話が中心で、運行時のヒヤリ・ハット体験などが教育に活用されていないため、運転者の間でそれらの情報が共有化されていなかった。こうした「**実際の体験に基づく情報の不足**」が、事故の原因となった可能性がある。したがって、本肢は、同種の事故の再発を防止する対策として直接的に有効と考えられる。

オ　**直接的に有効ではない**　本問の場合、運転者は、**28歳**で運転経験3年、過去3年間無事故無違反の運転者である。したがって、本肢は、同種の事故の再発を防止する対策として直接的に有効とはいえない。

カ　**直接的に有効**　本問の場合、バス会社では、乗合バスにドライブレコーダーは**未装着**であり、営業状況を勘案した上で導入を検討しているところであった。また、運転者は、**適性診断結果において「判断動作のタイミング」の項目で、動作が不安定になりやすい**という結果となっており、これらの要素が、事故の原因となった可能性がある。したがって、本肢は、同種の事故の再発を防止する対策として直接的に有効と考えられる。

キ　**直接的に有効ではない**　本問の場合、バス会社の**定期健康診断は、年2回実施**されており、運転者は受診結果に問題はなかった。したがって、本肢は、同種の事故の再発を防止する対策として直接的に有効とはいえない。

ク　**直接的に有効**　本問の場合、事故は**見通しの悪いバス停**で起こっている。したがって、本肢は、同種の事故の再発を防止する対策として直接的に有効と考えられる。

　以上より、直接的に有効と考えられる組合せは、ア・エ・カ・クであり、正答は4となる。

令和4年度CBT試験出題例　正答一覧

原則として、正解数が30問中18問以上、かつ、各分野1問（実務上の知識及び能力は2問）以上で合格!

（●＝正答）

問題	1	2 A	2 B	2 C	3	4	5	6	7	8	9	10	11 A	11 B	12	13
①	●	●	○	○	●	●	○	●	●	○	●	●	●	○	○	○
②	●	○	●	●	○	○	○	○	●	●	○	○	○	●	○	●
③	○				○	●	●	○	○	○	○	○			●	○
④	○				●	○	●	○	○	●	●	○			○	○

問題	11 C	11 D
①	○	●
②	●	○

問題	14	15 A	15 B	15 C	16	17	18	19	20 A	20 B	21	22	23	24	25	26
①	●	○	●	●	○	○	○	○	○	●	●	○	ア ○	○	○	●
②	○	●	○	○	○	○	●	●	○	○	○	●	イ ●	●	○	○
③	○				○	●	○	○			○	○	ウ ○	●	○	○
④	●				●	○	○				●	○		●	●	●

問題	20 C	20 D
①	●	○
②	○	●

問題	27	28	29-1	29-2	29-3	30
①	○	○	●	○	○	●
②	○	●	○	●	●	○
③	●	○				●
④	○	●				○

30　⑤ ●　⑥ ○

令和3年度 CBT試験出題例　正答一覧

原則として、正解数が30問中18問以上、かつ、各分野1問（実務上の知識及び能力は2問）以上で合格！

問題 1〜14（解答欄・●が正答）

問題	1	2	3	4	5	6	7A	7B	7C	7D	8	9	10	11A	11B	11C	11D	12	13	14
正答	2	4	1	2	1	3	2	2	1	1	1	1	4	1	2	2	2	3	3	4

問題 15〜26（解答欄・●が正答）

問題	15A	15B	15C	15D	16	17	18	19	20A	20B	20C	20D	21	22	23	24A	24B	24C	25	26
正答	1	2	2	2	1	3	2	1	1	2	1	1	3	3	3	6	8	4	1	3

問題 27〜30（解答欄・●が正答）

問題	27	28A	28B	28C	28D	29-1	29-2	29-3	30
正答	2	2	2	—	1	3	2	1	6

原則として、正解数が30問中18問以上、かつ、各分野1問（実務上の知識及び能力は2問）以上で合格!

問題	1	2 A	2 B	2 C	3	4	5	6	7	8	9	10	11 A	11 B	12	13
解答欄 ①	○	○	●	●	○	●	●	○	○	●	○	○	●	●	○	○
解答欄 ②	●	●	○	○	○	○	○	○	●	○	○	○	○	○	●	●
解答欄 ③	●				○	○	●	○	○	○	○	●			○	○
解答欄 ④	○				●	○	○	●	○	○	●	●			○	○
11 C ①													○			
11 C ②													●			
11 D ①														○		
11 D ②														●		

問題	14	15 A	15 B	15 C	16	17	18	19	20 A	20 B	21	22	23	24	25	26
解答欄 ①	●	○	●	●	○	○	○	○	○	●	●	○	○	○	○	●
解答欄 ②	○	●	○	○	○	○	●	●	●	○	○	●	○	●	○	○
解答欄 ③	○				●	○	○	○			○	○	●	○	●	○
解答欄 ④	●				○	●	○	○			○	○	○	○	○	●
20 C ①									○							
20 C ②									●							
20 D ①										●						
20 D ②										○						

問題	27	28	29-1	29-2	29-3	30
解答欄 ①	●	●	○	●	●	○ ／ ● (⑥)
解答欄 ②	●	●	●	○	○	○ ／ ○ (⑦)
解答欄 ③	●	●	○			○ ／ ○ (⑧)
解答欄 ④	●	○				● ／ ○ (⑨)
解答欄 ⑤						○ ／ ○ (⑩)

原則として、正解数が30問中18問以上、かつ、各分野1問（実務上の知識及び能力は2問）以上で合格!

問題	1	2	3 A	3 B	4	5	6	7	8	9	10	11 A	11 B	12	13	14
解答欄	②④	②④	②	②	①②③	②③④	④	③④	③	③	②④	②	①	④	①	③④

3 C	3 D	11 C	11 D
②	①	①	①

問題	15 A	15 B	15 C	15 D	16	17	18	19	20 A	20 B	21	22	23	24 適	24 不適	25
解答欄	③	②	⑤	④	③	①②	②	③	①	①	②③	④	③	①	②④	②③

20 C	20 D
①	①

問題	26 適	26 不適	27 適	27 不適	28 A	28 B	28 C	29 ア	29 イ	30
解答欄	①④	②③	②③	①④	①	②	①	③	①	①③

原則として、正解数が30問中18問以上、かつ、各分野1問（実務上の知識及び能力は2問）以上で合格!

問題	1	2	3	4	5	6	7 A	7 B	7 C	8	9	10	11 A	11 B	11 C	11 D
解答欄	③	②④	②	④	②④	①	②	②	①	①③	②	②	①	②	⑤	②

問題	12	13	14	15 A	15 B	15 C	16	17	18	19	20 A	20 B	20 C	20 D	21	22	23
解答欄	①	③	③	②	①	①	①	②	②	④	①	②	②	②	②④	③④	①④

問題	24 適	24 不適	25	26 適	26 不適	27 適	27 不適	28 ア	28 イ	28 ウ	29 ア	29 イ	29 ウ	30 A	30 B	30 C
解答欄	②④	①③	①	①②③	④	②④	①	②	②	①	③	②	①	⑤	③	⑧

令和元年度第1回　正答一覧

 原則として、正解数が30問中18問以上、かつ、各分野1問（実務上の知識及び能力は2問）以上で合格!

問題	1	2	3	4 A	4 B	4 C	5	6	7	8	9	10	11 A	11 B	12	13
解答欄	**1**	1	1	1	1	1	1	**1**	**1**	1	**1**	**1**	**1**	**1**	1	1
	2	**2**	2	2	2	**2**	**2**	2	2	2	2	2	2	2	**2**	**2**
	3	**3**	**3**	3	3	3	3	**3**	3	3	3	3			3	3
	4	4	4	**4**	4	4	**4**	4	4	**4**	4	**4**			4	4
				5	5	5										
				6	**6**	6										

11 C・D

問題	11 C	11 D
解答欄	1	1
	2	**2**

問題	14 A	14 B	15	16	17	18	19	20 A	20 B	20 C	21	22	23	24 適	24 不適	25
解答欄	1	1	**1**	1	1	**1**	1	**1**	1	**1**	**1**	1	1	1	**1**	1
	2	**2**	2	**2**	**2**	2	**2**	2	**2**	2	2	**2**	2	2	**2**	**2**
	3	3	**3**	3	**3**	**3**	3	3			**3**	3	3	3	**3**	3
			4	4	4	4	4				4	4	**4**	**4**	4	**4**

14 C・D

問題	14 C	14 D
解答欄	1	1
	2	2
	3	**3**

問題	26 適	26 不適	27 適	27 不適	28 適	28 不適	29	30 A	30 B	30 C	30 D
解答欄	1	**1**	1	**1**	1	**1**	**1**	1	1	6	6
	2	2	**2**	2	**2**	2	2	**2**	2	7	7
	3	3	**3**	3	**3**	3	**3**	3	3	**8**	8
	4	4	**4**	4	4	**4**		4	**4**	9	9
								5	5	10	**10**

129

原則として、正解数が30問中18問以上、かつ、各分野1問
（実務上の知識及び能力は2問）以上で合格！

解答欄（● が正答）

問題 1〜12

問題	①	②	③	④
1			●	
2 A		●		
2 B	●			
2 C	●			
2 D		●		
3	●			
4		●		
5			●	
6				●
7		●		
8		●		
9			●	
10	●			
11 A		●		
11 B	●			
11 C		●		
11 D	●			
12				●

問題 13〜23

問題	①	②	③	④
13		●		●
14	●		●	
15 A		●		
15 B	●			
15 C	●			
15 D	●			
16			●	
17			●	
18			●	
19				●
20 A	●			
20 B		●		
20 C		●		
20 D		●		
21	●		●	
22		●		
23		●		

問題 24〜30

問題	①	②	③	④
24 適	●		●	
24 不適		●		●
25	●	●	●	
26 適	●		●	
26 不適		●		●
27 A			●	
27 B		●		
27 C	●			
27 D		●		
28 適	●			
28 不適		●	●	●
29	●			

問題 30：選択肢 ①②③④⑤⑥⑦⑧

原則として、正解数が30問中18問以上、かつ、各分野1問
（実務上の知識及び能力は2問）以上で合格!

解答欄（正答一覧）

問題	1	2 A	2 B	2 C	2 D	3	4	5	6	7	8	9	10	11 A	11 B	11 C
①	①	①	①	①	**●**	①	①	①	①	①	**●**	①	**●**	**●**	**●**	①
②	**●**	②	②	②	②	**●**	②	②	②	**●**	②	**●**	②	②	②	**●**
③	③	**●**	③	③	③	③	**●**	**●**	③	③	③	③	③	③	③	③
④	④	④	**●**	④	④	④	④	④	**●**	④	④	④	**●**	④	④	④
⑤		⑤	⑤	⑤	⑤											
⑥		⑥	⑥	⑥	⑥											
⑦		⑦	⑦	**●**	⑦											
⑧		⑧	⑧	⑧	⑧											

問題	12	13	14	15	16	17 A	17 B	17 C	18	19	20 A	20 B	20 C	20 D	21	22
①	①	①	**●**	①	**●**	**●**	①	**●**	①	①	**●**	①	①	①	①	㋐
②	**●**	②	②	**●**	②	②	**●**	②	**●**	②	②	②	②	②	**●**	㋑
③	③	③	③	③	③	③		③	③	**●**	③	**●**	③	③	③	㋒
④	④	④	④	④	④				**●**	④	④	④	④	④	④	
⑤											⑤	⑤	⑤	⑤		
⑥											⑥	⑥	⑥	**●**		
⑦											⑦	⑦	**●**	⑦		
⑧											⑧	⑧	⑧	⑧		

問題	23	24 適	24 不適	25	26 適	26 不適	27 適	27 不適	28 適	28 不適	29 ア	29 イ	29 ウ	30	
①	①	①	**●**	①	**●**	①	①	**●**	①	**●**	①	①	**●**	①	⑤
②	②	**●**	②	②	**●**	②	**●**	②	**●**	②	**●**	**●**	②	②	⑥
③	**●**	**●**	③	**●**	③	**●**	③	③	③	③	③			③	⑦
④	④	④	**●**	**●**	④	④	④	**●**	④	④				**●**	⑧

memo

memo

memo

memo

memo

※矢印の方向に引くと正答・解説編が取り外せます。

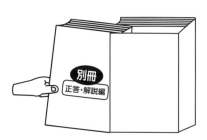